Donald McGraw

LE DÉVELOPPEMENT DES GROUPES POPULAIRES
A MONTRÉAL (1963-1973)

Éditions coopératives Albert St-Martin

COLLECTION "PRATIQUES SOCIALES"

La société est remise en question par des formes nouvelles d'interventions et d'organisation. Voilà pourquoi nous nous sommes donnés une collection axée sur l'analyse et la description des pratiques sociales.

Charles Côté et Yannick Harnois
L'animation au Qu´
L'animation au Québec : Sources, apports et limites
Une analyse de courants sociaux importants dans le Québec d'après 1960 : animation, groupes populaires, changement social, action politique et animation culturelle. $7.00

Aline Chèvrefils
Le rôle des animateurs sociaux
En analysant trois expériences différentes d'animation (la Gaspésie, St-Henri et Châteauguay), il est possible de tracer un portrait assez fidèle de ces agents de changement et de conscientisation. 171 p. $7.00

Gilbert Renaud
L'éclatement de la profession en service social
La remise en question du rôle des travailleurs sociaux professionnels par la Commission Castonguay-Nepveu et la prise en charge des agences "privées" par l'Etat. 140 p. $7.00

Donald Mc Graw
Le développement des groupes populaires à Montréal (1963-1973)
Dans sa thèse de doctorat, McGraw analyse les origines et le développement des oganisations populaires à Montréal. $7.00

Revue internationale d'action communautaire
Santé populaire : Milieux de vie et de travail
Numéro thématique, analysant la situation et les enjeux de la santé des milieux populaires. $6.00

Charles Côté
Ti-Cul l'animateur
Racontés sous une forme romancée, les efforts des organisateurs communautaires de la Compagnie des Jeunes Canadiens dans un quartier défavorisé de Montréal, 66 p. $2.00

Le développement des groupes populaires à Montréal (1963-1973)

Composition : Composition Solidaire
Impression : Université du Québec à Montréal.
Maquette : Marielle Rouleau-Blanchard
Photo : fournie par l'ADDS

Dépôt légal : Bibliothèque nationale du Québec, 4e trimestre 1978.
ISBN 2-89035-000-2

PREFACE

Présenter la thèse de doctorat de Donald Mc Graw, c'est faire le point d'une recherche ; c'est aussi une façon de continuer le dialogue mené à Grenoble avec un ami aujourd'hui disparu. Dans sa thèse, Donald se retrouve tout entier : avec son engagement de militant qui cherche sans complaisance à comprendre et juger l'action ; avec son métier de professeur à l'UQAM enseignant au module de travail social, soucieux d'une parole utile et vraie ; et avec cet excès de sensibilité, dont il avait, depuis toujours, appris à se méfier : de là son souci d'objectivation, les formes rigoureuses de construction qu'il s'impose. La démonstration est menée pas à pas, sans effets de style mais aussi sans qu'aucun aspect, fut-il gênant, soit laissé dans l'ombre. En surface, une sociologie de la raison la plus dépouillée ; en profondeur une sociologie du coeur, car rien n'est écrit qui ne soit passé au crible dela conviction intime.

Donnons ici les grandes lignes de la démonstration, qui court tout au long de l'ouvrage et qui se dévoile progressivement à une lecture attentive.

Au point de départ, une rencontre avec Gramsci, ou plus exactement, car l'accès direct à Gramsci est malaisé, une rencontre avec ceux qui cherchent, aujourd'hui, à faire revivre sa pensée.

Pourquoi ce détour : parce que dans les actions des groupes populaires auxquelles Donald avait été mêlé, dans les analyses marxistes qu'il avait commencé d'en faire (cf. sa thèse de maîtrise à l'UQAM) deux questions restaient sans réponse, questions que l'on peut formuler ainsi : 1) Puisque les luttes urbaines sont dirigés contre l'Etat et ses appareils, comment expliquer que ceux-ci ont contribué largement à susciter et organiser ces luttes ? 2) Si, en analyse marxiste, les luttes urbaines doivent au bout du compte être référées à la lutte des classes, comment resituer le rôle souvent déterminant qu'y ont joué les animateurs sociaux ?

Une lecture des commentaires contemporains sur Gramsci, dont il est rendu minutieusement compte en introduction, donnait des outils pour répondre à ces deux questions : par l'analyse plus subtile sur l'Etat que Gramsci propose, grâce aux concepts de "société politique" et de "société civile", de "domination" et de "direction hégémonique" ; par l'importance que Gramsci donne aux intellectuels à travers son concept "d'intellectuel organique" ; par un renouvellement de l'analyse marxiste sur le lien entre infrastructure et superstructure, dont rend compte le concept de "bloc historique".

Dès lors la démonstration peut commencer, qui va se poursuivre sur cinq chapitres. Démonstration et non pas description. Certes, ces chapitres contiennent bon nombre d'informations que ceux qui s'intéressent aux groupes populaires à Montréal entre 1963 et 1973 seront heureux de retrouver, et qui contribuent à éclairer une histoire aujourd'hui de mieux en mieux connue, grâce à de nombreux travaux. Mais là n'est pas l'essentiel. Toutes ces informations, jusque dans leur détail ne sont là que pour argumenter une thèse. D'où la construction particulière de chacun des chapitres, surprenante dans ses répétitions pour ceux qui chercheraient avant tout une présentation descriptive des faits.

Pour les besoins de l'analyse un groupe test a été choisi, celui des animateurs sociaux du Conseil des oeuvres de Montréal (devenu par la suite Conseil de développement social). Groupe restreint certes, mais qui se trouve au coeur des mouvements qui se développèrent pendant la période, et sur lequel une documentation suffisante existe pour faire une étude exhaustive. C'est à ce groupe, appelé dans la thèse les "initiateurs" des luttes urbaines, qu'est appliquée l'analyse gramscienne sur les intellectuels.

De l'analyse ainsi menée une première série de conclusions se dégage. Les mouvements de lutte urbaine n'ont pas progressé selon une logique qui leur était propre, mais selon la logique que leur inspirait leurs initiateurs. De ce fait, un même processus est à l'oeuvre tout au long de la période étudiée : là où les initiateurs croient partir des besoins des gens, de leur situation d'infériorité à l'égard de la richesse ou du pouvoir, les actions entreprises n'aboutissent qu'à faciliter la mise en place de nouveaux appareils de contrôle social, de nouvelles formes de "direction hégémonique" (1).

Pour démonter ce processus Donald Mc Graw confronte les analyses des initiateurs et les formes d'action qu'ils mettent en place à trois types de données : 1) les caractéristiques des quartiers choisis pour ces actions ; 2) les relations entre groupes populaires et les autorités municipales ; 3) enfin et surtout la place des initiateurs dans leur propre appareil, le Conseil des oeuvres de Montréal, et l'insertion de celui-ci dans les rivalités hégémoniques qui se font jour entre les différentes factions du bloc dominant, par gouvernements fédéral et provincial interposés.

L'étude de ce troisième point surtout révèle la contradiction dans laquelle sont pris les animateurs. Ils veulent agir pour les couches les plus défavorisées de la population ; ce faisant ils développent un nouveau savoir qui fait d'eux les pionniers de nouveaux modes de contrôle social.

Un certain nombre de militants ont cherché à échapper à ce piège en récusant une action qualifiée de sociale-démocrate et en prônant une action de type révolutionnaire. Donald McGraw étudie leurs premières expériences dans les Comités d'action politique de Saint-Jacques et de Maisonneuve, qui couvrent la fin de sa période d'étude. Aboutissement logique d'un cheminement intellectuel et militant, cette rupture a une autre conséquence : elle permet aux organes politiques de reprendre un complet contrôle sur toutes les expériences lancées dans les années précédentes (notamment par la création des Centres locaux de services communautaires et les Conseils régionaux de santé et de services sociaux). Les militants révolutionnaires dans les quartiers ne sont-ils pas à leur tour les pionniers d'un nouveau savoir social grâce auquel de nouvelles formes de contrôle social pourront se mettre en place ?

Plutôt que d'enfermer le débat dans la question de savoir qui est social-démocrate-réformiste et qui est socialiste révolutionnaire, Donald Mc Graw cherche à voir si ce n'est pas l'analyse gramscienne qui rencontre ses limites. Certes, la démonstration a montré sa fécondité. Mais appliquée dans nos sociétés capitalistes avancées, elle manifeste, pour la connaissance et l'action, son insuffisance sur deux points. Le premier concerne la nature de l'Etat. A partir de la distinction entre société politique et société civile, Gramsci pose qu'une lutte hégémonique est possible et nécessaire au sein de la société civile en prélude à une prise de pouvoir dans la société politique. Mais comment expliquer que plus les conflits sociaux s'aiguisent, plus la domination de l'Etat se raffine ? N'y-a-t-il pas une insuffisance dans la compréhension de cette domination ? Ne faut-il pas revoir la nature du lien entre société civile et société politique ? Si leur intrication est de plus en plus grande une stratégie de lutte hégémonique au sein de la société civile perd peut-être une partie de son sens. Derrière ces deux questions c'est le problème du rapport du savoir au pouvoir et à l'Etat qui est posé.

Du même coup se trouve reposé aussi le problème des intellectuels. La notion d'intellectuel chez Gramsci est particulièrement riche et complexe ; entendue au sens le plus habituel, les intellectuels, dès lors qu'ils sont engagés dans les luttes sociales, sont intellectuels organiques soit des classes dominantes soit du prolétariat. Faut-il aussi prendre en compte la dynamique propre des couches ou classes intermédiaires auxquelles ils appartiennent (la "nouvelle petite bourgeoisie") ? Que donnerait l'analyse dès lors qu'on poserait que les intellectuels sont intellectuels organiques d'abord de leur propre classe ? Dans cette perspective le développement de nouvelles formes de savoir serait ce sur quoi se fonde leur pouvoir de classe.

C'est sur ces questions que débouche le chapitre 5 et la thèse aurait pu se terminer là. A l'aide de diverses lectures, moins approfondies certes que celles qui avaient servi à la thèse elle-même, Donald a voulu continuer la réflexion sur le rapport entre savoir et pouvoir et les formes de la domination qu'il induit. Il suggérait ainsi de nouvelles orientations de recherche et indiquait les lignes qu'il comptait suivre pour transformer son doctorat de troisième cycle en doctorat d'Etat.

Qu'on ne lise pas ces pages comme l'esquisse d'un nouveau système intellectuel. Le travail était à peine ébauché, et surtout là n'était pas l'ambition. Car à travers ces notations rapides, c'est en fait un autre statut du discours de l'intellectuel qui est recherché : un discours dans lequel on ne parle pas toujours pour les autres et en leur nom, ce qui est peut-être la forme la plus subtile de la domination. Aidé par la lecture de Foucault, Donald Mc Graw s'interroge sur le lieu où s'inscrivent ces relations de pouvoir : dans le corps lui-même, saisi de tous côtés par les processus disciplinaires. Discipline à l'oeuvre "jusque dans nos entrailles", et il ne faut pas voir là une métaphore, mais bien l'expression d'un affrontement où la vie et la mort sont en jeu.

L'intellectuel peut dès lors faire retour sur sa propre pratique, voir ce qui, dans son analyse sur les problèmes sociaux et sur les "besoins" (ou la critique des besoins) prélude à de nouvelles disciplines, à de nouvelles prises sur les corps. Il peut "suivre ce qui a été réprimé : le poétique, le symbolique, le territorialisé". Après l'objectivation, l'extériorisation du discours, phase nécessaire pour sortir des pièges de la subjectivité immédiate, il retrouve le "je". Car comment l'intellectuel combattrait-il l'aliénation s'il ne voit d'abord celle dont il est lui-même victime, dans son corps et dans son discours ?

Ceux qui ont approché Donald lorsque, se sachant condamné à très brève échéance, il avait fait retraite avec sa femme Hélène et leur fille, savent la sérénité, le goût profond pour la vie que lui donnait cette réconciliation avec lui-même.

François D'Arcy
Professeur de science politique
de l'Université de Grenoble

LISTE DES SIGLES ET ABREVIATIONS

A.C.E.F.   Association coopérative d'économie familiale
A.D.D.S.   Association pour la défense des droits sociaux
A.S.J.   Action sociale jeunesse
B.A.E.Q.   Bureau d'aménagement de l'Est du Québec
C.A.P.   Comité d'action politique
C.E.C.M.   Commission des écoles catholiques de Montréal
C.D.S.   Conseil de développement social
C.F.P.   Centre de formation populaire
C.J.C.   Compagnie des jeunes Canadiens
C.L.S.C.   Centre local de services communautaires
C.O.M.   Conseil des oeuvres de Montréal
C.S.N.   Confédération des syndicats nationaux
F.R.A.P.   Front d'action politique
I.C.E.A.   Institut canadien d'éducation des adultes
M.L.P.   Mouvement de libération populaire
O.N.F.   Office national du film
P.I.L.   Projet d'initiatives locales
P.J.   Perspectives-Jeunesse
P.O.P.I.R.   Projet d'organisation populaire, d'information et de regroupement
P.R.U.S.   Plan de réaménagement social urbain
P.S.Q.   Parti socialiste du Québec
S.S.S.F.   Société de service social aux familles
T.E.Q.   Travailleurs étudiants du Québec

Cet ouvrage est édité grâce à une subvention pour "aide à la diffusion" du Comité d'aide financière aux chercheurs (CAFAC) de l'UQAM.

AVANT-PROPOS

Un travail de recherche, quel que soit son statut, est toujours inscrit dans un temps qui porte tout un réseau d'influences.

Pour notre part, nous avons été lié aux luttes en milieu urbain montréalais à certains moments de leur développement.

Nous avions entrepris une première évaluation de cette pratique sous la direction du professeur Jacques LEVEILLEE de l'Université du Québec à Montréal.

La critique de cette première production fut suivie de la mise au point d'un certain nombre de documents de travail qui font partie des matériaux de base de cette thèse. Nous tenons ici à remercier tout spécialement Jacques LEVEILLEE et Jean-Marc PIOT-TE, professeurs à l'Université du Québec, pour leurs apports critiques à différents moments de cette production.

Sur la base d'interrogations complémentaires, nous avons partagé notre réflexion avec Jean-François LEONARD qui prépare également une thèse à l'Université de Grenoble et dont la recherche est complémentaire à la nôtre. Cette démarche commune donna lieu à la production de différents documents de travail sur l'encadrement de nos recherches. Ce travail commun a largement alimenté notre introduction.

Nous tenons à souligner l'apport de Pierre MULLER et Claude GILBERT par leurs critiques, à différents niveaux, de l'ensemble de notre document provisoire de thèse.

Nous voulons remercier le secrétariat du C.E.R.A.T. pour le travail dactylographique.

Enfin nous n'aurions pu mener au présent terme notre projet sans la présence de Mathilde, d'Hélène et l'affection de François, un ami français.

INTRODUCTION

1. OBJET DE LA RECHERCHE

L'objet de la présente thèse est l'analyse du développement des mouvements de lutte en milieu urbain montréalais entre 1963 et 1973 (1).

Disons sommairement ici que c'est à partir des quartiers entourant le Centre-Ville, plus particulièrement dans Saint-Henri, Pointe Saint-Charles, Centre-Sud et Hochelaga (2) que se constituèrent des mouvements de lutte en milieu urbain.

Le Centre-Ville a été marqué par un redéveloppement valorisant les fonctions commerciales et institutionnelles fortement densifiées. Cette transformation du Centre-Ville laissa dans l'ombre la frange urbaine qui l'entourait et qui nécessitait objectivement un renouvellement de ses fonctions étant donnée la vétusté de son cadre bâti.

Entre 1963 et 1969, c'est quasi exclusivement dans ces secteurs que se constituèrent des groupes de revendication variés, que nous appelons groupes populaires. Nous retiendrons les suivants :

— Au début de 1963, nous voyons se constituer dans Saint-Henri et Pointe Saint-Charles, quartiers à forte proportion d'assistés sociaux, des groupes populaires. Sur la base de la paroisse (entendue ici comme un regroupement religieux) ils visaient à exiger des solutions à des problèmes particuliers, telle la nécessité de démolir des maisons jugées dangereuses pour les incendies, d'avoir des feux de circulation à des endroits dangereux pour les enfants, etc.

— Au début de 1968, dans les quartiers Centre-Sud, à forte proportion d'assistés sociaux, et Hochelaga, à plus forte proportion ouvrière, nous voyons se constituer de nouveaux types de groupes populaires. Ceux-ci visent moins à revendiquer des solutions pour des problèmes particuliers qu'à trouver, à partir de leurs propres moyens, des solutions pour des problèmes vécus collectivement au niveau du quartier, (entendu comme un regroupement de gens ayant des caractéristiques sociologiques relativement identiques) : problèmes de l'endettement, problèmes de santé, etc.

— Au début de 1970, nous voyons se constituer un mouvement d'action politique au niveau municipal. Tout en s'appuyant sur les groupes populaires déjà constitués dans les quartiers que nous venons de mentionner, il tente d'étendre son "membership" à de nouveaux quartiers ouvriers dont, au départ, Saint-Edouard et Rosemont, pour proposer un projet d'organisation de la Ville de Montréal contenu dans un programme politique (3).

— Enfin, au début de 1971, nous voyons se constituer des groupes politiques qui visent à encadrer et orienter les luttes menées au niveau du quartier et des entreprises. C'est dans les quartiers Hochelaga et Centre-Sud que l'on voit à l'action les premiers groupes de cette nature.

Pendant la période allant de 1963 à 1973, il y eut progressivement, et ce surtout à partir de 1970, diversification des groupes. Nous nous arrêtons sur ceux mentionnés ici, comme nous le verrons ultérieurement, à cause de la place qu'ils ont tenue pendant cette période.

La mise en place de ces mouvements de lutte n'est pas le fruit du hasard. Le paysage urbain, pour cette période, est caractérisé par l'absence de partis politiques, organisés et enracinés au niveau de Montréal, et qui soient aptes à générer, encadrer et orienter les in-

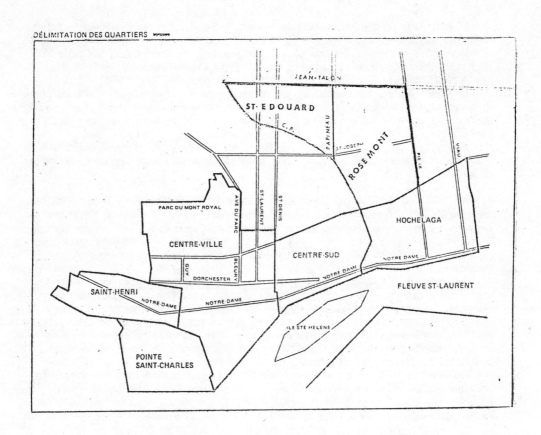

DÉLIMITATION DES QUARTIERS

JEAN-TALON

ST-EDOUARD

C.P.

PAPINEAU

ST-JOSEPH

ROSEMONT

PIE IX

VIAU

PARC DU MONT ROYAL

AVE DU PARC

ST-LAURENT

ST-DENIS

CENTRE-VILLE

HOCHELAGA

GUY

BLEURY

CENTRE-SUD

DORCHESTER

NOTRE DAME

NOTRE DAME

SAINT-HENRI

NOTRE-DAME

NOTRE-DAME

FLEUVE ST-LAURENT

POINTE
SAINT-CHARLES

ILE STE HELENE

satisfaction populaires. Aussi voyons-nous progressivement se constituer un certain nombre d'organismes financés par des campagnes de souscription volontaire et, le cas échéant, par le gouvernement municipal, provincial ou fédéral, qui visent à agir sur ce qu'ils qualifient de "problèmes sociaux" en milieu urbain (4).

Ces organismes qui apparurent successivement pendant cette période se distinguent entre autres par leur mode de financement et par leur marge d'autonomie variable par rapport aux pouvoirs publics.

A cet égard, le Conseil des oeuvres de Montréal, devenu Conseil de développement social de Montréal (C.D.S.), qui tenta de mettre en place des groupes populaires à partir de 1963, était financé à l'aide de campagnes de souscription volontaire et de subventions municipales, provinciales et fédérales. Le C.D.S. jouit d'une relative autonomie face aux pouvoirs publics dans la mesure où il est un organisme privé à but non lucratif formé d'un conseil d'administration élu lors des assemblées générales annuelles.

L'initiative du C.D.S. fut reprise par le gouvernement fédéral qui mit en place la Compagnie des jeunes Canadiens (C.J.C.) dont il assurait le financement. Le Conseil d'administration de la C.J.C. jouissait d'une autonomie beaucoup plus réduite face aux pouvoirs publics.

Au début de 1970, dans le cadre de la réforme des affaires sociales, le gouvernement provincial mit en place les Centres régionaux de santé et services sociaux (C.R.S.S.S.) avec leur base locale de quartier : les Centres locaux de service communautaire (C.L.S.C.). Cette initiative du ministère des Affaires sociales exprime la volonté s'assurer une meilleure coordination des soins de santé et de services sociaux, et une plus grande accessibilité à ces soins à l'aide de C.L.S.C. Il s'agit d'organismes financés par le gouvernement provincial ; leurs conseils d'administration, eux aussi, jouissent d'une autonomie beaucoup plus réduite face aux pouvoirs publics.

Pendant cette même période (début 1970), nous voyons se constituer des organismes de formation (Le Centre de formation populaire – C.F.P.) et de recherche (le Centre coopératif de recherche en politique sociale – C.R.P.S.), qui sont des coopératives contrôlées par des militants de groupes populaires et syndicaux et dont le financement est largement dépendant de subventions d'organismes privés ou publics. Cependant, de par la nature de ces organisations, à savoir des coopératives sans but lucratif contrôlées par des militants de groupes populaires et syndicaux, ils jouissent d'une autonomie beaucoup plus grande que les autres organismes déjà mentionnés face aux pouvoirs publics.

En plus de ces organisations, nous voyons se constituer des expériences sporadiques du gouvernement fédéral qui subventionne des projets d'organisation communautaire. Ces projets sont soit d'une très courte durée (au maximum trois mois), et visent surtout à rejoindre la population étudiante pendant la période de l'été (on appelle ces projets Perspective-Jeunesse – P.J.), soit de plus longue durée (environ un an) et veulent atteindre des travailleurs en chômage (on les appelle Projets d'initiative locales – P.I.L.).

Bien sûr, d'autres organisations interviennent ou sont intervenues à Montréal. Nous nous arrêterons sur les organisations mentionnées à cause de l'importance qu'elles ont eue dans différentes conjonctures particulières comme nous le verrons ultérieurement. Le mieux que l'on puisse dire, c'est que le nombre d'organismes à intervenir dans le théâtre urbain est assez considérable pendant cette période qui court de 1963 à 1973. Notre hypothèse est que le développement des mouvements de lutte, en milieu urbain montréalais, rend compte de la constitution d'une direction hégémonique de type nouveau dans le cadre de la pratique du bloc dominant à la ville. Pour préciser ce que nous entendons par là, il nous faut exposer les références théoriques qui nous ont guidé dans notre démarche.

2. UNE PRATIQUE DE DIRECTION HEGEMONIQUE DE TYPE NOUVEAU : REFERENCES THEORIQUES

Le développement de mouvements de lutte en milieu urbain à Montréal semble s'articuler sur une pratique pour le moins paradoxale de l'Etat : l'Etat finance des organisations qui initient des pratiques se retournant contre lui. Nos recherches visent à cerner cette question par un effort de clarification de la dynamique interne de l'Etat.

Ce type de questionnement ne pouvait se satisfaire des notions de fonctionnalité, de non-fonctionnalité des sous-systèmes sociétaux ou "de distorsion, de dysfonctions du système institutionnel ou de mouvements d'autorégulation sociale" (5). Quoique ce courant de pensée, qui s'inscrit dans le courant structuro-fonctionnaliste (6), soit utile à l'occasion de certaines démonstrations, il ne pouvait rendre compte de cette pratique de l'Etat qu'à partir d'une problématique théorique ayant comme point de départ "le concept d'institution... mettant les valeurs et les attitudes des agents sociaux au premier rang" (7). Notions théoriques insuffisantes dans la mesure où nous avons observé, à partir de notre objet de recherche, que l'Etat supporte le développement de pratiques qui, progressivement, lui sont apparemment opposées. C'est pourquoi nous avons amorcé notre réflexion à partir de l'analyse et des outils conceptuels proposés par les courants néomarxiste et gramscien.

Le champ théorique de ces néomarxistes nous permettait de saisir la pratique contradictoire de l'Etat à partir d'une problématique théorique globale ayant comme point de départ la structure économique de notre formation sociale, caractérisée par l'appropriation privée des moyens de production, qui aurait des effets déterminants sur le fonctionnement de la structure politique : "la forme économique spécifique, écrit MARX, dans laquelle du surtravail non payé est extorqué aux producteurs directs détermine le système de domination et de servitude tel qu'il résulte directement de la production elle-même et, à son tour, réagit sur celle-ci. C'est sur ce fondement que se constitue la communauté économique telle qu'elle naît, des rapports de production, et c'est sur lui que repose également la structure politique spécifique de la communauté" (8).

Certes, la problématique marxiste n'est pas encore arrivée à construire une théorie de l'Etat qui nous permette de déceler son rôle au niveau de la structure sociale. La théorie marxiste a été marquée avant tout par l'analyse du domaine économique et n'a touché que marginalement la superstructure. L'approche de l'Etat est largement "primitive", le politique restant comme suspendu dans cette superstructure au contenu problématique. Les néomarxistes dont ALTHUSSER et POULANTZAS, nous ont fourni un certain nombre de concepts utiles ; (l'identification de trois domaines théoriques, ou "instances", à savoir le domaine de l'idéologie, du politique et de l'économique, la notion d'appareil idéologique d'Etat, développé par ALTHUSSER, etc. (9).

Mais c'est surtout auprès de ceux qui tentent de cerner la problématique de GRAMSCI que nous avons trouvé une définition de l'Etat (et de son rapport à la structure) qui nous permette de mieux rendre compte des phénomènes concrets que nous voulions étudier.

2.1. La notion d'Etat : société politique et société civile

En effet, les "gramsciens" abordent l'Etat sous une double fonction de domination et de direction. C'est ce qui fait dire à certains que GRAMSCI est le premier à avoir pensé la révolution pour la société occidentale, LENINE s'étant arrêté plus spécifiquement à la fonction de domination qui caractérise d'ailleurs l'approche des néomarxistes dont nous avons parlé précédemment. Mais là n'est pas l'objet de notre exposé. Pour nous, il s'agit de voir en quoi les concepts que fournit l'approche gramscienne nous aident à mieux saisir l'objet qui nous concerne, à savoir la pratique apparemment contradictoire de l'Etat dans le théâtre urbain.

La superstructure serait à saisir d'une part à travers la société politique, remplissant un rôle de domination et, d'autre part, à travers la société civile, remplissant un rôle de direction : "GRAMSCI, pour autant que l'on sache, est le seul à s'être aventuré sur la voie que nous indiquons. Il a eu cette idée originale que l'Etat ne se réduit pas à l'appareil répressif d'Etat mais englobe, comme il le faisait remarquer, un certain nombre d'institutions, dont la "société civile", l'Eglise, l'école. Malheureusement, GRAMSCI n'a pas systématisé ses intuitions qui sont restées à l'état d'annotations partielles" (10).

Si nous constatons, comme ALTHUSSER qu'il est juste de dire que GRAMSCI a été le premier à s'aventurer sur la voie de cette définition de l'Etat, nous croyons par ailleurs que GRAMSCI n'est pas resté sur ses intuitions : "Pas systématisée ? Bien au contraire, on peut dire que ce sont précisément les concepts d'hégémonie et de bloc historique dans la "société civile", toujours au centre de la réflexion gramscienne, qui donnent lieu à travers toute son oeuvre à un effort continu d'approfondissement..." (11).

L'Etat ainsi défini nous permet de mieux cerner les phénomènes particuliers qui nous concernent, à savoir dans la société civile des organisations de direction hégémonique agissant dans un paysage urbain marqué, comme nous l'avons décrit dans notre objet par un redéveloppement du Centre-Ville qui laisse dans l'ombre la frange urbaine qui l'entoure. De plus, nous introduisons un concept qui nous permet d'avancer, d'une part, dans une compréhension plus riche et dynamique du fonctionnement de la superstructure et, d'autre part, nous ouvre de nouvelles perspectives pour aborder l'Etat et agir sur lui : "Même s'il faut reconnaître que les thèmes traités par ALTHUSSER sont gramsciens tant en ce qui concerne les A.I.E. que le concept de surdétermination tiré, lui aussi, du rôle spécifique joué par les superstructures, la méthode qui préside à sa recherche est, dans ses conclusions, aux antipodes de la démarche de GRAMSCI. Chez celui-ci, le comcept d'hégémonie peut être posé non seulement pour le futur Etat socialiste, mais aussi pour le présent, hic et nunc, contre l'hégémonie bourgeoise, pour en briser le pouvoir, alors qu'ALTHUSSER postule implicitement le caractère "étatique" de toute action idéologique efficace : la conquête du pouvoir devient ainsi un préalable nécessaire à l'organisation de consensus par le biais des A.I.E. comme du parti politique. En somme, ALTHUSSER situe le problème de l'hégémonie et de la lutte idéologique au niveau de la superstructure d'un Etat socialiste. En fait, il y a là une différence fondamentale entre les deux thèmes, car elles débouchent sur deux praxis politiques opposées" (12).

La conception gramscienne de l'Etat est d'autant plus actuelle que nos société avancées se caractérisent par de très fortes superstructures (13) qui tendent à résorber les crises politiques. La société civile et la société politique sont en Occident un "... ensemble formant une structure très complexe et résistant aux explosions les plus catastrophiques de la conjoncture économique (crises, récessions etc.), la superstructure est dans la société civile ce que sont les tranchées dans la guerre moderne. En politique, il peut se produire durant les crises économiques ce qui arrive dans la guerre des tranchées, lorsqu'une violente attaque d'artillerie semble avoir détruit tout le système défensif de l'adversaire là où elle n'a fait que ravager le terrain en surface" (14).

En ce qui a trait au rapport entre société civile et société politique, les analyses de GRAMSCI divergent dans leur interprétation.

Pour certains (15), il y aurait dans les sociétés libérales une distinction structurelle entre société civile et société politique : "Nous pouvons... dégager les caractéristiques de la distinction société civile — société politique au sein du régime libéral : elle est fondée sur la différenciation de deux fonctions et de deux structures dont le rapport est dialectique ; le fonctionnement interne de l'un implique le fonctionnement interne de l'autre, et vice-versa ; enfin, la fonction dominante d'une structure est la fonction subalterne de l'autre, et réciproquement" (16).

Par ailleurs, ce rapport deviendrait organique dans les régimes fascistes et socialistes. La distinction "perd ce fondement dans les modes de production féodal et socialiste ainsi que dans les régimes fascistes du mode de production capitaliste" (17).

Pour d'autres (18), il y a dans nos sociétés avancées un rapport organique entre société civile et société politique. La distinction entre société civile et société politique correspondrait à une division méthodologique pour mieux faire ressortir la double fonction de l'Etat, à savoir la direction et la domination dans leur rapport organique : "... elles sont deux aspects de l'hégémonie de la classe dominante" (19).

L'importance qualitative et quantitative des organisations de la société civile, c'est-à-dire tout ce domaine de la direction de l'Etat, qui expriment la force de surdétermination de la superstructure, tend à confirmer le diagnostic qu'il y a, dans le cas des sociétés avancées, un rapport organique entre société civile et société politique. Il est donc illusoire, pour une classe montante, de vouloir prendre le pouvoir dans la société politique sans s'assurer la direction de la société civile : "la classe dominante a cherché à désamorcer la contradiction entre forces productives et rapport de production, entre infrastructure et superstructure en exerçant l'hégémonie politique sous une forme capable d'assurer la cohésion par l'action de l'Etat, l'appareil juridique, l'influence de l'éducation idéologique de l'école, des croyances religieuses, de la culture, des forces sociales, non homogènes... Tout Etat a un contenu éthique, dans la mesure où l'une de ses fonctions consiste à élever la grande masse de la population à un certain niveau culturel et moral, niveau (ou type) qui correspond à la nécessité de développer les forces productives et donc aux intérêts des classes dominantes. Dans ce domaine, l'école, dans sa fonction éducative positive, et les tribunaux, dans leur fonction éducatives répressive et négative , sont des secteurs d'activité étatique essentiels mais en fait, il y a une multitude d'autres initiatives, et activités soi-disant privées qui tendent au même but, et qui composent l'appareil de l'hégémonie politique et culturelle des classes dominantes" (20).

Ces institutions soi-disant neutres remplissent toutes une fonction hégémonique : "Ce système idéologique cerne le citoyen de toute part, l'intègre dès l'enfance dans l'univers scolaire et plus tard dans celui de l'Eglise, de l'armée, de la justice, de la culture, des loisirs, et même du syndicat... Cette prison aux milles fenêtres symbolise le règne d'une hégémonie dont la force réside moins dans la coercition que dans le fait que ses barreaux sont d'autant plus efficaces qu'ils sont moins visibles" (21).

Au terme de ce développement, nous arrivons donc à une nouvelle conception de l'Etat englobant la société politique et la société civile. L'Etat remplissant une fonction de direction et de domination au profit de la classe dominante : "On pourrait dire, conclut GRAMSCI, que l'Etat c'est la société politique, plus, la société civile : une hégémonie cuirassée de coercition" (22).

Ainsi, dans les sociétés avancées, dans la réalité concrète, société civile et société politique se confondent : "La distinction entre "société politique et société civile"... (est) le lieu théorique où se noue un concept original tout à fait nouveau... qui met en évidence la complexité, l'articulation et la relative indépendance, par rapport à la base économique des institutions, des organisations, des formes de conscience de l'idéologie à travers lesquelles s'exprime le pouvoir d'une classe" (23).

Société civile et société politique jouissant d'une relative autonomie mais dans une complémentarité telle qu'elles ne peuvent vivre l'une sans l'autre, sinon c'est se vouer pour la classe au pouvoir à sa perte de domination et de direction à plus ou moins long terme.

Voilà ce qui définit le rapport organique entre société civile et société politique dans la mesure où "entre la société civile et la société politique, entre le consensus et la force, n'existe pas en fait de séparation organique. L'un et l'autre collaborent étroitement"(24). "Il n'existe pas de système social où le consentement serve de base unique à l'hégémonie, ni l'Etat où un même groupe peut continuer durablement à maintenir sa domination par la seule coercition" (25).

Le rôle exact des différentes organisations remplissant ces fonctions complémentaires, est"plus flou qu'il n'y paraît" (26). Ainsi en est-il du parlement : "... organe de la société politique pour l'adoption de la loi, (il) est également organe de la société civile en tant que traduction officielle de l'opinion publique. GRAMSCI analyse la fonction du parlement comme réalisant à ce titre une jonction entre la force et le consensus" (27).

De plus, cette conception de l'Etat définit aussi de nouvelles tâches politiques : "Devenir une classe dirigeante avant même d'être une classe dominante, imposer sa propre direction, intellectuelle et morale, désagréger le bloc idéologique superstructurel de l'adversaire et en faire éclater les contradictions pour faire avancer la nouvelle vision révolutionnaire ; créer un nouveau système hégémonique capable de détruire les lignes arrières de l'ennemi... C'est le bloc historique antagoniste qui se constitue en tant que tel dans la mesure où il est unifié par la nouvelle hégémonie... Dans les pays à société civile complexe, écrit GRAMSCI, l'Etat... n'est qu'un avant-poste derrière lequel se dresse une solide barrière de bastions et de casemates..." (28).

Il faut donc saisir, dans l'Etat, ces fonctions de direction et de domination dans leur rapport de réciprocité : "La suprématie d'un groupe social se manifeste de deux façons, comme domination et comme direction intellectuelle et morale. Un groupe social est dominant à l'égard des groupes adversaires qu'il cherche à "liquider" par la force armée, et il est dirigeant à l'égard des groupes qui lui sont proches et alliés... cette formule donne tout son sens à la théorie gramscienne de l'hégémonie... la classe dominante se ménage le consensus "des groupes sociaux qui lui sont proches et alliés". Mais il est indispensable de penser ensemble les deux termes de domination et de consensus, car à ne vouloir mettre l'accent que sur le second... on finit par faire du consensus une sorte de théorie démocratique... électoraliste... parlementaire" (29).

Cette appréhension de l'Etat, considéré comme société politique et société civile (la superstructure), reste incomplète si on n'explique pas ses liens avec "l'ensemble des forces sociales et du mode de production" (30) (la structure).

2.2. L'Etat et la structure : le bloc historique

GRAMSCI a abordé cette question en introduisant la notion de bloc historique qui comporte les éléments suivants : "... en tant que situation historique globale, le bloc historique s'agence en deux sphères complexes : à un mode de production donné correspond une structure sociale déterminée où domine une classe fondamentale ; cette classe développe progressivement une superstructure différenciée, spécialisant ses activités, lui donnant homogénéité et direction politique et idéologique — hégémonie — sur les autres classes. Cette direction de la société est exercée à ses divers degrés par une couche sociale liée organiquement à la classe dirigeante, les intellectuels, chargés de gérer le complexe superstructural et donc de souder la structure et la superstructure" (31).

Relativement à cette couche sociale, les néomarxistes ont introduit la notion d'agent-support qu'ils opposent à celle de sujet du changement : "Acteurs historiques fondant la société par leur action ou agent-support exprimant les combinaisons particulières de la structure sociale par leur conduite ? Nous prenons pour acquis que la première perspective relève de la philosophie de l'histoire et seule la seconde est susceptible de fonder une science de la société" (32).

Mais, nous considérons plus utile la notion d'intellectuel organique. La notion d'agent-support est un concept plus large qui laisse peu de flexibilité pour l'analyse des pratiques que ces agents développent en particulier dans la société civile. Car "c'est précisément dans la société civile que les intellectuels jouent leur rôle spécifique" (33).

GRAMSCI définit ainsi ces intellectuels : ce sont des "intellectuels organiquement liés à la classe dominante qui remplissent un rôle de charnière entre superstructure et infrastructure" (35). GRAMSCI dit que l'erreur la plus répandue concernant ce qui distingue les activités intellectuelles des autres groupes a été d'avoir cherché ce critère de distinction dans la "valeur intrinsèque" de l'activité intellectuelle sans vouloir la situer à l'intérieur des rapports sociaux" (36).

De plus, les intellectuels travaillant dans le domaine de la société civile ne pourraient, dans la mesure où il existe comme nous l'avons vu une nécessaire complémentarité avec la société politique, se définir en marge du groupe dominant. En ce sens "l'intellectuel n'est jamais autonome par rapport au groupe dominant" (37). D'ailleurs, un groupe qui domine ou veut dominer "a besoin d'intellectuels à son service pour renforcer sa domination" (38).

Cependant, être intellectuel d'une classe dominante ne signifierait pas que ces derniers ne sont que les haut-parleurs du groupe dominant. Bien au contraire, ils peuvent être placés dans des situations contradictoires qui sont sources de conflit. Par ailleurs, les critiques même des intellectuels travaillant dans le domaine de la société civile sont nécessaires à la survie et au développement de la classe dominante dans la mesure où elles lui permettent de réajuster ses interventions dans la superstructure et l'infrastructure (39). Dans une certaine mesure cependant, car certaines alliances peuvent se redéfinir : "Au moment de la crise du vieux bloc historique, bourgeoisie et prolétariat se disputent l'alliance des intellectuels traditionnels dont le ralliement devient possible et se produit..." (40).

Pour distinguer les différents types d'intellectuels, GRAMSCI nous fournit certains éléments : l'intellectuel est vu sous deux angles : a/ en tant qu'il est intégré dans la structure sociale du point de vue de sa production et de la place qui lui permet d'être organiquement lié à cette structure ; b/ en tant qu'il se situe dans le processus historique du point de vue de la place qu'il occupe et du rôle qu'il joue dans la politique dans l'histoire, et en ce sens il peut être organiquement lié à la classe montante" (41).

Autour de ces deux critères, on peut distinguer entre agents de la nouvelle petite bourgeoisie (N.P.B.) et agents de la petite bourgeoisie. Ainsi, les deux seront qualifiés d'organiques par rapport à la classe pour laquelle "ils assurent activement des fonctions de direction" (42). Les intellectuels de la petite-bourgeoisie seront qualifiés de traditionnels "en ce sens qu'ils seront liés à une classe appartenant à un mode de production antérieur ou à une classe en voie de disparition" (43). Les intellectuels de la N.P.B., liés au développement de nos sociétés avancées, seront qualifiés d'intellectuels organiques liés à la classe dominante : "Les intellectuels de type urbain se sont développés avec l'industrie, à laquelle leur sort est lié... ils ne possèdent aucune liberté d'initiative dans l'élaboration des plans d'équipement, mais ils serviront d'intermédiaire entre le matériel et l'entreprise..." (44).

Par ailleurs, ces deux types d'intellectuels seront qualifiés d'intellectuels organiques traditionnels par rapport aux intellectuels organiques liés au prolétariat dans la mesure où ces derniers représentent une classe montante qui vise à se substituer à ce bloc d'alliances : "Par rapport à une classe progressiste, l'intellectuel est dit traditionnel non seulement parce qu'il est lié à un mode de production antérieur, mais... (parce qu'il) n'est pas organiquement lié à une classe actuellement montante... Mais ce même intellectuel traditionnel peut entretenir un rapport organique avec la classe dirigeante prolétarienne, et devenir un nouvel intellectuel. La conquête des intellectuels traditionnels est considérée comme on l'a vu parmi les tâches historiques du groupe social qui cherche à établir sa propre hégémonie et elle s'avère possible dans les moments où la superstructure précédente se trouve en crise" (45).

Mais, devenir intellectuel nouveau du prolétariat impliquerait des tâches importantes de transformation : "Pour devenir des idéologues de la classe ouvrière, des intellectuels organiques du prolétariat, il faut que les intellectuels réalisent une révolution radicale dans les idées : rééducation longue, douloureuse, difficile... Une lutte sans fin, extérieure et intérieure" (46).

Ces nouveaux intellectuels auraient à se redéfinir une fonction nouvelle dans une dialectique nouvelle, un rapport au prolétariat : "les confrontations entre intellectuel, classe, masse, pour édifier un bloc intellectuel moral rendant politiquement possible un progrès intellectuel des masses et pas seulement... l'intellectuel... C'est de ce mouvement dialectique incessant que naissent les nouvelles élites intellectuelles, issues de la masse elle-même, et en liaison "organique" " (47).

Les intellectuels sont donc à saisir d'une façon dynamique à travers leur "rôle charnière entre superstructure et infrastructure" (48) dans le bloc historique. Ce bloc historique peut évoluer selon : "deux situations durables historiquement possibles : — l'hégémonie, où la société civile l'emporte sur la société politique, la classe fondamentale étant plus dirigeante que dominante et donc utilisant le bloc idéologique des intellectuels pour contrôler des groupes auxiliaires, quitte à tenir compte des intérêts propres à ces groupes, — la domination, où la société politique prend le pas sur la société civile pour neutraliser les autres classes, s'abstenant de tout compromis avec celles-ci. Dans ce second cas, la domination de la classe fondamentale est plus difficile car elle ne s'appuie pas sur une base sociale étendue, mais sur une "coercition intelligente, s'exposant ainsi à une coalition hostile éventuelle" (49).

Si ces deux situations sont décrites commes durables, il y a aussi les cas intermédiaires "de l'hégémonie et de la dictature pure et simple : hégémonie avant la prise du pouvoir lorsque la classe dominante a opté pour une politique d'alliance, et dictature lorsque cette classe a perdu le contrôle de la société civile" (50).

Le bloc historique se réalise donc à travers une série de blocs d'alliances au niveau de la superstructure. Dans le système de GRAMSCI "intérêts de la classe dirigeante et intérêts des groupes auxiliaires sont complémentaires. La base sociale de l'hégémonie est essentiellement favorable à la bourgeoisie : dès lors, si alliance il y a, celle-ci n'est concrètement que l'hégémonie économique, idéologique et politique exercée par la classe dirigeante sur d'autres groupes" (51).

Nous pouvons donc dire que "L'Etat se définit... par trois caractères : — il regroupe la superstructure du bloc historique, tant "intellectuelle et morale" que politique ; — son équilibre interne entre ces deux éléments de la superstructure ; — enfin et surtout, l'unité de l'Etat découle de sa gestion par un groupe social qui assure l'homogénéité du bloc historique : les intellectuels..." (52).

La couche des intellectuels joue donc un rôle central : "L'Etat apparaît donc, par-delà la diversité des organisations qui le composent et la dualité des fonctions de direction par lesquelles il assure l'hégémonie de la classe fondamentale, comme l'ensemble de l'activité de ce groupe social particulier que constitue la couche des intellectuels. **La distinction au sein de la superstructure doit donc davantage porter sur l'opposition entre la fonction d'hégémonie – idéologique – et la fonction de domination – politique – que celle, secondaire, entre le statut de telle ou telle organisation**" (53).

La dynamique du fonctionnement de l'Etat et son rapport dialectique à la structure étant mieux précisés, il faut dire quelques mots sur la structure elle-même. C'est un domaine que GRAMSCI a peu approfondi même si c'est l'élément décisif de l'articulation du bloc historique. Pour GRAMSCI, "c'est au niveau superstructurel que se traduisent et se

22

résolvent les contradictions nées à la base" (54), d'autant plus que "l'ensemble des forces matérielles de production est, dans le développement historique, l'élément le moins variable, l'élément dont chaque changement peut être constaté et mesuré avec une exactitude mathématique" (55). Donc, l'évaluation du rapport entre structure et superstructure se ferait à travers l'analyse de la société civile et de la société politique.

conclusion

Pour aborder l'étude de l'Etat et de la structure, la problématique gramscienne sous-tend une méthodologie qui lui est propre : "L'étude de la structure du bloc historique pourra donc être menée par trois approches : — l'étude immédiate, "photographique", mais que son caractère instantané rend très hypothétique ; — l'étude du passé qui, remarque GRAMSCI, peut être également dangereuse dans la mesure où elle cherche dans le passé une "justification tendancieuse de la superstructure" ; — la troisième approche est celle que GRAMSCI utilise le plus souvent et qui explique à la fois l'importance du concept de bloc historique et celle accordée à la superstructure : dans la mesure où celle-ci "est le reflet de l'ensemble des rapports sociaux de production", l'analyse de l'évolution de la superstructure permettra l'étude indirecte de la structure elle-même. Une telle approche a, d'autre part, l'avantage d'envisager la dynamique de la structure et non sa "photographie" statique, et de souligner l'influence de la superstructure sur son évolution..." (56).

C'est cette troisième approche que nous voulons utiliser dans l'analyse de la société civile. Nous espérons que cette lecture de la société civile sera utile à d'autres qui seraient intéressés par l'analyse de la structure et de la société politique.

Nous ferons cette analyse à travers la pratique des intellectuels de la société civile qui encadrèrent les mouvements de lutte en milieu urbain montréalais entre 1963 et 1973.

3. LES MOUVEMENTS DE LUTTE EN MILIEU URBAIN MONTREALAIS, EXPRESSION DE L'EMERGENCE D'UNE DIRECTION HEGEMONIQUE DE TYPE NOUVEAU : HYPOTHESES ET METHODOLOGIE.

Nous soutenons que la pratique de ces intellectuels rend compte de l'émergence d'une direction hégémonique de type nouveau dans le cadre du bloc dominant. En effet, parallèlement à la radicalisation des mouvements de lutte urbaine, exprimée entre autres par la mise sur pied d'un parti politique en 1970 et la constitution de groupes politiques à partir de 1971, nous constatons un renforcement du contrôle étatique sur les appareils qui soutenaient la pratique des intellectuels initiant ces groupes. Nouvelles formes de contrôle étatique qui s'exprimerait, entre autres, par le type de financement et de structure mis en place (P.I.L., P.J., C.R.S.S.S., C.L.S.C.). Par ce nouveau mode de contrôle étatique, l'Etat créerait et intégrerait de nouvelles formes de direction. Par ailleurs, nous verrions se constituer des appareils tentant de se soustraire à ces nouvelles formes de contrôle (C.F.P., C.R.P.S., etc.). La période 1963-1973, nous permet de faire le tour de cette question à la fois par les transformations qui surviennent dans les mouvements de lutte en milieu urbain et dans les appareils initiant des groupes populaires.

Pour mener à terme cette question, nous mettrons à l'épreuve dans la société civile le concept d'intellectuel organique à travers son rôle "charnière entre superstructure et infrastructure" (57). Pour cela nous verrons comment la pratique de ces intellectuels s'est développée dans des quartiers souvent laissés dans l'ombre du redéveloppement du Centre-Ville. Nous analyserons leur rapport conflictuel au pouvoir local qui s'est exprimé par la mise sur pied d'un parti politique en 1970 ; nous verrons les leçons qu'ils tirent des problèmes concrets qu'ils rencontrent dans leur pratique avec les groupes populaires ; nous verrons enfin leur rapport à l'appareil dont ils font partie et qui est à situer à l'intérieur du bloc dominant dans la conjoncture politique des années 60-70 au Québec.

Ainsi, dans la mesure où nous montrerons que se développe un contrôle plus serré de l'Etat sur les appareils mentionnés dans le domaine de la société civile, nous pourrons, dans un domaine particulier, mieux démontrer le lien organique entre société civile et société politique.

Du même coup, la nature des mouvements de lutte en milieu urbain se précise. Si le développement de la pratique des groupes populaires est une initiative qui s'insère dans de nouvelles formes de direction de l'Etat, nous ne voyons pas comment il y aurait des "mouvements sociaux urbains" qui auraient évolué selon une logique propre. Il y aurait des mouvements de lutte en milieu urbain montréalais comme progressivement dans le cadre de l'aménagement de l'Est du Québec il y eut des mouvements de lutte régionaux. Ces mouvements de lutte régionaux s'inséraient dans un processus qui, à l'origine, a été une initiative de l'Etat, par l'intermédiaire du Bureau d'Aménagement de l'Est du Québec (B.A.E.Q.) (58). C'est d'ailleurs pourquoi nous avons, et à dessein, parlé non pas de mouvements sociaux urbains, mais de mouvements de lutte en milieu urbain montréalais.

Ainsi, la priorité accordée à l'étude des mouvements sociaux urbains serait avant tout le résultat des processus créés par l'Etat et donc largement une émanation du bloc dominant : de l'idéologie encore de l'idéologie ! A cet effet, le tableau 1 (59) ci-après, nous donne un bon aperçu de l'ampleur de l'intervention de l'Etat du Québec dans les années 60-70.

Si tel nous apparaît le cas à l'analyse, il serait simpliste par la même occasion de légitimer une approche passéiste de la ville que nous retrouvons dans certaines analyses fonctionnalistes, sur lesquelles nous aurons l'occasion de revenir dans nos chapitres opérationnels. Notre propos vise à explorer une théorie de l'Etat qui nous a été fournie par GRAMSCI. C'est à travers l'analyse empirique que nous en évaluerons les possibilités et les limites.

Pour les fins de notre propos, il s'agit de faire l'analyse du rôle charnière d'intellectuels de la société civile en tentant plus précisément de répondre aux questions suivantes :

a) Pourquoi y a-t-il prolifération de ces organisations de la société civile pendant la période qui nous intéresse (1960-1973) ?

b) Qui sont les agents à l'intérieur de ces organismes qui travaillèrent avec les groupes populaires ?

c) Comment ces organisations ont-elles marqué le développement des mouvements de lutte, en milieu urbain montréalais ?

Nous voulons souligner que notre recherche se situe dans le prolongement de certaines études québécoises.. A cet effet, il faut mentionner les études qui ont tenté de faire une typologie de l'animation (60) et de certaines étapes de l'organisation communautaire (61). Ces études, en particulier, nous fournissent une importante information quantitative sur les groupes populaires de Montréal et en ce sens, nous en donnent une bonne "photographie". Il y a les analyses plus qualitatives qui tentèrent de cerner les rapports entre différents types de groupes, pour une période donnée, dans certains quartiers (62). D'autres se sont arrêtées à caractériser l'animation, soit à un moment donné de son développement, au niveau du travail d'éducation populaire dans les quartiers (63), soit au niveau des conceptions de l'animation à partir de différentes expériences (64) : animation et déve-

TABLEAU 1

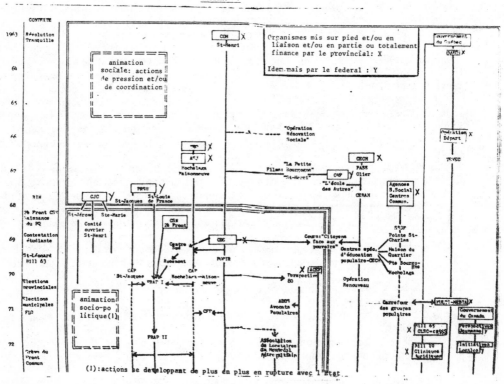

(1):actions se développant de plus en plus en rupture avec l'État

loppement, animation et problèmes sociaux urbains, animation et intégration ou contestation de la société.

Notre propos vise à tenter de cerner l'évolution des intellectuels qui ont été au centre de la radicalisation des mouvements de lutte urbaine, entre 1963 et 1973, et leur rapport à la construction d'une nouvelle direction hégémonique dans la société civile. En ce sens, notre analyse est plus qualitative que quantitative dans la mesure où nous nous orientons vers l'analyse du processus qui, pendant cette période, nous permettrait d'expliquer pourquoi ces différentes expériences d'organisation communautaire ont pu se développer.

Notre effort consistera donc à utiliser les outils conceptuels fournis par l'analyse précédemment introduite pour rendre compte de l'efficacité spécifique dans l'Etat de la société civile en circonscrivant la pratique d'intellectuels qui encadrèrent la pratique de mouvements de lutte à Montréal entre 1963 et 1973. Nos références à la structure et à la soicété politique ne visent qu'à éclairer le rôle charnière des intellectuels organiques.

Nous sommes conscients de poser ainsi une limite importante à notre recherche dans la mesure où la saisie du fonctionnement intégral de l'Etat nécessiterait des développements plus complets, concernant le développement du capital à la ville (65) et la saisie de la pratique de l'Etat à travers la société politique (66), et la société civile. D'ailleurs C.G. PICKVANCE (67), faisant un tour d'horizon des problématiques "anglo-saxonnes" et "marxistes", constate que la problématique marxiste aurait avantage à creuser le champ d'investigation pour aborder d'une façon plus consistante l'Etat et en particulier le niveau local. Il associe cette lacune aux notions "trop élémentaires" de l'Etat dans la problématique marxiste et au peu de pratique de recherche à l'intérieur des appareils de la société politique qui permettrait de mieux cerner les agents en présence et de raffiner la problématique de l'Etat (68).

La priorité accordée à l'analyse de la société civile nous permettra de cerner la place que tient le discours qui s'est développé sur ce que d'autres ont appelé les "mouvements sociaux urbains".

Pour ce faire, nous devons clarifier le rôle charnière des intellectuels organiques sur trois points : dans leur rapport à la réorganisation de l'espace, dans leur rapport au pouvoir local, et dans leur position à l'intérieur de la société civile. Sur chacun de ces points, nous allons maintenant expliciter notre méthodologie de recherche et la situer par rapport à d'autres courants théoriques.

3.1. Réorganisation de l'espace et mouvements de lutte en milieu urbain

Dans la description de notre objet concret de recherche, nous avons dit qu'il y avait redéveloppement du Centre-Ville.

A partir de l'étude de Pierre BASTIEN et autres (69), nous pouvons avancer que le redéveloppement du Centre-Ville s'inscrit dans un processus plus large de redéveloppement urbain de Montréal.

Le Centre-Ville est marqué par le développement des fonctions institutionnelles et commerciales et celui des appartements en hauteur.

En relation avec cette réorganisation de l'espace, différents thèmes d'analyse sont habituellement privilégiés : soit sur l'organisation de l'espace urbain par la logique du développement du capital (70) ; soit sur l'espace urbain et son organisation comme **entité déterminante** (71), soit sur les interventions de l'Etat dans le processus d'urbanisation (72).

Cette réorganisation spatiale a été largement observée et décrite aux Etats-Unis, en particulier en ce qui concerne le Centre-Ville et les quartiers adjacents (73): "... il faut différencier très nettement les fonctions du centre d'affaires et celles de villes centres dans leur ensemble. Le Centre-Ville garda les fonctions de direction et d'organisation de l'économie, ainsi que des activités commerciales de niveau supérieur et quelques grandes institutions culturelles et symboliques, tout en perdant une forte proportion des résidents et du commerce de détail. Les villes centrales perdirent de façon massive des activités et des emplois, tout particulièrement des grandes entreprises industrielles, ainsi que de nombreux résidents de classe moyenne et des travailleurs du secteur monopolistique..." (74).

D'ailleurs, John SEWELL (75) rend compte du même processus à Toronto au Canada. Nous croyons, en ce sens, que c'est un processus commun aux grandes villes nord-américaines.

Les recherches marxistes des années 70 au Québec (76), sur la question urbaine, ont fondé leur explication sur la place que tiennent les différentes fractions du capital dans la production de l'espace urbain et sur l'émergence du "capital immobilier".

A cette réorganisation de l'espace, se greffe une série de phénomènes d'obsolescence décrits souvent en terme de problèmes sociaux, recouvrant entre autres la détérioration de l'habitation et la concentration géographique de gens à bas revenu...

Phénomène aussi largement observé aux Etats-Unis : "... les villes centrales reçurent un nombre croissant d'immigrants noirs et pauvres blancs, provenant des régions sous-développées et déstructurées par le développement inégal... les villes centrales devinrent... le lieu de résidence... des travailleurs sous-payés et non-qualifiés et, enfin le lieu de concentration de la population sous-développée et en chômage, ainsi que des minorités ethniques discriminées" (77).

Processus qui s'accompagne d'une détérioration de l'habitation. "Une forte majorité des familles du ghetto... sont incapable de payer un loyer susceptible d'offrir une rentabilité suffisante... Ceci déterminera trois types d'évolution dans l'occupation de ces logements : a/ surpopulation d'un logement... en accélérant la détérioration ; b/ des familles abandonnèrent les logements qu'elles occupaient... pour trouver un logement moins cher ; c/ les locataires déclenchèrent des grèves de loyers, devant l'impossibilité de payer les augmentations... de nombreux propriétaires... furent piégés dans ce processus. Ils ne pouvaient pas revendre leurs logements... ils arrêtèrent toute dépense de réparation et d'entretien, obtenant de ce fait un superbénéfice..." (78).

Certaines études tendent à démontrer que cette réorganisation de l'espace urbain est précédée par des mouvements sur le marché des terrains urbains névralgiques pour le capital, ce qu'on appelle la spéculation foncière (79). Ainsi la taudification, entendue comme détérioration de l'habitation serait, entre autres, explicable par la valeur que les terrains acquièrent à cause de leur situation : à un certain moment, le sol prend plus de valeur que les maisons qui y sont construites ; il n'y a donc aucun intérêt pour le propriétaire à rénover ces logements. On démolit des quartiers entiers pour y ériger des appartements de luxe, des centres commerciaux et administratifs : à Montréal, le projet appelé "Place Concordia" en est un bon exemple. Mais cette explication est partielle, car ce processus est naissant à Montréal et ne peut rendre compte de l'ensemble du phénomène de taudification entourant le Centre-Ville. Ces quartiers, pour la plupart d'anciens quartiers résidentiels et industriels, reflètent un type de construction avec des conditions générales d'habitation de la fin du siècle dernier.

D'autre part, à ce premier courant d'explication s'ajouterait celui relatif aux contradictions à la ville entre la reproduction du capital et la reproduction de la force de travail. La concentration de capitaux privés sur un espace étroit impliquerait une clientèle facilement accessible pour écouler la marchandise. C'est sur cette base qu'on qualifie la ville, ou le milieu urbain, comme lieu de reproduction du capital en particulier, mais aussi comme lieu de reproduction de la force de travail par la consommation des marchandises produites. C'est ainsi que la ville deviendrait un lieu de contradiction entre la nécessaire reproduction du capital et la nécessaire reproduction de la force de travail. Le capital cherchant à spécialiser l'espace pour assurer sa reproduction et la consommation des marchandises produites aux dépens de la reproduction d'une partie de la force de travail qui exige un espace pour se loger, circuler et respirer... Cette partie de la force de travail comprendrait habituellement les gens qui subissent comme marchandise les effets du cycle é-conomique, souvent accompagnés de changements technologiques, et qui bien souvent n'ont ainsi le choix que d'habiter des quartiers détériorés : "Pour bien comprendre les fondements économiques de la pauvreté, il faut se rapporter au départ au critère rythmi-que ou cyclique de l'accumulation capitaliste... L'accumulation du capital se fonde dans un premier temps sur une extension quantitative des opérations : injection d'une masse

accrue de main-d'oeuvre et de moyens de production... Mais... cette extension purement quantitative de la production rencontre des limites dans la disponibilité de la main-d'oeu-vre : la demande de bras décroît plus vite que l'offre de sorte que, dans cette conjoncture précise, le prix de la force de travail tend à s'élever. La production du capital se trouve donc ralentie et la demande en force de travail se relâche par le fait même... La poursuite de l'accumulation capitaliste exige dans un deuxième temps une hausse compensatrice des prix... chute des investissements et réduction de l'emploi d'une part ; rationalisation for-cenée et remplacement des ouvriers par les machines d'autre part" (80).

Cette explication, elle-même, est aussi partielle car certains auteurs tendent à montrer qu'il ne faut pas sous-estimer la fonction du symbolique dans l'organisation ségrégée de l'espace (81).

L'ensemble de ces éléments explicatifs ne forment donc pas des systèmes clos d'inter-prétation. Cest développements visent à montrer qu'il serait mal indiqué de s'enfermer dans des explications trop linéaires relatives aux phénomènes d'obsolescence qui accom-pagnent la réorganisation de l'espace.

C'est pourquoi nous dirons que la réorganisation de l'espace s'accompagne d'effets in-cidents dont, entre autres, la taudification et la concentration géographique des gens ayant des caractéristiques socio-économiques similaires. Nous préférons la notion d'effets incidents à la notion de problèmes sociaux dans la mesure où, d'une part, ces phénomènes sont à saisir à travers des effets d'ensemble à la ville et non dans leur individualité et, d'au-tre part, la notion de problèmes sociaux peut nous enfermer dans la notion corrélative de besoins sociaux postulant ainsi qu'à chaque problème social correspond un besoin social (82). C'est pourquoi lorsqu'à l'occasion nous utiliserons la notions de problème, ce sera dans sa référence aux effets incidents.

Ainsi donc, la taudification et la concentration géographique de gens ayant des carac-téristiques socio-économiques relativement homogènes sont des effets incidents au ni-veau de l'espace, qui accompagnent la réorganisation de l'espace. Nous disons "qui ac-compagnent" la réorganisation de l'espace dans la mesure où on ne peut déterminer une logique unique.

Le Centre-Ville et les quartiers adjacents sont particulièrement touchés par ce redé-veloppement, comme nous l'indiquions dans la délimitation de notre objet de recherche. Les effets incidents apparaissent comme inégalement répartis dans la mesure où ils se con-centrent dans des espaces particuliers, ce que nous avons appelé à Montréal la "zone gri-se" (83).

Nous pouvons donc induire un lien entre la taudification, la concentration géographi-que de gens ayant des caractéristiques socio-économiques relativement identiques et l'ap-parition de mouvements de lutte en milieu urbain que nous formulerons comme hypo-thèse de la façon suivante : la réorganisation de l'espace urbain s'accompagne d'effets in-cidents qui constituent des facteurs susceptibles de favoriser dans des espaces déterminés l'apparition de mouvements de lutte.

Nous parlons de "facteurs susceptibles" car nous ne croyons pas qu'en soi ces fac-teurs suffisent à expliquer l'émergence des mouvements de lutte en milieu urbain. Ces mouvements ne sont pas nés d'une révolte spontanée qui aurait évolué selon une logique qui lui serait propre. Car, si tel était le cas, ces mouvements tels que nous les connaissons, auraient pu apparaître bien avant le début des années 60. Ces quartiers, pour la plupart d'anciens quartiers résidentiels et industriels, n'étaient pas sans porter des germes de leur propre révolte. En 1897, un notable montréalais fit remarquer, alors qu'il était conseiller municipal, les conditions de vie déplorables existant dans les quartiers Saint-Henri et Pointe Saint-Charles (84).

Nos développements théoriques nous amèneraient à chercher l'origine des mouvements de lutte dans le développement progressif d'une nouvelle pratique de direction hégémonique de l'Etat à travers le rôle charnière d'intellectuels organiques. Il n'y aurait donc pas un lien direct entre les effets incidents qui accompagnent la réorganisation de l'espace et l'apparition de mouvements de lutte en milieu urbain. Il y aurait d'abord un lien conjoncturel qu'il s'agira d'éclaircir dans nos développements empiriques à travers les motifs qui justifièrent les intellectuels de la société civile à choisir certains quartiers d'intervention.

méthodologie

Selon notre hypothèse, les quartiers qui sont à l'origine du développement des mouvements de lutte en milieu urbain montréalais, soit les quartiers Saint-Henri. Pointe Saint-Charles, Centre-Sud et Hochelaga subissent tous, quoique de façon inégale, cette réorganisation de l'espace.

Il s'agit de saisir à la fois l'évolution, s'il y a lieu, de cette réorganisation de l'espace dans ces quartiers et les manifestations des effets incidents pour voir en quoi ils constituent ou non des facteurs susceptibles de favoriser l'émergence de mouvements de lutte en milieu urbain. En termes plus précis, voir en quoi ils constitueraient on non des facteurs susceptibles de favoriser l'émergence d'une nouvelle pratique de l'Etat.

A partir des données de Pierre BASTIEN et autres, nous tenterons de voir l'état de la réorganisation de l'espace dans les quartiers où sont apparus les mouvements de lutte en milieu urbain.

Les quartiers entourant le Centre-Ville sont, pris globalement, des anciens quartiers industriels et d'habitation (86). Dans quelle mesure le sont-ils toujours ? Dans quelle mesure y a-t-il arrêt ou stagnation des investissement dans ces quartiers ?

Il faut mentionner qu'au siècle dernier, il y avait de façon générale, une forte proportion de construction de moins de quatre logements : "La demande de logements, à faible coût de location, augmentait plus rapidement que l'offre. On transforma des maisons construites pour une ou deux familles en plusieurs petits logements" (87).

Par ailleurs, beaucoup de nouvelles constructions avaient tendance à regrouper de trois à six logements : "les constructions sont érigées sur des terrains de 25 pieds de large. Elles ont habituellement de trois à six logements" (88).

Donc, s'il y a augmentation de la fonction appartement, il faudrait y saisir une tendance qui n'est pas nouvelle, mais plutôt y voir une tendance qui s'accentue.

Cette vérification devant être complétée par un test empirique des effets incidents qui accompagnent la réorganisation de l'espace dans les quartiers qui font l'objet de notre analyse. Pour les fins de cette analyse, nous disposons de trois indices : le premier étant le revenu ; le second étant le degré de taudification déterminé par la proportion de logements construits avant 1920 et le pourcentage de ces habitations ayant besoin de réparations ; le troisième étant la proportion d'assistance publique à domicile par cent ménages pour chaque quartier. Nous utiliserons comme source centrale d'information *Opération : Rénovation Sociale* (89) qui fournit pour 1961 les données de base à notre analyse. A partir principalement de ces données de base, différents dossiers avaient été réalisés par le Conseil de Développement social de Montréal relativement aux quartiers qui font l'objet de notre analyse. Nous les utiliserons donc comme source complémentaire.

De plus, il a été possible, pour fin de comparaison, de connaître, pour la plupart des quartiers, la proportion d'assistés sociaux pour l'année 1974 (90), et la variation de population entre 1961 et 1971 (91). Ces données constituent une base de comparaison utile en ce qui concerne certains mouvements de population dans ces quartiers.

Ayant mieux délimité le rapport conjoncturel, que nous tenterons d'évaluer, entre la réorganisation de l'espace et l'apparition de mouvements de lutte en milieu urbain, nous voulons maintenant éclairer le rapport des intellectuels au pouvoir local.

3.2. A propos du rapport d'intellectuels de la société civile au pouvoir local

Nous tenterons d'évaluer à l'aide de l'hypothèse précédente l'état de la réorganisation de l'espace dans les quartiers qui font l'objet de notre analyse. Réorganisation spatiale qui s'accompagnerait d'effets incidents.

En rapport avec le développement de mouvements de lutte, surgirait un certain nombre de revendications concernant la solution de ces effets incidents. Ces revendications peuvent entrer en conflit avec les impératifs de redéveloppement urbain tel que formulés, entre autres, par le pouvoir local. Selon le traitement possible du conflit, l'Etat, pris dans son ensemble, aurait une pratique plus ou moins hégémonique ou répressive.

Concernant la pratique de l'Etat face aux revendications des mouvements de lutte en milieu urbain, nous avons retenu le pouvoir local, car pour la période qui nous intéresse c'est ce niveau de pouvoir qui fut le plus pris à parti. Nous avons d'ailleurs mentionné que l'Etat. pris dans son ensemble, a une pratique pour le moins paradoxale : il initie des mouvements développant des pratiques qui lui sont apparemment opposées.

Le pouvoir municipal s'est défini comme principal arbitre des conflits qui émergeaient et ce n'est pas par hasard. A cet effet au Québec, comme aux Etats-Unis d'ailleurs, pour notre période d'analyse il n'existait pas de parti politique apte à générer et à encadrer les insatisfactions populaires. Ce n'est qu'au début de 1970 qu'apparut un parti politique en liaison avec les mouvements de lutte, le F.R.A.P., et comme nous le verrons son existence fut très éphémère. Le pouvoir municipal s'est présenté, dans ce contexte, comme apolitique ou confronté à la nécessité de bâtir une saine administration qui serait incompatible avec des positions dites "partisanes" (92).

Notre choix du pouvoir local est guidé par son rapport aux mouvements de lutte en milieu urbain et non par la représentation qu'il a donné de lui-même.

Au Québec, à partir d'une analyse de Jacques LEVEILLEE (93), nous pouvons distinguer trois étapes dans l'évolution du pouvoir local. Une première étape où le pouvoir local jouit d'une grande autonomie dans le traitement des questions locales (94). Une deuxième étape qui consiste en la volonté du pouvoir municipal d'insérer le pouvoir local dans des objectifs régionaux. Des projets de réforme avaient été élaborés pour réduire le nombre de municipalités et former des gouvernement régionaux comme "échelon intermédiaire entre les corporations municipales et l'Etat central" (95). Mais progressivement, force fut de constater, par le pouvoir provincial, qu'une réforme du pouvoir local pouvait menacer ses assises politiques. C'est pourquoi on assista progressivement à une double stratégie : réaliser certains regroupements de municipalités là où les impératifs économiques l'exigeaient mais où, par ailleurs, cela ne remettait pas en question la stratégie électorale du parti au pouvoir ; s'immiscer dans la politique locale, à travers une série d'appareils administratifs, tendant ainsi à rejoindre la stratégie du gouvernement fédéral qui en vertu de la constitution canadienne n'a pas de juridiction directe sur le pouvoir local (96).

Il serait intéressant d'analyser la pratique apparemment paradoxale de l'Etat. pris dans son ensemble. Nous pourrions tenter d'évaluer dans quelle mesure la confrontation du pouvoir local aux mouvements de lutte en milieu urbain favorisait la stratégie de l'un ou l'autre palier de gouvernement, ou les deux à la fois. D'ailleurs, nous pourrions établir certains parallèles avec la stratégie qu'adopta le pouvoir fédéral américain, à travers "la lutte contre la pauvreté", face au pouvoir local (97).

Mais là n'est pas l'intérêt de notre recherche. Notre but est de connaître la pratique du pouvoir local montréalais pour mieux cerner, s'il y a lieu, le rôle charnière d'intellectuels de la société civile. Cette courte incursion sur le pouvoir local fait mieux apparaître à quel point il ne correspond pas à l'image qu'il donne de lui-même. Par la même occasion, cela montre bien que nous nous limitons à certains aspects de sa pratique : sa réponse aux revendications des groupes populaires. Ainsi, notre analyse du rapport entre le pouvoir local et les groupes populaires ne peut devenir une base à partir de laquelle nous puissions "mécaniquement" définir la logique d'ensemble du pouvoir municipal à Montréal.

À cet égard, nous avons vu, lors de la description de notre objet de recherche, que les mouvements de lutte à Montréal s'orientèrent de plus en plus vers un affrontement direct avec le pouvoir local, ce qui laisse supposer une pratique de plus en plus intransigeante de ce dernier face à leurs revendications. Nous formulons l'hypothèse suivante : selon la pratique que développera le pouvoir local face aux revendications des mouvements de lutte en milieu urbain, nous assisterons à une modification de la conception que se font les intellectuels de cette institution politique locale et conséquemment de leur pratique avec les mouvements de lutte pour obtenir des réponses face aux revendications.

méthodologie

Les modifications de la pratique que nous avons décrites sommairement dans la délimitation de notre objet concret de recherche (au niveau des bases d'organisation, des problèmes abordés et des populations touchées) entre les groupes populaires qui apparurent en 1963, (dans Saint-Henri et Pointe Saint-Charles), en 1968, (dans Hochelaga et Centre-Sud), en 1970 (au niveau de Montréal) et enfin des groupes qui tentèrent d'encadrer différentes actions au niveau de l'entreprise et des quartiers au début de 1971, devraient s'accompagner d'une modification de la conception du pouvoir municipal et conséquemment de la façon d'aborder les problèmes. Cette modification serait guidée, entre autres, par l'attitude du pouvoir municipal face aux revendications.

Il s'agit, en rapport avec les groupes populaires qui, au début des années 63, exerçaient des pressions sur le pouvoir municipal pour obtenir des solutions à des "problèmes particuliers" au niveau de la paroisse, de connaître la réponse du pouvoir local. De plus, il s'agit de voir en quoi le pouvoir local a pu, s'il y a lieu, au début de 1968, pousser les groupes populaires à trouver par eux-mêmes des solutions aux problèmes abordés. Quel conflit avec le pouvoir local amena les groupes populaires, au début de 1970, à participer à la mise en place d'un parti politique, au niveau de Montréal ? Enfin comment s'expliquer à partir de la pratique du pouvoir municipal, s'il y a lieu, la mise sur pied de groupes politiques d'encadrement sur la base de quartiers et de l'entreprise à partir de 1971 ?

Pour répondre à ces questions, nous utiliserons le matériel écrit, traitant de ces groupes populaires dans leur rapport au pouvoir local, fourni par le Service de documentation du Conseil de développement social du Montréal métropolitain (C.D.S.M.M.). Ce centre de documentation compilait les articles de journaux et de revues concernant la question qui nous intéresse. De plus, nous avons choisi sa documentation car c'est le seul organisme qui, ayant travaillé avec les groupes populaires, ait constitué un matériel écrit, soutenu par une pratique continue et évaluée périodiquement, pour l'ensemble de la période qui nous concerne.

Nous voulons dans le cadre de cette recherche saisir le rapport conjoncturel entre mouvements de lutte en milieu urbain et réorganisation de l'espace, saisir le rapport entre ces mouvements de lutte et le pouvoir local à travers le rôle charnière d'intellectuels de la société civile. Il nous reste donc maintenant à les situer dans la société civile.

3.3. Les intellectuels de la société civile

Le domaine de la société civile se présente comme nous l'avons déjà mentionné comme étant celui des alliances qui se constituent autour et par un groupe dirigeant. Les organismes qui nous intéressent, à savoir le Conseil de développement social, la Compagnie des jeunes Canadiens (C.J.C.), les Centres régionaux de santé et de services sociaux (C.R.S.S.S.) avec les Centres locaux de services communautaires (C.L.S.C.), les Projets initiatives locales (P.I.L.) et Perspective-jeunesse (P.J.), le Centre de formation populaire (C.F.P.) et le Centre coopératif de recherche en politique sociale (C.C.R.P.S.), font partie de ces organisations qui se caractérisent moins par un fonctionnement coercitif que par une volonté de diriger le débat et les actions entreprises face, entre autres, aux effets incidents accompagnant la réorganisation de l'espace urbain.

Par ailleurs, ces organisations ne sont pas à l'abri de la lutte qui se mène au niveau du bloc dominant pour devenir le ou les groupes dirigeants. En ce sens, caractériser ces types d'organisations comme remplissant des fonctions de direction ne signifie pas qu'elles sont à l'abri de la lutte entre classes opposées dans leur stratégie d'alliance. Alliances qui sont à saisir dans la capacité hégémonique de la classe dirigeante ou qui veut diriger. Car comme le disait ALTHUSSER, "aucune classe ne peut durablement détenir le pouvoir d'Etat sans exercer en même temps son hégémonie sur et dans les appareils idéologiques" (98). D'ailleurs, on ne pourrait s'expliquer la radicalisation des luttes en milieu urbain à Montréal si tel n'était pas le cas.

A cet effet, même ALTHUSSER qui mettait l'accent sur la fonction dominante de cohésion sociale de ces organisations de la société civile ne niait pas ce phénomène : "Les appareils idéologiques d'Etat sont multiples, distincts, relativement autonomes et susceptibles d'offrir un champ objectif à des contradictions exprimant, sous des formes tantôt limitées et tantôt extrêmes, les effets des chocs entre la lutte des classes capitalistes et la lutte des classe prolétariennes, ainsi que leurs formes subordonnées" (99).

La domaine de la société civile est d'autant plus important qu'il est un instrument puissant aux mains de la classe dominante dans nos sociétés avancées : "Si l'on demande pourquoi une crise économique... ou un moment culminant de la lutte anticapitaliste, comme 1968 en France et 1969 en Italie, peuvent ensuite se résorber et être digérés par le système capitaliste, on peut répondre que c'est parce que ce qui réside dans la structure utilise comme bouclier protecteur du capitalisme tout un réseau de relations superstructurelles, une certaine façon de concevoir la vie et l'organisation sociale, qui coïncide avec les intérêts du pouvoir... l'exploite, dans son "sens commun"... adopte... le mode de pensée, c'est-à-dire l'idéologie qui lui est imposée par l'exploiteur... Le problème est donc pour la classe dominée de combattre sans relâche la classe dirigeante, également sur le plan idéologique (lutte idéologique) car c'est précisément la crise de l'hégémonie adverse qui prépare les conditions de la prise du pouvoir..." (100).

Cette fonction de direction hégémonique dans la société civile est assurée à travers un réseau complexe d'organisations : "L'organisation scolaire à laquelle GRAMSCI accorde une importance... l'organisation religieuse... des organisations qui s'occupent de l'imprimé... les canaux audio-visuels... les moyens de communication orale... Il faut tenir compte... de l'influence occulte de l'architecture et de l'urbanisme sur la culture de la société" (101).

Bien sûr, nous pourrions nommer un bon nombre d'autres organisations qui remplissent la même fonction, dont les syndicats, les partis politiques, la cellule familiale, etc...

notion d'appareil de direction hégémonique

Pour caractériser ces organisations de la société civile, nous utiliserons le terme d'appareil de direction hégémonique que nous préférons à la notion d'appareil idéologique d'Etat qui sous-entend le caractère étatique de toute intervention idéologique, c'est-à-dire qui néglige la lutte pour la direction hégémonique qui se mène au niveau du bloc dominant ou qui veut dominer, et représente une conception de la praxis qui ne rend pas compte des phénomènes ou des objets concrets qui nous intéressent dans cette recherche. Il faut d'ailleurs noter qu'ALTHUSSER s'est largement inspiré des travaux de GRAMSCI pour construire sa théorie des appareils idéologiques d'Etat (102).

La notion d'appareil de direction hégémonique est donc utile dans la mesure où elle nous permet de rendre compte des organisations fonctionnant dans le domaine de la société civile. Ces appareils n'étant pas seulement le lieu où s'organise l'hégémonie, mais aussi un des lieux où se constitue un savoir (103). Cette notion est aussi utile dans la mesure où elle nous permet de dépasser les courants de pensée culturalistes surtout développés aux Etats-Unis.

Le courant culturaliste (104) s'est surtout développé aux Etats-Unis dans le cadre de la guerre contre la pauvreté entreprise par J. F. KENNEDY et continué par l'administration JOHNSON, de 1961 à 1967. Dans le cadre de cette guerre contre la pauvreté, on développe l'idée qu'il existait une "culture de la pauvreté" endémique, c'est-à-dire dont l'explication est à rechercher dans les milieux aux prises avec des problèmes sociaux multiples et non dans la structure sociale.

Au départ, ce sont surtout les travaux de CLOWARD, MERTON et OHLIN qui ont marqué les projets d'action communautaire dans le cadre de l'intervention gouvernementale (105). A l'intérieur de leur théorie, on retrouve le concept d'anomie et de déviance qui résulterait de l'absence de cohérence entre les buts socialement approuvés et les institutions sociales par lesquelles ces buts peuvent êtres réalisés. Cette anomie entraînerait la déviance, c'est-à-dire que les modèles normatifs perdant pour les groupes concernés leur légitimité, ce sont des comportements définis comme pathologiques qui s'y substitueraient... La fonction des projets d'organisation communautaire était de forcer les institutions à s'adapter à la "nouvelle demande". On ne questionna pas la fonction des institutions mais leur fonctionnalité pour répondre à de nouveaux besoins.

Certains courants critiques en anthropologie culturelle (106) ont questionné la théorie de la "culture de la pauvreté" donnant "une explication des structures d'inégalité sociale en termes d'inadéquation de la socialisation des groupes défavorisés" (107) : "Il s'agit en fait moins d'une description de la culture des milieux de pauvreté que du postulat d'une pauvreté culturelle ; on démontre les conséquences dysfonctionnelles d'une non-acculturation à une culture institutionnalisée soi-disant "unitaire". La pauvreté s'explique par les orientations "pathologiques" des milieux concernés (désorganisation de la famille nucléaire et de la communauté immédiate). Et cette analyse débouche sur des propositions de changement de cette "sous-culture malsaine" des milieux défavorisés" (108).

Dans cette perspective, on arrive tout au plus à constater l'absence d'une culture unitaire dans la société américaine. Mais certains auteurs (109) firent la critique de cette approche et développèrent l'idée du pluralisme culturel en démontrant qu'il existait "des formes d'organisation et des modèles particuliers d'orientation aux valeurs" (110). COMBESSIE (111) montre bien les difficultés d'une comparaison des valeurs de différentes classes sociales, dans laquelle, au lieu de repérer les relations unissant entre eux les comportements de chaque classe sociale, on qualifie uniquement les comportements caractéristiques de la classe supérieure pour en noter ensuite l'absence dans les classes dites "inférieures". "Plutôt que de mettre les valeurs en relation avec les conditions d'existence, on les substantifie..." (112).

Cependant, LEACOCK (113) propose que les institutions, acculturées aux orientations des "classes moyennes", soient réanalysées comme exerçant une fonction différente selon les catégories sociales, contribuant ainsi à maintenir la structure présente des rapports sociaux. Cette critique de la culture de la pauvreté conduit à une réinterprétation des relations "culture-structure" en termes de rapports et de modèles différents d'orientation de classe (114). C'est pourquoi, entre autres, nous privilégions l'idée d'appareil de direction hégémonique aux analyses produites par le courant culturaliste car elle nous permet d'aborder les institutions qui nous intéressent dans leurs fonctions de direction. De plus, dire qu'elles remplissent des fonctions de direction ne nous empêche pas de saisir les intérêts de classes et les conjonctures particulières qui animent ces institutions.

Ainsi, la prolifération d'organismes tentant de donner une direction aux mouvements de luttes urbaines ne serait pas le fruit du hasard, mais bien l'expression d'une nouvelle pratique de direction hégémonique qui s'instaure dans l'Etat. A cet effet, Richard CLOWARD, après avoir été un des principaux théoriciens des stratégies d'action face à la délinquence et, indirectement, des "community action programs", a produit en 1971 une analyse historique critique des politiques sociales américaines, y compris la guerre à la pauvreté des années 1960 (115). Il a alors intégré dans son analyse la dimension conflictuelle qu'il avait été forcé de reconnaître dans l'action. CLOWARD démontre que les politiques du "new-deal" dans les années 1930 et celles de la "guerre à la pauvreté" des années 1960 ne se sont développées qu'en réponse à la mobilisation politique subséquente à ceux deux moments de crise économique. Il s'agissait alors de distribuer le plus rapidement possible de l'argent aux personnes concernées en vue de restaurer l'ordre. Cependant, une fois la stabilité politique assurée, on assista à une restriction des mesures d'assistance sociale et de travaux publics. L'auteur propose donc de susbituer à l'idée reçue d'une libéralisation progressive des politiques étatiques en matière sociale, celle de modèles cycliques caractérisés par de longues périodes de restriction de l'action gouvernementale (afin d'inciter au travail) et de courtes périodes d'expansion (pour maintenir face au désordre en émergence la légitimité même de l'ordre social) (116).

Cette analyse de PIVEN et CLOWARD rend bien compte de la fonction de la société civile dont nous parle abondamment GRAMSCI. De plus, elle nous permet de mieux concevoir ces appareils dans leur fonction de direction.

Cependant, nous avons vu que les mouvements de lutte au début de 1970 se radicalisèrent et donnèrent lieu à l'apparition d'un parti politique et par la suite de groupes d'encadrement politique au niveau des quartiers et des entreprises. Ainsi donc la mise en place d'appareils de direction hégémonique ne signifie pas l'extinction des conflits de classe à l'intérieur des organisations contrôlées en partie ou totalement par l'Etat, pas plus qu'elle n'exclut l'apparition de nouveaux appareils tentant de se soustraire à cette hégémonie.

les intellectuels organiques

Dans nos précédents développements, nous avons signalé que les appareils de direction hégémonique sont le lieu de conflits entre intérêts contradictoires. Nous avons aussi mentionné que l'action de ces appareils de direction hégémonique se fait par l'intermédiaire d'intellectuels organiques.

Ces derniers, les intellectuels, portent à la fois les projets et la rationalité de ces appareils hégémoniques, mais sont aussi confrontés aux conditions concrètes de sa réalisation. A cet effet, la réévaluation par PIVEN et CLOWARD des projets de lutte contre la pauvreté aux Etats-Unis est un bon exemple. Ces situations entraîneront inévitablement des tensions et des crises à l'intérieur et à l'extérieur de ces organisations en milieu urbain. De plus, au Québec comme aux Etats-Unis (117), la compréhension du développement pris par les mouvements de lutte urbaine ne peut se faire sans référence à ces intellectuels organiques d'appareils qui furent les seuls à être en mesure de soutenir et d'encadrer les mouvements de revendication en l'absence d'autres formes d'appareils de direction hégémonique, comme les partis politiques par exemple. Le F.R.A.P. comme nous l'avons déjà dit, eut une existence éphémère.

Ainsi, la pratique de ces initiateurs, entendue comme un ensemble d'objectifs et moyens, soutenus par une analyse des causes de ce qu'ils appelaient des problèmes sociaux en milieu urbain, nous permettrait d'expliquer l'orientation que prirent les différents groupes populaires entre 1963 et 1973. Différents types d'organisation qui se manifestent entre autres par les différentes bases d'organisation (la paroisse, le quartier ou la ville), par le type de problèmes abordés (globaux ou particuliers), par les populations touchées (les assistés sociaux ou les ouvriers).

Nous assistons d'ailleurs avec le développement de nos sociétés à un rôle accru de l'Etat dans différents domaines de la société civile.

Ainsi, l'Etat qui laissait à l'initiative privée bon nombre d'innovations dans le domaine des affaires sociales prend de plus en plus sur lui de réaliser ces tâches (118) : "En Occident... l'emprise croissante de l'Etat sur la structure économique et sur la superstructure, à travers ce réseau dense et impalpable de valeurs, de comportements, de conditionnement concernant la sexualité, la famille, la femme, l'alcoolisme, l'aliénation, la division du travail... diffusé parmi les masses, en vue d'une rationalisation maximum du rendement des travailleurs dans les pays industrialisés... (119).

Dans la mesure où la radicalisation de ces luttes en milieu urbain montréalais est directement liée aux positions et alliances que développent les intellectuels organiques d'appareils de direction hégémonique à cause de leur position charnière entre infrastructure et superstructure, nous avancerons l'hypothèse suivante : la radicalisation des mouvements de lutte en milieu urbain et l'apparition d'appareils de type nouveau, entre autres au niveau du financement et du type de structure mis en place, seront dépendantes des positions que prendront les intellectuels organiques confrontés entre la rationalité, la pratique de l'appareil dont ils font partie d'une part, et les situations concrètes que cet appareil ne peut contenir, ou dont il ne peut rendre compte, d'autre part.

Ces situations concrètes sont l'évaluation qu'ils font de leur travail avec les groupes populaires dans des quartiers donnés, l'attitude du pouvoir local face aux revendications qu'ils formulent avec les groupes populaires et enfin la perméabilité à leurs demandes des appareils dont ils font partie. Nous disons que si les intellectuels sont confrontés contradictoirement entre la rationalité de l'appareil et les situations concrètes qu'ils rencontrent, ils tenteront de forcer les appareils à modifier leurs discours et à fournir des ressources plus appropriées. Si la critique des intellectuels est essentielle à la classe dirigeante pour assurer sa domination, par ailleurs cette dernière n'est pas à l'abri des crises qui peuvent se développer en son sein. La perméabilité des appareils sera donc à saisir dans le cadre des luttes hégémoniques qui se mènent à l'intérieur du bloc dominant dans la conjoncture politique des années 60-70 au Québec.

Voilà comment nous voulons mettre à l'épreuve le concept d'intellectuel organique dans sa fonction charnière.

méthodologie

Pour les fins de cette hypothèse, nous avons retenu comme appareil hégémonique à la ville le Conseil des oeuvres de Montréal (C.O.M.) devenu plus tard le Conseil de développement social du Montréal métropolitain (C.D.S.). Cet organisme possède les caractéristiques d'un appareil de direction hégémonique : c'est, pour la période 1960-1970, un organisme privé, sans but lucratif, administré principalement pas différents agents représentant le milieu économique et celui des affaires sociales. Il cherche à initier et à développer une pratique sur les problèmes sociaux existants dans la ville de Montréal à l'aide de fonds recueillis auprès de différents organismes publics et d'une campagne de souscription annuelle le rendant plus vulnérable à la classe dirigeante.

De plus, cet organisme était composé de permanents, regroupés dans une section appelée "Service d'animation sociale", qui exerçaient dans les faits entre 1963 et 1970 un leadership sur l'orientation du travail dans les quartiers et canalisaient les énergies et les réflexions des agents qui n'appartenaient pas à cet organisme. Par ailleurs, au début de 1970, ce leadership fut grandement secoué par une crise politique qui ébranla le bloc dominant.

C'est d'ailleurs pour ces raisons que nous avons retenu ces permanents qui illustrent le rôle charnière des intellectuels organiques à travers différentes situations.

Cependant, il faudra montrer précisément comment le C.O.M. est traversé par la pratique du bloc dominant et, d'autre part, voir comment s'actualise le rôle charnière des intellectuels.

Pour ce faire, nous analyserons l'évolution du discours du C.O.M. pendant l'ensemble de la période (1960-1970), et nous nous arrêterons sur les différentes évaluations faites par le service d'animation de cet organisme relatives à sa pratique dans différents quartiers.

Le tableau 1 visualise bien la place qu'a tenu le Conseil des oeuvres, devenu plus tard C.D.S., durant les années 60-70. Entre 1960 et 1968, il est le principal intervenant et développe déjà un certain nombre de ramifications qui vont en s'accentuant à partir de 1968. Le Plan d'aménagement social et urbain (P.R.S.U.) (120) et la Compagnie des jeunes Canadiens (C.J.C.) ont une action plus localisée. D'ailleurs, une concertation tend à s'installer entre le personnel du P.R.S.U. et le C.D.S. autour de la création du F.R.A.P. Même situation dans Hochelaga où les animateurs du C.D.S. tendent à prendre la relève de l'action qui avait été entreprise par les Travailleurs étudiants du Québec (T.E.Q.) (121), devenue ensuite l'Action sociale jeunesse (A.S.J.).

C'est pourquoi nous avons retenu les groupes populaires dans lesquels les initiateurs du C.D.S. ont été impliqués : cet organisme développa des ramifications au niveau de la plupart des quartiers où se sont développés des projets d'organisation communautaire ; par conséquent, ses intellectuels organiques ont été bien placés pour canaliser les énergies et réflexions de ceux qui n'appartenaient pas à cet organisme, comme nous le disions précédemment. D'ailleurs, il est le seul à fournir une documentation détaillée pour la période allant de 1963 à 1970.

A partir de 1970-1971, la place du C.D.S. tend à être moins prépondérante. Il y a diversification des organismes et ce n'est pas par hasard, comme nous le verrons dans nos développements empiriques.

Pour la période allant de 1971 à 1973, nous avons retenu les Comités d'action politique (C.A.P.) de Saint-Jacques et d'Hochelaga-Maisonneuve. Ces organisations tentèrent de se définir en rupture par rapport aux pratiques et aux analyses antérieures. A cet égard, leur étude est d'un grand intérêt dans la mesure où nous voulons saisir les processus à l'origine à la fois de la radicalisation des mouvements de lutte et de l'apparition d'appareils de type nouveau, par leur financement et les structures mises en place. Pour faire l'analyse de ces groupes, nous utiliserons principalement la revue *Mobilisation* qui nous donne un bon aperçu de leurs réflexions et de leurs bilans.

L'analyse de l'ensemble de cette période, 1960-1973, se fera à l'aide d'un rappel constant de la conjoncture politique au Québec qui a été marquée par des luttes hégémoniques entre les pouvoirs fédéral et provincial.

Relativement aux autres organisations mentionnées au départ dans notre objet concret, nous nous limiterons à les situer, dans l'évolution des mouvements de lutte, en rapport avec les lutte hégémoniques entre les pouvoirs fédéral et provincial. Nous avons retenu la C.J.C., P.I.L., P.J., et C.D.S., C.L.S.C., C.R.S.S.S. car ces organismes sont un bon exemple de cette lutte hégémonique.

Voilà comment nous entendons mener notre exploration du rôle charnière des intellectuels.

IV. MISE EN FORME

Pour les fins de présentation, nous avons divisé la recherche en cinq chapitres suivis d'une conclusion.

Le premier chapitre traitera des groupes populaires apparus dans Saint-Henri et Pointe Saint-Charles au début des années 1963 ; le second des groupes populaires apparus dans Centre-Sud et Hochelaga au début des années 1968 ; le troisième des groupes apparus dans Saint-Edouard et Rosemont dans le cadre de la création d'un parti politique municipal (1970) ; le quatrième traitera des groupes d'encadrement au niveau du quartier et de l'entreprise qui apparurent dans Centre-Sud et Hochelaga (1971-1973). Le cinquième chapitre tentera de faire une synthèse de la pratique des intellectuels dans la société civile.

A l'intérieur des quatre premiers chapitres, nous procêderons de la façon suivante :

1 — Premièrement, une description des groupes populaires en question à partir de leur base d'organisation, des problèmes abordés et des populations touchées. A cette occasion, nous tenterons d'évaluer la pertinence de l'hypothèse relative au développement de mouvements de lutte dans des quartiers déterminés.
2 — Deuxièmement, pour la période allant de 1960 à 1973, nous décrirons l'analyse qui était faite par les initiateurs des groupes populaires retenus, en précisant leurs objectifs, stratégies et moyens.
3 — Troisièmement, nous situerons le discours et la pratique des initiateurs face à l'analyse et aux outils conceptuels utilisés dans la présente recherche.
4 — Enfin, nous tenterons de saisir, s'il y a lieu, l'émergence d'une nouvelle pratique de direction hégémonique à l'aide des hypothèses retenues à cette fin.

Le mode d'exposition utilisé pour les quatre premiers chapitres pourra paraître, aux yeux de certains, ardu et répétitif. Nous croyons, pour notre part, que ce mode d'exposition permet de partir de la description d'une situation concrète, pour remonter progressivement à une explication structurelle.

Le cinquième chapitre, à partir du contexte politique entourant l'émergence de cette nouvelle pratique, fera une synthèse des différentes tendances qui ont influencé les initiateurs, et tentera de situer ces derniers dans la société civile.

Passons donc à l'analyse des groupes populaires qui apparurent au début de 1963 dans Saint-Henri et Pointe Saint-Charles.

(1) Par mouvements de lutte en milieu urbain, nous entendons des groupes de gens qui revendiquent des solutions à des problèmes identifiés au niveau de la paroisse, du quartier ou de la ville.
Cette définition se distingue de la définition plus large des mouvements sociaux urbains donnée par CASTELLS et GODARD in *Monopolville : l'entreprise, l'Etat, l'urbain*, Mouton, 1974, p. 294 : "Par ailleurs, le champ de la politique urbaine concerne aussi l'ensemble des pratiques par lesquelles les classes dominées essaient d'infléchir, et parfois avec succès, la logique sociale dominante au niveau de la reproduction de la force de travail. Ces pratiques, situées au niveau d'une contradiction structurelle secondaire, ne peuvent imposer une autre logique qu'en dépassant le stade purement revendicatif pour déboucher sur une intervention politique à travers leur articulation avec d'autres pratiques contestatrices de la logique structurelle : c'est cet ensemble de processus que nous nommons mouvements sociaux urbains. La politique urbaine est donc fondée sur la dialectique entre planification urbaine et mouvements sociaux urbains, la première tendant à se doubler, au niveau des classes dominées, d'un processus de participation-intégration, alors que les mouvements sociaux visent à travers l'urbain, des objectifs de remise en cause des rapports de domination en débouchant sur un processus de crise politique".
Nous croyons que les mouvements de lutte en milieu urbain ne progressent pas vers une rupture selon une logique qui leur serait propre : ils évoluent selon une logique qui est inspirée des leçons que tirent, de leur pratique, les initiateurs de ces mouvements de lutte.

(2) Voir carte géographique ci-après. Cette carte a été réalisée à partir des délimitations géographiques fournies, pour ces quartiers, dans *Opération : rénovation sociale*. C.O.M., décembre 1966.

(3) Le F.R.A.P., *Les salariés au pouvoir*. Montréal, Editions Les Presses Libres, 1970, 138 p.

(4) A cet effet Manuel CASTELLS, dans le cadre d'une étude aux Etats-Unis, voit dans ce processus une certaine spécificité de la formation sociale nord-américaine : "la spécificité de la crise urbaine aux Etats-Unis tient à la combinaison de plusieurs caractéristiques de l'histoire américaine : des villes "récentes" ; un appareil d'Etat très décentralisé et fragmenté dont l'intervention économique prend des détours très complexes ; un mouvement ouvrier subordonné au capital et absent de la scène politique ; dominance indiscutée du capital dans l'ensemble de la structure urbaine". "La crise urbaine aux Etats-Unis : vers la barbarie". *Les Temps Modernes*, février 1976, numéro 335, p. 1179, note 3 au bas de la page.

(5) BELANGER Paul, PAQUET Pierre, VALOIS Jocelyne, *La formation professionnelle des adultes et la reproduction des contradictions sociales* (Institut Canadien d'Education des Adultes), 1974, texté ronéo., p. 26. L'ensemble de ce texte de 68 pages fournit un aperçu exhaustif et critique de ce courant de pensée. Signalons, en France, le travail de Jacques DREYFUS, *L'urbanisme comme idéologie de la rationalité*. Paris, Copédith, 1973, 629 p., T. 1 et 2.

(6) PARSON Talcott est l'inspirateur de base de ce système de pensée.

(7) BELANGER Paul et autres, op. cit., p. 25.

(8) MARX Karl, *Le Capital*. Livre III. La Pléiade II, p. 1400.

(9) Voir à cet effet, ALTHUSSER Louis, BALIBAR Etienne, *Lire le Capital*. Paris, Maspéro, I et II, 1968. ALTHUSSER Louis, *Pour Marx*. Paris, Maspéro, 1969. ALTHUSSER Louis, "Idéologie et appareil idéologique d'Etat". *La pensée*. 151, juin 1970, pp. 3-38. ALTHUSSER Louis, *Eléments d'auto-critique*. Hachette, 1974, 126 p. POULANTZAS N., *Pouvoir politique et classe sociale de l'Etat capitaliste*. Paris, Maspéro, 1970. POULANTZAS N. *Fascisme et dictature*. Paris, Maspéro, 1970.

(10) ALTHUSSER Louis, "Idéologie et appareils idéologiques d'Etat" *La pensée* 151, juin 1970, p. 12.

(11) MACCHIOCHI Maria-Antonietta, *Pour GRAMSCI*. Paris, Le Seuil, 1974, p. 31. Nos références ultérieures à ce texte se feront sous l'abréviation M.A.M.

38

(12) M.A.M. p. 31.
(13) Nos sociétés avancées sont aussi définies dans leur rapport au développement du capital. A cet effet, l'accentuation de l'apport de l'Etat au développement du capital refléterait l'apparition du capitalisme monopoliste d'Etat (C.M.E.) résultant des contradictions internes de l'accumulation capitaliste ; quoi qu'il en soit, il subsisterait des formes antérieures de développement du capital. Pour notre part nous préférons la notion de société avancée qui renvoie aux rapports d'ensemble dans la formation sociale.
(14) M.A.M., p. 98.
(15) Voir en particulier PIOTTE Jean-Marc, *La pensée politique de GRAMSCI*. Parti-Pris, 1970, 210 p.
(16) PIOTTE Jean-Marc, op. cit., p. 236.
(17) Idem, p. 237.
(18) Voir à cet effet PORTELLI Hugues, *Gramsci et le bloc historique*. Paris, P.U.F., 1972, 175 p. ; MACCHIOCHI Maria-Antonietta, *Pour Gramsci*. Paris, le Seuil, 1972 428 p.
(19) PORTELLI Hugues op. cit., p. 37.
(20) M.A.M., op. cit., p. 162.
(21) Idem, p. 164.
(22) BUCI-GLUCKSMANN Christiane, *Gramsci et l'Etat*. Paris, Fayard, 1975, p. 87.
(23) M.A.M., op. cit., p. 164.
(24) PORTELLI H., op. cit., p. 32.
(25) Idem.
(26) Idem.
(27) PORTELLI H., op. cit., p. 34.
(28) M.A.M., op. cit., p. 174.
(29) Idem, p. 166.
(30) PORTELLI H., op. cit., p. 48.
(31) PORTELLI H., op. cit., p. 124.
(32) CASTELLS M., "Théorie et idéologie en sociologie urbaine". *Sociologie et société* 2, vol. I, novembre 1964, p. 185.
(33) M.A.M., op. cit., p. 164.
(34) Bon nombre d'études qualifient ces agents de membres d'une nouvelle petite bourgeoisie liée au développement du capital financier. Voir à ce sujet SAINT-PIERRE Céline, *De l'analyse marxiste des classes sociales*. Montréal, septembre 1972, 28 p., texte ronéo. Cette analyse se situe dans le même courant de pensée que BAUDELOT, ESTABLET, MALEMORT, *La petite bourgeoisie en France*. Paris, Editions Maspéro, 1974. Sur la même question, mais quoiqu'il le traite autrement, voir BON Frédéric, BURNIER Michel-Antoine, *Classe ouvrière et révolution*. Paris, Editions du Seuil, Collection politique, 1971.
(35) M.A.M., p. 204.
(36) M.A.M., p. 209.
(37) Idem, p. 204.
(38) Idem, p. 210.
(39) A cet effet, il faut lire à propos de la pratique savoir/pouvoir FOUCAULT Michel, *Surveiller et punir*. Editions Gallimard, 1975.
(40) M.A.M., op. cit., p. 212.
(41) Idem, p. 215.
(42) Idem, p. 213.
(43) Idem, p. 213.
(44) M.A.M., p. 212.
(45) Idem, p. 213.
(46) Idem, p. 211.
(47) Idem, p. 218.
(48) M.A.M., p. 204.
(49) PORTELLI H., op. cit., p. 85.
(50) Idem.

(51) Idem, p. 93.
(52) PORTELLI H., op. cit., p. 37.
(53) Idem, p. 37.
(54) Idem, p. 63.
(55) Idem, p. 48.
(56) PORTELLI, H., op. cit., pp. 49-50.
(57) M.A.M., op. cit., p. 204.
(58) A cet effet, dans une étude réalisée par MEISTER Albert, *Participation animation et développement*. Paris, Editions Anthropos, 1969. Il est fait mention de cette expérience québécoise.
(59) Tableau effectué à partir de : LESEMAN Frédéric, THIENOT Michel, *Animations sociales au Québec*. Université de Montréal, Ecole de service social, octobre 1972, pp. 252-253.
(60) LESEMAN Frédéric, THIENOT Michel. *Animations sociales au Québec*. Université de Montréal, Ecole de service social, octobre 1972.
(61) Lire à cet effet : GODBOUT Jacques, COLLIN Jean-Pierre. *Les organismes populaires en milieu urbain*. Université du Québec, I.N.R.S., 1975.
(62) Voir en particulier les travaux suivants : VALOIS Jocelyne, PAQUET Pierre. *Les groupes populaires dans la structure du pouvoir*. I.C.E.A., 1974, 219 p. ; WELCH David, "Trois expériences de mobilisation dans un quartier populaire". Revue *Mobilisation*. dossier printemps 1976.
(63) DURAND Nicole, *Etude descriptive des caractéristiques du Mile-End*. Montréal P.R.S.U., 1967. FILION Mireille, *Le Comité de citoyens de Saint-Jean-Baptiste*. Québec, Université Laval, 1970. BARIL Claude, LEBEL Bertrand, NORMAN Bernard, DENIS Gérard, *Le Quartier Hochelaga-Maisonneuve*. Montréal. s.e., 1967. BLONDIN Michel, *Le projet Saint-Henri*. Montréal, Conseil des oeuvres, 1965. BLONDIN Michel, OUELLET Hector, *L'animation sociale à Montréal*. Montréal, Conseil des oeuvres de Montréal, novembre 1966. BLONDIN Michel, *L'animation sociale, telle qu'élaborée et mise en oeuvre au Conseil des oeuvres de Montréal*. Montréal, Conseil des oeuvres, octobre 1968. CHABOT-ROBITAILLE Louise, *De l'eau chaude, de l'espace et un peu de justice*. Montréal, Conseil de développement social du Montréal métropolitain, mai 1970.
(64) Nous pensons notamment aux travaux critiques de M. BLONDIN, L. FAVREAU, G. FORTIN.
(65) Nous voulons souligner ici que ce sont des aspects que développent Jacques LEVEILLEE et Jean-François LEONARD dans leur thèse respective.
(66) Idem.
(67) PICKVANCE C.G., "On the Study of Urban Social Movements". *The Sociological Review* 1 (vol. 23), février 1975, pp. 29-49.
(68) Il faut mentionner que l'étude de Rennes nous semble une voie intéressante d'investigation de la société politique, ainsi que l'étude de TOPALOV sur la propriété foncière et l'étude de COMBES et LAPATIE sur l'intervention des groupes financiers dans l'immobilier. Il faut savoir par ailleurs que la conjoncture politique québécoise se prête difficilement à ce type d'étude. Relativement à ces travaux, voir TOPALOV Christian, *Capital et propriété foncière*. Paris, Centre de sociologie urbaine, 1973 ; COMBES Danielle, LAPATIE Etienne, *L'intervention des groupes financiers français dans l'immobilier*. Paris, C.S.U., 1973 ; HUET Armel, et autres, *Rôle et portée économique, politique et idéologique de la participation à l'aménagement urbain*. Rapport de recherche D.G.R.S.T., 1973.
(69) BASTIEN Pierre et autres *Où vont les investissements immobiliers à Montréal*. Cahier I. Analyse des permis de construction (1957-1972), C.D.S.M.M., Mars 1975, 200 pages.
(70) Pour n'en citer que quelques-unes mentionnons : CASTELLS Manuel, GODARD

Francis : *Grandes entreprises, appareil d'état et processus d'urbanisation.* Paris, Ecole Pratique, Centre d'études des mouvements sociaux, 1973, 801 p. (paru plus tard sous le titre *Monopolville*). DUCLOS Denis, *Propriété foncière et processus d'urbanisation*, Paris, Centre de sociologie urbaine, 1973, 222 p. ; TOPALOV Christian : *Capital et propriété foncière*, Paris, Centre de sociologie urbaine, 1973, 264 p. LAMARCHE François : *Une ville à vendre*, E.Z.O.P., Québec, 1972, Tome I, 236 p.

(71) BOURNE Larry S. : *Private redevelopment of the Central City*, University of Chicago, Department of Geography, 1967.

(72) Pour n'en citer que quelques-unes, mentionnons :
-DIVAY Gérard, GODBOUT Jacques *Une politique de logement au Québec* dans les Cahiers du C.R.U.R. numéro 5, 1973, 265 pages.
-DREYFUS Jacques : *L'urbanisme comme idéologie de la rationalité*, 2 tomes Paris, Copédith, 1973, 629 pages.
-PRETECEILLE Edmond : *La production des grands ensembles*, Paris, Mouton, 1973, 170 pages.

(73) A partir de la théorie de BURGESS (E. BURGESS et PARK et Mc KENZIE : *The city*, Chicago, University of Chicago Press, 1925), sur l'évolution des agglomérations par zone concentrique une abondante littérature a été produite. Voir à cet effet Manuel CASTELLS : *La question urbaine*, Paris, Maspéro, 1972, pp. 151-170.

(74) CASTELLS Manuel : *Les Temps modernes*, op. cit. p. 1190.

(75) SEWELL J. : *UpsAgains City Hall*, James LEWIS and SAMUEL, Toronto, 1972.

(76) LAMARCHE François, op. cit.

(77) CASTELLS Manuel, op. cit. p. 1190.

(78) Idem, p. 1213.

(79) Nous référons ici aux notions de rente absolue (liée au concept de propriété), de rente différentielle I (liée à l'entourage) et II (liée aux activités intra-murales). Voir à cet effet : ALQUIER F. "Contribution à l'étude de la rente foncière sur les terrains urbains", *Espace et Société* 2, Mars 1971, pp. 75-87. ; LOJKINE J. "Y a-t-il une rente foncière urbaine", *Espace et Société* 2, Mars 1971, pp. 75-94 ; TOPALOV C., op. cit. ; LAMARCHE F., op. cit. pp. 83-99

(80) LAMARCHE François. *Une ville à vendre*, EZOP-Québec, Cahier I, 1972, pp. 47-48. Le chapitre I de ce Cahier présente un aperçu succinct et clair de ce processus.

(81) Nous nous référons ici aux écrits de DREYFUS et en particulier "l'essentiel ou le résidu : le cas de la planification urbaine" *Consommation* 3, 1974.

(82) Sur cette question voir DREYFUS Jacques, op. cit.

(83) A ce sujet, voir *Opération : Rénovation sociale*, C.O.M., Montréal, Décembre 1966, 224 p.

(84) BROWN AMES Herbert *The City Below the Hill.* Montréal, 1897 ; réédité dans la collection "The Social History of Canada". University of Toronto Press, 1972, 116 p.

(85) BASTIEN Pierre et autres, op. cit.

(86) On entend par "habitation", toute construction comprenant moins de quatre logements. Les constructions de plus de quatre logements sont appelées "appartements" Nous employerons le terme de fonction résidentielle comme terme générique pour désigner ces deux types de construction.

(87) COOP Terry *The Anatomy of Poverty* (1897-1929), Mc Clelland and Stewart Ltd, p. 71 (traduit en français par nous).

(88) Id. p. 71 (traduit en français par nous).

(89) En collaboration *Opération : Rénovation sociale*, Conseil des oeuvres de Montréal (devenu plus tard Conseil de développement social) Montréal, décembre 1966, 224 p.

(90) La cueillette des données pour 1974 a été réalisée grâce á la collaboration de BOUcher Micheline et de PREVILLE Michel, tous deux étudiants à l'Université du Québec à Montréal. Michel PREVILLE a été responsable de la compilation et du travail statistique pour comparer les données de 1974 et celles de 1966.

(91) Calcul effectué à partir des données du recensement de 1971.

(92) A cet effet, voir LEVEILLE Jacques dans *Le concept d'opposition dans l'étude des systèmes politiques*. Eté 1975, 44 pages. Texte ronéotypé.

(93) LEVEILLE Jacques *Le système municipal québécois : un système en état de mutation*. Montréal, Université du Québec, 1974. Texte ronéotypé.

(94) Une abondante littérature américaine a largement décrit, sur cette base, le pouvoir local comme jouissant d'une grande autonomie de décision. Notons, à titre d'exemple, les études de MILLS C.W. *The Power Elite*, New-York, Oxford University Press, 1956 ; HUNTERF. *Community Power structure*, HILL Chapel, N.C. University of North Carolina Press, 1953 ; DALH R.A. *Who governs ?*, New-Haven, Yale University Press, 1963, etc...

(95) LEVEILLE Jacques, op. cit. p. 14.

(96) En ce sens les travaux récents qui tentent de cerner les articulations qui existent entre les appareils politiques et les appareils administratifs de l'Etat sont d'un grand intérêt au Québec. A titre d'exemple, soulignons les travaux de WILLIAM O.P. *Metropo-Political Analysis*, New-York,. The Free Press, 1971 ; et GREMION P. *Le pouvoir périphérique*, Le Seuil,1976.

(97) Voir à cet effet PIVEN Frances et CLOWARD Richard A. *Regulating the Poor. The functions of public welfare*, New York, Random House, 1971, 389 p.

(98) ALTHUSSER L. "Idéologie et appareils idéologiques d'Etat". *La pensée 151*, juin 1970, p. 19.

(99) Idem p. 16.

(100) M.A.M. op. cit. p. 175.

(101) PIOTTE Jean-Marc, *La pensée politique de GRAMSCI*. Parti-Pris, 1970, p. 210.

(102) M.A.M. op. cit. p. 30.

(103) Voir à cet effet Michel FOUCAULT *Surveiller et punir*, Editions Gallimard, 1975.

(104) Concernant le courant de pensée, nous nous sommes largement inspirés des écrits de l'I.C.E.A. et en particulier : BELANGER Paul, PAQUET Pierre et Valois Jocelyne : *La formation professionnelle des adultes et la reproduction des contradictions sociales*. I.C.E.A. 1973, 68 p. Texte ronéotypé. Dans les pages qui suivent, relatives aux différentes analyses américaines sur la "pauvreté", nous reproduisons des extraits principalement des pages 13 à 24.

(105) Pour MERTON et autres, *The Contempory Social Problems. An introduction to the sociology of deviant behavior and social disorganisation*, New York, Harcourt, Brace et Arnold, 1961. De même que pour CLOWARD et OHLIN, *Delinquency and Opportunity*, New York, Free Press, 1960.

(106) BELANGER Paul et autres, op. cit.

(107) Idem p. 18 et 19.

(108) Idem p. 19.

(109) H.B. CLARK *Dark Ghetto, Dilemnus of Social Power*, New York, Harper, 1968. M. HARYOU *Youth in the Ghetto : a Study of the Consequences of the Powerlesness and a Benefit for Change*, New-York, Harlem Youth Opportunities, 1964.

(110) BELANGER Paul et autres, op. cit. p. 20.

(111) COMBESSIE J.C. "Education et valeurs de classe". *Revue française de sociologie* (70), janvier-mars 1969, pp. 12-36.

(112) BELANGER Paul et autres, op. cit. p. 20.

(113) LEACOCK E.B., *Teaching and learning in city schools*. New York, Basic Book Inc. 1968, pp. 86-87.

(114) BELANGER Paul et autres, op. cit. p. 21.

(115) PIVEN F.F., CLOWARD R.A., *Regulating the Poor : the fonctions of Public Welfare*. New York, Random House, 1971, 389 pages.

(116) BELANGER Paul et autres, p. 16.

(117) UNGER Irwin, *The New Left, the Movement*. New-York, Dodd Mead and Cie, 1974, 217 p.

(118) CLARK Kenneth, HOPKINS Jeannette. *A Relevant War against Poverty*. Harper Torchbooks, 1970, 275 p.

(119) M.A.M. op. cit. p. 86.

(120) Le P.R.S.U. est un organisme ayant une action plus localisée, en particulier dans Centre-Sud et qui était financé par une fondation privée et d'une façon moins im-

portante par des fonds publics.

(121) Les T.E.Q. ont eu une courte existence (approximativement 1966-1967). Il s'agissait d'une initiative du gouvernement du Québec. Pendant les périodes d'été, les étudiants initiaient des projets d'action communautaire.

CHAPITRE I

LES GROUPES POPULAIRES DANS LES QUARTIER SAINT-HENRI ET POINTE SAINT-CHARLES A PARTIR DE 1963

Au début de 1963, nous observons l'apparition de groupes populaires dans les quartiers Saint-Henri et Pointe Saint-Charles, organisés sur la base de la paroisse, entendu ici comme un regroupement de type religieux plus restreint qu'un regroupement de quartier. Ces groupes populaires revendiquaient, auprès des institutions concernées, la solution à des problèmes particuliers, telle, par exemple, la démolition de maisons jugées dangereuses pour les incendies.

L'intérêt de la présente partie de la recherche est de connaître, s'il y a lieu, les phénomènes de détérioration du milieu qui se greffent à la réorganisation de l'espace de ces quartiers. De plus, nous voulons connaître la réponse du pouvoir local face aux revendications des groupes populaires relativement à la solution de problèmes particuliers. Enfin, nous voulons cerner la pratique des intellectuels organiques de l'appareil de direction hégémonique qui initia ces mouvements de lutte urbaine.

I- DESCRIPTION DES GROUPES POPULAIRES

les bases d'organisation

Au début des années 1963 une série de comités, rassemblant des gens d'un quartier déterminé, tentent de faire des pressions, soit sur le pouvoir municipal, soit sur la Commission des Ecoles Catholiques de Montréal (C.E.C.M.) pour obtenir des solutions à des problèmes précis avec lesquels ils sont aux prises.

Ainsi voit-on apparaître successivement :
a- "L'Association des parents de Saint-Henri"
b- "Le "Comité d'éducation permanente" (de Saint-Henri)
c- "Loisirs de Saint-Henri"
d- "Nous Saint-Henri"
e- "Le Réveil des citoyens de la Petite Bourgogne"
f- "Le Regroupement des citoyens de Pointe Saint-Charles"
g- "La Fédération des mouvements du Sud-Ouest".

Ce sont des groupes de revendications constitués à partir de problèmes ressentis, principalement, au niveau de la paroisse. Ainsi "l'Association des parents de Saint-Henri" est née en mars 1963 à propos d'une école publique catholique connue sous le nom de l'Ecole Sainte-Mélanie :

"... une école vieille et dangereuse... les curés et les vicaires en parlent. Les professeurs veulent enseigner dans des classes de meilleure qualité. Les pompiers ont déjà condamné l'école comme étant dangereuse". (1)

Face à cette situation, les parents de la paroisse Saint-Henri se regroupent et forment "L'Association des Parents de Saint-Henri".

Lors de leur première assemblée générale. ils forment un comité d'administration que les gens appellent le "grand comité". Quand ce comité le juge nécessaire, il forme des comités "ad hoc" composés d'un ou deux membres de ce "grand comité" et d'autres citoyens. Les objectifs de "l'Association des parents" sont :

a) obtenir la construction d'une nouvelle école ;
b) former un groupe de citoyens qui s'attaque à certains problèmes de la paroisse ;
c) donner la possibilité aux gens du quartier d'exprimer leurs griefs et de faire entendre leurs voix à l'occasion de certains problèmes". (2)

L'Association se préoccupa rapidement d'autres améliorations possibles, comme l'obtention de parcs, l'ouverture d'un centre de loisirs, etc. C'est en exerçant des pressions sur les pouvoirs concernés qu'elle tentait d'arriver à ses fins :

"... le comité faisait presque exclusivement des revendications, et obtenait des améliorations par négociation avec les services de la ville de Montréal concernés, ou soit à l'occasion à la Commission des Ecoles catholiques de Montréal". (3)

Cette association, qui s'était donné comme mandat de former des sous-comités lorsque les citoyens le désiraient, est à l'origine des organisations suivantes :

a- Le "Comité d'éducation permanente"
b- "Loisirs de Saint-Henri"
c- "Nous Saint-Henri"
d- "Le Réveil des Citoyens de la Petite Bourgogne".

Ces sous-comités se détachèrent progressivement du "grand comité" tout en y gardant, dans la plupart des cas, un ou deux délégués : "on reconnaît l'autonomie de ces comités. Le mode de relation avec le grand comité et ces derniers varie selon chacun des groupes" (4).

Le "Comité d'éducation permanente" se donne comme objectifs :

"a/ Se faire l'interprète de certains besoins que la population ressent auprès de la C.E. C.M.

b/ Collaborer à organiser des cours en s'appuyant sur les besoins exprimés à la suite de sondages" (5).

Le groupe "Loisirs de Saint-Henri" pour sa part vise à :

"a/ Desservir la population en matière de loisirs.

b/ Aider le moniteur de la salle de loisirs de Saint-Henri à établir un programme qui réponde aux besoins et aux désirs de la population" (6).

"Nous Saint-Henri" et le "Réveil des Citoyens de la Petite Bourgogne" visent eux aussi à répondre aux problèmes des citoyens. mais dans le domaine de la rénovation urbaine, suite à la volonté de la Ville de Montréal de faire de la Petite Bourgogne un projet de rénovation urbaine : "Ce projet implique la démolition ou la restauration des bâtiments, le renouvellement de l'infrastructure, l'amélioration du réseau routier, la spécialisation territoriale des fonctions résidentielles, industrielles et commerciales" (7).

Ce Comité s'était donné comme objectif de : "Jouer un rôle actif dans la rénovation de son secteur, de veiller de très près aux intérêts des citoyens, de les consulter, les informer et promouvoir leur participation à tout ce qui va s'entreprendre" (8).

L'initiative de "l'Association des parents de Saint-Henri" stimule la création à Pointe Saint-Charles du "Regroupement des citoyens de Pointe Saint-Charles" qui vise au départ les mêmes objectifs que l'Association.

A la suite de ces différentes initiatives, on voit apparaître "La Fédération des mouvements du Sud-Ouest" qui vise à coordonner les différents efforts qui naissent d'une façon parsemée dans ce secteur de la Ville : "La Fédération s'oriente de façon très nette vers la coordination beaucoup plus que l'orientation des comités" (9).

La Fédération se considère comme un organisme de pression dont les buts sont :

> "1/ De promouvoir l'émancipation de la classe ouvrière afin de lui permettre d'atteindre un niveau de vie conforme à ses aspirations et à la justice sociale ;
> 2/ De coordonner le travail des comités membres et de les assister dans leurs tâches ;
> 3/ De tenter par tous les moyens jugés par elle utiles et raisonnables de trouver des solutions pratiques aux différents problèmes du secteur que ce soient des problèmes particuliers à une paroisse, au quartier, au Sud-Ouest de Montréal et même plus généraux ;
> 4/ De soumettre sous forme de mémoire ou autres les problèmes aux autorités concernées afin d'en permettre la solution dans le plus bref délai possible". (10)

Cependant, il est interdit à la Fédération de régler, ou de tenter de régler un problème déjà à l'étude par un comité membre, à moins que celui-ci ne lui en fasse la demande ou ne lui en soumette la charge lors d'une assemblée. Ce mode de fonctionnement assure aux organisations, principalement constituées au niveau de la paroisse, le contrôle sur les actions entreprises.

La Fédération regroupait au départ "Nous Saint-Henri", le "Réveil des citoyens de Point Saint-Charles", "l'Association des parents de Saint-Henri", le "Comité d'éducation permanente" auxquels vinrent se joindre d'autres comités qui se formèrent. En ce sens, ce sont les organisations constituées au niveau, principalement, de la paroisse qui caractérisent cette phase de l'organisation des groupes populaires. Les regroupements au niveau du quartier, (entendu ici comme un regroupement de gens, ayant des caractéristiques sociologiques relativement identiques, et composé habituellement de plusieurs paroisses ou parties de paroisses), ou du secteur, (entendu ici comme un regroupement de quartiers ayant des caractéristiques socio-économiques similaires), ont surtout des fonctions de coordination :

> "La Fédération des mouvements du Sud-Ouest permet une plus grande efficacité en évitant un éparpillement des forces, en facilitant la spécialisation des différents comités dans des domaines où leur compétence est plus manifeste : éducation, rénovation, école, etc. ; ... constitue une force plus représentative qui se fera sentir davantage auprès des autorités...". (11).

L'émergence de ces bases d'organisations a été suscitée surtout par des problèmes particuliers qui se manifestaient dans le milieu. Arrêtons-nous maintenant aux problèmes abordés par ces organisations après leur constitution. Il s'agit, à ce stade de l'exposé, de décrire les problèmes abordés tels que perçus par les groupes.

les problèmes abordés

Ces différents comités visent à l'amélioration de services publics considérés comme inadéquats et inefficaces. Ce sont des services publics, répondant à des besoins particuliers, à mettre en place avec la collaboration de la population qui sont les principaux enjeux de leurs revendications.

L'Association des parents tout en continuant son travail visant à la construction d'une école, s'oriente aussi vers d'autres problèmes scolaires :

> "... *étudier la question des congés religieux ; ... étudier la question de l'école mixte ; ... réunion conjointe avec les professeurs au début de l'année pour que les parents soient au courant du programme de leurs enfants ; ... orientation professionnelle des élèves de 8e et 9e année". (12)*

Les types de problèmes particuliers abordés orientaient progressivement l'association vers une formule "parents-maîtres", c'est-à-dire un comité paritaire composé de parents, de professeurs et d'administrateurs de l'école, visant à améliorer et à adapter l'enseignement en fonction de besoins des enfants du milieu.

Le comité "Loisirs de Saint-Henri", tout en essayant de servir de comité consultatif auprès du "Centre des Loisirs" dirigé par un moniteur à l'emploi de la Ville de Montréal, organisa de multiples activités dont des clubs de hockey, des festivals, des danses etc...

Le "Comité d'éducation permanente" organise des cours de premiers soins, d'art culinaire etc. Il établit en relation avec des responsables de la Commission des écoles catholiques de Montréal (C.E.C.M.) des cours d'animation et élabora de nouvelles formules pour rejoindre les gens : conférences publiques, cours à domicile pour les mères de famille, etc.

"Nous Saint-Henri", dont les premières activités étaient centrées sur des sondages de la population, la publicité dans les journaux, les assemblées publiques sur la rénovation, etc., s'orienta vers d'autres objectifs immédiats devant les lenteurs de la Ville à procéder à la rénovation : "Ils se penchèrent sur l'étude des conditions du quartier et entreprirent des actions isolées en vue de faire démolir des maisons dangereuses" (13).

"Le Réveil des Citoyens de la Petite Bourgogne" rencontre des difficultés semblables à celles de "Nous Saint-Henri" et s'oriente aussi sur des problèmes immédiats et particuliers, telle la démolition de maisons jugées dangereuses : "Fondé après l'annonce par la Ville de Montréal d'un plan de rénovation urbaine pour ce secteur, le comité attend toujours le plan en question" (14).

"La Fédération des mouvements du Sud-Ouest" tente pour sa part de répondre aux problèmes de coordination suscités par les différentes activités. A cette fin, elle met sur pied une série de comités :

> "... *comité de vigilance pour la dignité humaine : faire respecter la dignité humaine des gens du quartier et prendre les mesures qui s'imposent lorsque celle-ci est lésée ; ... comité d'éducation permanente : fournir à tous les citoyens l'opportunité d'apprendre davantage dans tous les domaines, soit en organisant des cours ou des conférences publiques, soit par tout autre moyen jugé convenable ;*
> *... comité des écoles : coordination et appui aux pressions exercées en vue de l'organisation de l'enseignement aux enfants et adolescents ;*
> *... comité de planification sociale : contrôle et orientation des initiatives locales et surtout extérieures qui, de plus en plus nombreuses, veulent apporter leur aide au développement du quartier ;*

... comité de rénovation urbaine : étude du quartier, de ses caractéristiques ; pressions pour les changements et pour l'établissement d'un plan conforme aux besoins". (15)

Ainsi, les différentes organisations sont amenées à s'orienter vers la recherche de solutions à des problèmes particuliers, même si un certain nombre d'entre eux, au départ, avaient des visées plus grandes ; comme c'est le cas surtout pour "Nous Saint-Henri" et le "Réveil des Citoyens de la Petite Bourgogne". Ces "comités de citoyens" rejoignaient principalement des gens à bas revenu, vivant dans des logis dans la plupart des cas insalubres. Saint-Henri et Pointe Saint-Charles étant, d'une part, des quartiers à forte proportion d'assistés sociaux et, d'autre part, des quartiers marqués par une stagnation de leur développement.

les populations touchées

Dans le quartier Pointe-Sainte-Charles, 28 o/o de la population est considérée comme vivant dans un état de pauvreté ; pour Saint-Henri, il s'agit de 30 o/o de la population (16).
De plus, une bonne partie du stock de logements est lamentable si on considère que la proportion des logements construits avant 1920 est très élevée et que plus du tiers des logements de ces quartiers ont besoin de réparation, comme le montre le tableau suivant :

AGE DES BATIMENTS (17)	Pointe Saint-Charles	Saint-Henri
Construits avant 1920	86,4 o/o	87,3 o/o
Construits après 1945	5,3 o/o	1,2 o/o

ETAT DES LOGEMENTS (18)		
Logements ayant besoin de réparations	35,9 o/o	41,6 o/o

Saint-Henri et Pointe Saint-Charles font partie des quartiers ayant une forte proportion d'assistés sociaux, si nous considérons, pour 1966, le taux de réception d'allocations d'assistance publique à domicile par cent ménages par rapport au taux moyen pour la zone métropolitaine, comme nous le montre le tableau I qui suit :

Les analystes de "Opération : Rénovation Sociale" caractérisent ainsi ces deux quartiers. A Saint-Henri, une "population jeune, canadienne-française, moyenne proportion de ménages non familiaux, familles plutôt nombreuses, chefs de famille assez jeunes, stabilité de résidence, logements en assez mauvais état" (21). A Pointe Saint-Charles une "population très jeune, canadienne-française avec forte proportion de Canadiens anglais, peu de ménages non familiaux, familles nombreuses, chefs de famille jeunes, stabilité de résidence, logements en état moyen souvent habités par le propriétaire" (22).
Les organisations mentionnées précédemment rejoignent les populations les plus défavorisées de ces quartiers, si nous nous attardons à la description qu'en donne un des organisateurs :

"La population comprend des personnes ou des familles qui tirent leurs revenus de l'assistance publique ou de sources très irrégulières. Ce sont des chômeurs, des instables, des inaptes au travail, des invalides, des mères nécessiteuses... on peut les

TABLEAU I (19)

TAUX DE RECEPTION D'ALLOCATIONS D'ASSISTANCE PUBLIQUE A DOMICILE PAR 100 MENAGES, MONTREAL

ZONES POSTALES	TAUX 1966	1974
1	41,28	
3	12,44	
34-24 Centre-Sud (20)	8,1	22,5
18	8,28	
30 St-Henri	6,86	24,4
14	6,70	
22 Pointe St-Charles	6,48	26
TAUX MOYEN ZONE METROPOLITAINE	5,53	
4 HOCHELAGA	5,14	18,1
34	5,02	
10	4,04	
8	3,99	
2	3,02	
39	2,87	
35	2,48	
36	2,35	
20	2,20	
5	2,15	
11	2,11	
15	2,05	
28	2,04	
25	1,66	
12	1,39	
26	1,19	
9	1,01	
29	0,67	

caractériser tous par l'instabilité et l'insécurité... retenons surtout que le destin de Saint-Henri a été de perdre graduellement ses éléments dynamiques et d'accueillir une population économiquement faible et dépourvue". (23)

Si nous comparons les données relativement au pourcentage d'assistés sociaux avec celles de 1974, nous constatons qu'il y a une augmentation substantielle d'assistés sociaux dans ces quartiers. En effet dans Saint-Henri et Pointe Sainte-Charles, le nombre d'assistés sociaux a plus que triplé sur une période de huit ans. De plus le tableau II, ci-après, nous indique que ce quartier est marqué par un mouvement migratoire.

TABLEAU II

GAINS ET PERTES DE POPULATION
1951, 1956, 1961, 1964, 1971.

	SAINT-HENRI		POINTE SAINT-CHARLES	
1951	56.579		27.044	
1956	(50.926)	(-9,9)	(25.464)	(-5,84)
1961	(47.292)	(-7,1)	(25.508)	(-0,17)
1964	(45.350)	(-4,1)	(23.700)	(-7,09)
1971	(31.797)	(-7)	(21.684)	(-9)

Sources

Ce tableau a été effectué à partir de *"Opération : Rénovation Sociale"* p. 75. Nous avons complété ce tableau pour l'année 1971 à partir des données du recensement. Saint-Henri est composé, pour 1971, des sous-secteurs 67-68-77-78-79-80-81-83-84 ; Pointe Saint-Charles des sous-secteurs 71-72-73-74-75-76.

Nous pouvons donc induire que ces quartiers sont marqués à la fois par un mouvement émigratoire (24) et par l'augmentation de la population défavorisée dans ces quartiers. Par ailleurs, nous ne pouvons induire un quelconque processus de ségrégation spatiale : même si, en terme absolu il y a diminution de population, d'autres catégories sociales peuvent aussi augmenter. Par exemple, on peut penser à une augmentation de salariés de couches intermédiaires. Si tel était le cas, nous pourrions effectivement parler d'un mouvement migratoire qui accélère la prise en charge de ces espaces par de nouvelles catégories sociales. L'augmentation de la population défavorisée s'insérerait dans une dynamique transitoire dont John SEWELL (25) a parfaitement rendu compte pour Toronto : l'accentuation de la détérioration du milieu a favorisé un nouveau type de développement immobilier.

Enfin, ces quartiers sont marqués par un faible volume d'investissement immobilier : "les quartiers à faible investissement se concentrent dans le Sud-Ouest et le Centre-Est ou sont contigus à ces zones" (26). C'est pourquoi même si ces quartiers ont un pourcentage élevé d'investissement dans le résidentiel, comme nous l'indique le tableau III, ils demeurent des quartiers qui n'ont qu'un faible renouvellement de leur stock de logement d'autant plus que c'est majoritairement dans l'appartement en hauteur (27) qu'il y a investissement. C'est un secteur de Montréal où le nombre de logements construits entre 1957 et 1972 est très faible : seulement 2 158 logements (28) sur un total de 129 840 pour l'ensemble de Montréal (29). C'est un secteur en stagnation qui n'a pas encore été positivement touché par le redéveloppement du Centre-Ville. Nous pouvons donc dire que ces quartiers sont susceptibles de favoriser l'apparition de mouvements de lutte en milieu urbain. Mais l'émergence de ces mouvements de lutte est à saisir dans l'Etat et en particulier dans la pratique d'intellectuels organiques à l'intérieur d'appareils de la société civile.

TABLEAU III

POURCENTAGE D'INVESTISSEMENT IMMOBILIER DANS CHAQUE CATEGORIE PAR RAPPORT AU TOTAL DANS CE QUARTIER (30) (1957-1972)

POURCENTAGE DE LA SOUS-FONCTION APPARTEMENT PAR RAPPORT AU TOTAL RÉSIDENTIEL DE CES QUARTIERS (31) (1957-1972)

Catégories	Résidentiel Hab.	Apt.	Commerce	Institutions	Industriel	Divers
Quartier Saint-Henri						
Saint-Henri	30,5	13,6	5,6	62,8	16,9	0,9
		69,5	11,0	2,1	3,6	0,6
Ste-Cunégonde	0,4	82,7	26,1	19,2	0,5	0,1
St-Joseph	6,4	53,5	14,2	28	7	5,3
		93,6				
Moyenne pour St-Henri	49,9					

Catégories	Résidentiel Hab.	Apt.	Commerce	Institutions	Industriel	Divers
Quartier Pointe St-Charles						
St-Anne	3	24,8	20,6	44	4,9	5,6
		97,0				
St-Gabriel	23,1	54,6	2,8	19,5	9,2	13,1
		76,9				
Moyenne pour Pointe St-Charles	39,7		11,7	31,7	7	9,3

II- ANALYSES ET STRATEGIES
DES INITIATEURS DE CES ORGANISATIONS.

Si ces populations étaient aux prises avec des problèmes sociaux aigus, dont entre autres le niveau de revenu, la situation du logement et l'insécurité, voire l'absence de travail, ce n'est pas spontanément ni par hasard que ces organisations ont pris naissance au début de 1963. Ces organisations ont été initiées par des individus qui développaient une analyse des causes des problèmes sociaux et qui élaborèrent des objectifs, stratégies et moyens conséquents, dont les organisations décrites sont une expression.

Nous nous attarderons sur les initiateurs dans la troisième partie de cet exposé lorsque nous traiterons de leur rôle charnière à titre d'intellectuel organique. Disons, pour le moment, qu'ils sont des agents du Conseil du développement social du Montréal métropolitain (ancien Conseil des oeuvres de Montréal) :

> *"L'abbé RIENDEAU, à l'époque directeur du Conseil des oeuvres... avait demandé à Roger PRUD'HOMME... de chercher un quartier et de voir le genre d'intervention à faire. PRUD'HOMME a exploré deux ou trois quartiers : Mile-End, Lafontaine, St-Henri. Il a décidé de prendre St-Henri, en même temps il avait fait une demande de collaboration au Service social local, des petites soeurs de l'Assomption. Il a fouiné dans le quartier pendant quatre ou cinq mois. Au milieu de 1963, il a mis sur pied l'Association des parents de St-Henri et là, j'y suis allé comme stagiaire ; je travaillais à obtenir, de la Commission scolaire, une nouvelle école pour remplacer la vieille, extrêmement dangereuse".* (32)

Pour le moment, arrêtons-nous sur l'analyse des objectifs, les stratégies et les moyens utilisés par ces initiateurs afin de caractériser la pratique de ces organisations qui en sont l'expression. A cette fin, nous utiliserons principalement les textes de Michel BLONDIN (33) qui joua un rôle central dans la constitution de l'équipe et en devint directeur. Equipe connue sous le nom de Service d'animation sociale du Conseil des oeuvres de Montréal.

l'analyse

L'analyse, sous-jacente à la pratique de ces organisations, consistait à considérer la population concentrée dans ces quartiers comme étant des victimes de l'industrialisation, des inadaptés au changement, des laissés pour compte de cette évolution :

> *"Comme toutes les villes nord-américaines, Montréal contient en son centre des zones plus ou moins détériorées où se réfugient des petits ouvriers et des dépendants de toutes sortes... Saint-Henri fut d'abord, dans la seconde moitié du XIXe siècle, un quartier ouvrier. D'après les témoignages de quelques personnes qui ont connu la fin de cette époque (1890-1900), le quartier était très vivant ; les paroisses dynamiques sans être riches ; les revenus, moyens. Il n'y avait pas de chômeurs et une proportion importante des ouvriers étaient propriétaires de leur maison... Un nombre important d'hommes de professions, d'hommes d'affaires et de commerçants habitaient le quartier... Survint la crise de 1929, les ouvriers furent durement frappés. La plupart perdirent leur emploi. Ce fut une période de grande misère. La population s'aigrit et se durcit... La crise provoqua des transformations décisives. Montréal se développa vers le Nord et vers l'Est... On peut dater de cette période le début d'une émigration hors de Saint-Henri qui se poursuit toujours".* (34)

Selon eux, cette situation eut comme conséquence l'émigration des gens les plus fortunés. Seuls restèrent sur place les ouvriers non qualifiés qui "retirent de leur travail de médiocres revenus" auxquels s'ajoutent les assistés sociaux dont nous avons parlé précédemment. "On peut les caractériser tous par l'instabilité et l'insécurité" (35). A ces derniers s'ajoutent de nouveaux arrivants ayant les mêmes caractéristiques : "Le quartier accueille beaucoup d'immigrants des milieux ruraux de la Province de Québec et du Nouveau-Brunswick" (36). A ce sujet une recherche effectuée par Camille MESSIER et Michelle MAROIS sur les immigrants de l'Est du Québec indique qu'environ 11 o/o de ces derniers s'installent dans le Sud-Ouest de la Ville de Montréal, soit les quartiers Saint-Henri et Pointe Saint-Charles (37).

De plus, cette situation aurait entraîné chez les gens un sentiment d'apathie, d'isolement et de défaitisme.

"La population de Saint-Henri appartient à un monde à part... La majorité des hommes exercent des tâches sans intérêt et dépourvues de sens... où leur opinion ne compte pas... Il ne faut pas nous surprendre si une autre attitude de cette population envers son quartier est l'apathie. Celle-ci devient le mécanisme qui permet de survivre...". (38)

D'autre part, l'émigration des éléments les plus dynamiques aurait eu pour effet de rendre fragile le leadership pour exercer des pressions afin d'obtenir des services adéquats pour la population :

"Le pouvoir politique et commercial est détenu par des gens qui ne demeurent pas dans le quartier, qui pensent surtout en fonction de leurs intérêts souvent commerciaux. La population n'a ni sa part ni sa place". (39)
"Les hommes de professions et les commerçants continuent à exercer leur métier dans le quartier mais élisent domicile dans des quartiers plus attrayants... les représentants politiques du quartier s'intéressent peu aux améliorations car ils sont moins des représentants de la population que des serviteurs, des détenteurs réels du pouvoir : les membres de profession libérale et les hommes d'affaires, les autorités municipales ont accentué ce sentiment en laissant pourrir les quartiers depuis vingt ans". (40)

Cette analyse sous-tendait deux constatations majeures : d'une part, c'est l'absence de bonnes conditions de vie, (logement, santé, éducation, etc.), qui explique la perpétuité de la pauvreté dans ces quartiers, consécutive à l'inadaptation des gens au développement industriel ; d'autre part, c'est l'absence de pouvoir de pression de la population vivant dans le quartier, à cause de leur défaitisme, qui explique l'absence de services nécessaires à une amélioration des conditions de vie.

Les fondements de leur analyse se situaient dans la perspective de Merton (41) qui considère l'état de pauvreté comme résultant de l'absence d'occasions, de l'inégalité des chances pour les gens de se socialiser aux nouvelles conditions produites par l'industrialisation. Cette situation s'accompagnerait, au niveau des populations concernées, de comportements déviants, d'insécurité, de discordes familiales, d'instabilité, d'apathie résultant de l'absence de possibilité pour les gens d'accéder à des valeurs et à des buts valorisés par la société à l'intérieur des institutions existantes. De là découle la nécessité de fournir un accès légitime aux valeurs reconnues par la société par le biais de mécanismes de promotion individuelle (programme de formation et d'emploi), et d'action communautaire visant à fournir aux gens, à l'intérieur des institutions existantes, une occasion de participer aux valeurs reconnues de la société, agissant ainsi,entre autres, sur leur apathie, en forçant les structures, trop bureaucratisées et inadaptées, à répondre à leurs besoins.

les objectifs

Il s'agit donc, dans le cadre de l'analyse soutenue par les initiateurs d'élaborer des solutions qui devraient pouvoir se réaliser à l'intérieur des institutions déjà existantes. C'est donc une analyse en terme de besoins et de services à mettre en place, qui guide les objectifs, la stratégie et les moyens. Ainsi, les objectifs s'inscrivent dans une perspective institutionnelle puisqu'on ne remet pas en question la fonction des institutions mais son niveau d'adaptation au milieu. Il s'agit d'une analyse axée sur la rationalité des moyens appropriés pour répondre aux besoins de la population. Les objectifs conséquents à l'analyse ainsi élaborée sont d'une part, d'améliorer les conditions de vie des gens et d'autre part, d'agir sur le défaitisme de ces derniers.

Les initiateurs de ces organisations dans ces quartiers opérationnalisaient ces objectifs dans les termes suivants :

> *"1/ l'amélioration physique et sociale du milieu ;*
> *2/ la coordination des ressources en vue de maximiser l'efficacité ;*
> *3/ la création et le développement des ressources répondant aux besoins diagnostiqués ;*
> *4/ la création d'un leadership nouveau par l'intermédiaire duquel se feraient les changements dans les quartiers". (42)*

C'est pourquoi les premiers regroupements, que ces agents initièrent, s'étaient donné comme but d'agir sur des problèmes particuliers vécus au niveau du milieu. Ils s'associèrent aux organismes de la Ville de Montréal et de la Commission des écoles catholiques de Montréal, offrant déjà des services dans le quartier, en vue d'améliorer ou de créer selon le cas des services adaptés. Ils répondaient ainsi aux objectifs qui consistaient, comme nous l'avons vu, à améliorer les conditions de vie des gens dans le cadre des institutions et à coordonner les ressources existantes. De plus, la constitution d'une fédération ayant pour but de créer un pouvoir de pression efficace sur les institutions concernées, visait à contrecarrer l'apathie des gens en suscitant un leadership nouveau dans le milieu.

L'actualisation de ces objectifs procédait d'une stratégie qu'on voulait adaptée au milieu.

la stratégie

L'essentiel de la stratégie des initiateurs, dans le contexte de leur analyse et des objectifs conséquents, consistait à amener les gens à s'attaquer à de petits problèmes qui brisent le climat de défaitisme et qui constituent la base de la création d'un nouveau leadership. Ce nouveau leadership servirait d'assise à une organisation, s'attaquant à des problèmes de plus en plus importants, qui assurerait progressivement une représentation politique pour ces quartiers auprès principalement du pouvoir municipal : il s'agit de se substituer aux petits commerçants et aux hommes de professions libérales pour exercer des pressions qui répondent aux besoins de la population. Nous retrouvons dans les écrits de Saul D. Alinsky (43) une approche similaire aux problèmes sociaux. L'essentiel de sa stratégie s'appuie sur "l'intérêt personnel, le pouvoir par l'organisation et le conflit" (44).

> *"Le travailleur social emploie le conflit communautaire et la controverse comme un*

instrument dans ce processus en encourageant l'expression des points de vue diffé-
rents dans un environnement conduisant à une discussion rationnelle. Il ne suppri-
prime pas un tel conflit mais cherche à créer des situations et des structures au
sein desquelles la controverse est contenue à l'intérieur de bornes raisonnables. Il
insiste sur la valeur et sur la possibilité de la réconciliation des différences comme
un pas vers la solution du problème". (45)

C'est donc la constitution de groupes de pression qui, par leurs actions, améliore-
raient les conditions de vie et briseraient le climat de défaitisme des gens : arriver à constituer un leadership par la prise en charge des gens du milieu de problèmes qui les concernent. Il y a ainsi deux dimensions à la stratégie, d'une part agir sur l'apathie des gens et
d'autre part, constituer un groupe de pression.

agir sur l'apathie des gens

Les initiateurs perçoivent leur rôle comme étant d'aider les gens à prendre en charge
progressivement le leadership dans leur milieu à travers des actions concrètes :

"Selon le développement communautaire, l'animateur fait découvrir à la popula-
tion ses besoins et l'aide à les satisfaire. Il ne s'agit pas pour lui de réaliser quelque
chose, mais d'amener des changements dans le milieu, de développer le sens de la
coopération pour qu'après son départ les changements se poursuivent. L'anima-
teur doit donc être "process oriented", il tente de fournir des instruments de
changement plus qu'amener des changements prédéterminés, ("goal orienta-
tion") ... (46)

Ils s'appuyaient à cette fin sur les travaux de Murray ROSS car "L'idée du Conseil
des oeuvres était de trouver de nouvelles méthodes d'intervention de type communautaire
inspirée de M.G. ROSS" (47).

Cette définition du rôle que se donnent les initiateurs fait référence à l'organisation
communautaire "comme un processus... d'apprentissage de la coopération, de la collaboration pour aider la communauté immédiate à s'identifier... c'est l'essence de l'organisation communautaire que de développer l'auto-détermination, la coopération et la collaboration entre différents groupes, et la capacité de résoudre des problèmes communautaires" (48).

Dans cette démarche, les initiateurs trouvent la légitimité nécessaire pour prendre au
départ le leadership de la mise en branle d'une action et progressivement transfèrent ce
leadership à des gens du milieu :

"... deux orientations doivent se succéder. D'abord, "goal criented" (c'est-à-dire
que les initiateurs proposent au groupe des objectifs d'action); l'animateur doit
juger du moment où le comité est suffisamment engagé pour se permettre une
pause, un ralentissement de l'action, une réflexion et un nouveau départ moins as-
sisté cette fois-ci (ce qu'on appelle "process oriented"). (49)

Il s'agit d'une stratégie qui veut modifier la mentalité des gens pour les rendre autonomes, coopératifs et capables de résoudre les problèmes de leur milieu :

"La participation de la population qui produit en elle-même certains changements...
Cette participation ne peut se réaliser que par la création et la formation d'un lea-

dership local... Ce leadership se forme et se développe par des projets spécifiques qui répondent à des besoins ressentis par la population". (50)

constitution d'un groupe de pression

Ce changement de mentalité et la constitution d'un leadership local devaient s'accompagner de la création progressive d'une organisation coordonnant les différentes activités. Cet organisme devait, de plus, faire des pressions sur les institutions ayant des services à rendre à la population, pour qu'ils soient adaptés et répondent aux besoins des gens. Car le changement de mentalité souhaité, à partir d'actions autour de problèmes précis, aurait comme effet l'ouverture des groupes à des problèmes plus larges : politique de l'habitation, de loisir, d'éducation, etc., pour le secteur.

C'est ainsi qu'on parla d'un "Conseil de Quartier" dont la "Fédération des mouvements du Sud-Ouest" est l'expression. La fonction d'un "Conseil de quartier" étant de "fournir un moyen aux citoyens de pouvoir exprimer leurs besoins et leurs problèmes et de participer activement au contrôle et au développement des services requis" (51). Mais le "Conseil des quartier" ne pouvait être établi que si plusieurs organisations répondaient aux critères suivants :

> *"1/ si un nombre assez important de citoyens est conscient d'un problème qui se pose dans le quartier ;*
> *2/ si le problème ressenti touche d'assez près les citoyens ;*
> *3/ si on peut compter sur la formation de groupes naturels ou de voisinage". (52)*

C'est pourquoi la "Fédération des mouvements du Sud-Ouest" se constitua à la suite de la mise en place de plusieurs organisations autour de problèmes précis. Par ailleurs, comme nous le verrons ultérieurement lorsque nous parlerons du rapport entre les initiateurs et le pouvoir local, il s'agissait de former un organisme de pression, principalement face au pouvoir municipal car c'était envers ce dernier que les insatisfactions étaient les plus grandes. En effet, en plus du fait que les conseillers municipaux étaient avant tout des commerçants que l'on identifiait comme d'abord centrés sur leurs intérêts comme nous l'avons vu précédemment, la Ville de Montréal était identifiée comme responsable du pourrissement du quartier : "Les autorités municipales ont accentué... ont laissé pourrir le quartier depuis vingt ans alors qu'elles apportaient des améliorations substantielles à un quartier voisin" (53).

De plus, les principales organisations mises en place répondaient à des problèmes face au pouvoir municipal : rénovation urbaine, loisirs, signalisation, etc. Cependant, cette attitude du pouvoir municipal, comme nous l'avons vu précédemment était interprétée comme résultant d'une mauvaise représentation politique. Le pouvoir municipal est considéré comme l'arbitre valable à qui on adresse des demandes en s'assurant que les citoyens concernés soient entendus et leurs griefs discutés : "Permettre à cette population de s'exprimer efficacement, c'est-à-dire non seulement à se faire entendre, mais aussi à faire en sorte que le pouvoir politique discute les griefs de la population" (54).

A cette fin, les initiateurs trouvent important d'intervenir auprès du "pouvoir public et des technocrates qui participent à l'élaboration des décisions afin de faciliter une instauration plus rapide de mécanismes consultatifs" (55).

Voyons maintenant sur quels moyens reposaient les objectifs de cette double stratégie des initiateurs : changement de mentalité et constitution d'une structure de pression.

les moyens

Selon l'approche des initiateurs qui se veulent "process oriented" et non "goal oriented", il fallait trouver un problème, concernant assez de gens dans le milieu, qui rendrait possible la constitution de groupes naturels ou de voisinage. Ces groupes rendraient possible l'apprentissage de la coopération et de l'autodétermination nécessaire à la constitution d'un leadership local pour véhiculer, auprès principalement du pouvoir municipal, les demandes de la population.

Au départ, les initiateurs identifièrent dans la paroisse Saint-Henri un problème qui constituait un prétexte valable pour regrouper les gens sur une base naturelle ou de voisinage. Il s'agissait de la "vieille et dangereuse école de Sainte-Mélanie" (56) dont parle tout le monde dans la paroisse. C'était un problème précis qui concernait beaucoup de gens du milieu et qui se posait au niveau d'une base dite naturelle, la paroisse. C'est ainsi qu'on vit apparaître "L'Association des parents de Saint-Henri". Dans le cadre de la stratégie élaborée, il s'agissait au départ que des initiateurs assument le leadership pour le transférer progressivement aux gens du milieu. Et c'est avec la même procédure qu'on développa par la suite les autres organisations dont nous avons parlé précédemment.

Ils voulaient amener les gens à acquérir des attitudes de coopération et d'autodétermination, en s'appuyant sur une technique de travail de groupe qui permettrait aux gens à l'intérieur des organisations   constituées de se socialiser entre eux et de fonctionner d'une façon rationnelle :

> "L'animateur, agent de rationalisation : l'animateur entraîne le groupe à prendre une décision qui soit la plus cohérente et la plus autonome possible. Pour y arriver, l'animateur astreint le groupe à une discipline de réflexion et d'action qui repose sur une rationalité stricte et sur une volonté d'autonomie vis-à-vis des pressions habituelles de quelqu'ordre que ce soit... L'animateur, agent de socialisation : le groupe tient son existence de la cohésion qui se bâtit entre les individus qui en font partie et entre le groupe de son milieu. Il s'agit de favoriser l'expression d'une pensée commune... L'animateur doit faciliter l'ajustement des sensibilités et des affectivités". (57)

L'acquisition de ces attitudes rendrait les gens capables d'agir d'une façon autonome sur les situations qui les concernent. Ce type d'approche visant à fournir des instruments de travail aux groupes populaires, au niveau des moyens, distingue quatre étapes qui s'inspiraient encore une fois des écrits de Murray Ross (58) :

> "1/ La définition du problème.
> 2/ L'étude de la nature, de la signification et des implications du problème.
> 3/ Le choix de la solution.
> 4/ L'action". (59)

Ces quatre étapes se définissent de la façon suivante :

> "1/ La définition du problème. La première étape consiste à définir clairement le problème dont le groupe est concerné...
> 2/ Les implications du problème. Une fois le problème clairement défini, il faut prendre conscience de toutes ses dimensions... Le problème risque de se situer à une échelle beaucoup plus vaste que ce que l'on imaginait. Le groupe doit faire face à un dilemme ; s'il ignore les dimensions multiples du problème, il s'attaquera à un aspect du problème qui ne peut être résolu que d'une façon globale. Mais

d'un autre côté, le groupe ne peut s'attaquer au problème dans son ensemble. C'est pourquoi, tout en prenant une vue du problème aussi complète que possible, il doit choisir un certain angle d'attaque...

3/ Solution du problème. Une fois les implications du problème examinées, il faut prendre une décision relative à la solution... Il est bon de commencer par considérer un certain nombre de solutions parmi lesquelles le groupe pourra faire son choix ou qu'il pourra peut-être combiner...

4/ L'action. Ici encore, il faut manoeuvrer avec précaution et éviter tout effet boomerang. Le progamme d'action doit être lancé en ayant une conscience aiguë du milieu dans lequel il doit opérer". (60)

C'est en procédant ainsi que les initiateurs croyaient que les groupes pourraient acquérir l'autonomie et la coopération nécessaire pour agir sur les problèmes qui les concernent (61). Car on escomptait de cette démarche les effets d'entraînements suivants :

a) que l'identification des besoins et objectifs "refère à la façon dont la communauté locale, s'attaque aux problèmes qui la préoccupent et établit les objectifs à réaliser" ; (62)

b) que "la communauté ordonne et hiérarchise ses besoins et ojbectifs" (63) où l'animateur a un rôle important à jouer pour aider à l'expression de ces besoins ;

c) que "la communauté développe la confiance et la volonté de travailler à la satisfaction de ces besoins et à la poursuite de ces objectifs" (64).

d) que "la communauté trouve les ressources externes et internes, pour faire face aux problèmes" (65).

e) enfin, que la communauté "agisse en fonction de ses besoins et objectifs" (66).

conclusion

En résumé l'analyse que développaient les initiateurs, soutient que la pauvreté résulte de l'inégalité des chances pour les gens de se socialiser aux nouvelles conditions produites par l'industrialisation. Cette situation s'accompagnant, au niveau des gens concernés, d'un sentiment d'impuissance les rendant incapables d'agir sur leur situation. D'où découle au niveau des objectifs, la nécessité d'améliorer les conditions de vie des gens et d'agir sur leur défaitisme. Dans ce cadre analytique, stratégiquement, il s'agit de développer l'autodétermination et la coopération entre les personnes concernées afin de les rendre aptes à véhiculer leurs doléances, entre autres, auprès du pouvoir municipal. Le pouvoir municipal était conçu comme la structure pouvant le plus adéquatement répondre aux besoins de la population. Il s'agit de lui présenter rationnellement les besoins ressentis par les gens concernés. Le moyen qu'ils privilégiaient stratégiquement pour réaliser ces objectifs étant l'apprentissage du travail en groupe, où les initiateurs se croient des instruments neutres au service de la population.

Nous contestons les fondements de cette approche, cette vision en terme de problèmes sociaux, car nous remettons en question sa base même, soit l'analyse.

III. EVALUATION DE L'APPROCHE DES INITIATEURS : LEUR SITUATION PAR RAPPORT AU POUVOIR LOCAL ET AUX APPAREILS DE DIRECTION HEGEMONIQUE

A partir du cadre analytique et des hypothèses de travail développées dans l'introduction de cette recherche, nous considérons que les observations des initiateurs nous permettent tout au plus de décrire le phénomène de paupérisation de ces quartiers.

S'il y a détérioration des conditions de vie dans ces quartiers, ce ne serait pas à cause d'une quelconque apathie des gens consécutive à leur inadaptation aux nouvelles conditions produites par l'industrialisation. Il est utile de rappeler qu'en 1897 BROWN AMES (67), alors conseiller municipal, alertait l'opinion publique face à l'état déplorable de ces quartiers. Au lieu de chercher chez les gens un quelconque processus d'inadaptation à l'industrialisation qui en font des objets individualisés à "traiter", des sujets de besoins, nous croyons qu'il faut, dans le cas présent, chercher à saisir leur situation dans un processus d'ensemble à la ville. C'est pourquoi nous parlons d'effets incidents et non de problèmes sociaux qui individualisent et créent ces sujets de besoin. Effets incidents qui, comme nous l'avons déjà dit, accompagnent la réorganisation de l'espace.

A cet effet, les quartiers Pointe Saint-Charles et Saint-Henri sont caractérisés par une stagnation des investissements. De plus, le stock de logements est détérioré et peu renouvelé. Enfin, il y a dans ces quartiers augmentation de la population défavorisée. Nous avons abordé ces aspects précédemment.

L'analyse élaborée par les initiateurs, postule qu'il n'y a pas conflit d'intérêt entre les différents groupes composant la société, mais inadaptation des différentes institutions pour socialiser certaines catégories de la population aux nouvelles conditions produites par l'industrialisation. Nous soutenons au contraire que la fonction des différentes institutions de l'Etat est d'assurer la domination et la direction hégémonique du bloc au pouvoir.

Or, par la représentation qu'ils se font du gouvernement municipal, les initiateurs postulent que ce dernier ne soutient pas les intérêts de classes particulières dans l'organisation de l'espace, mais qu'il est à l'écoute des différents groupes de pression qui, dans la mesure où ils sont capables de faire comprendre d'une façon rationnelle leurs besoins, pourront orienter le type d'organisation de l'espace que la ville se donnera. Le gouvernement local est ainsi conçu comme une structure pouvant assurer le plus adéquatement la démocratie participante :

"Les Américains croient fermement en ce qu'ils appellent la démocratie des grass roots, c'est-à-dire dans la démocratie directe, la démocratie fondée sur la participation ; le pouvoir le plus légitime est le pouvoir qui est situé le plus près du peuple, et c'est au niveau de la communauté locale qu'il peut le plus effectivement s'en rapprocher et, dans la mesure du possible, être exercé par lui". (68)

Cette vision du pouvoir local, quoique plus systématiquement abordée par les politicologues américains intéressés à la question urbaine, fonda en grande partie la pratique de direction de nos élites au niveau du pouvoir local. Il est bon de rappeler qu'au Québec comme aux Etats-Unis, pour la période qui nous intéresse, il n'existait pas de parti politique apte à générer et orienter les insatisfactions populaires. Le pouvoir municipal s'est présenté dans ce contexte comme apolitique et confronté à la nécessité de bâtir une saine administration qui serait incompatible avec des positions dites "partisanes" (69).

En outre, nous avons vu que les initiateurs se considèrent comme des instruments "neutres" au service des groupes. Dans l'analyse soutenue par ces derniers, nous avons constaté qu'ils postulaient qu'il n'y avait pas de conflit d'intérêt dans la société mais inégalité des chances pour les gens de participer aux valeurs reconnues par la société. Il y a déjà là, de leur part, une prise de position sur notre formation sociale. Cette neutralité n'est qu'apparente, car à partir de ce postulat ils élaborent une stratégie centrée sur les moyens à prendre pour fonctionner dans les structures existantes.

En effet, ils orientèrent les groupes sur la définition d'un problème qui "doit" de toute nécessité les concerner. A partir de cet "envahissement", ils définissent par étape les meilleures solutions. A partir de quels critères définissent-ils les populations abordées comme sujet de besoins ? Plus encore, à partir des critères de qui ?

Notre point de vue analytique et nos hypothèses conséquentes de travail tendent à y voir un processus nouveau qui s'instaure progressivement dans les appareils de la société civile. C'est à travers le rôle charnière des intellectuels organiques, dans leur rapport au pouvoir local et à l'appareil hégémonique dont ils font partie, que nous évaluerons, s'il y a lieu, ce processus.

Nous voulons, dans les pages qui suivent, connaître l'état de ce processus pour la période qui nous concerne ici, soit de 1963 à 1968. Nous aborderons dans un premier temps leur rapport au pouvoir local et dans un deuxième temps leur rapport à l'appareil dont ils font partie.

3.1. la réponse du pouvoir local
face aux revendications de ces groupes populaires

Au départ, les demandes de ces "Comités de citoyens" étaient centrées sur des problèmes immédiats, qui visaient avant tout à rendre plus accessibles et efficaces les services fournis par le C.E.C.M. et la Ville de Montréal. Tel est le cas particulièrement des demandes formulées par "l'Association des parents de Saint-Henri", le "Comité d'éducation permanente" et de "Loisirs de Saint-Henri". Les demandes de ces derniers pouvaient être assouvies par les organismes concernés car ils ne remettaient pas en question leur fonction et leur pratique conséquente, mais tendaient au contraire à rendre plus opératoire les services qu'ils fournissaient. Ces organismes récupéreraient les demandes formulées sans modifier leurs objectifs et répondaient aux différents problèmes isolés qui étaient soulevés.

Cependant tel ne fut pas le cas pour "Nous Saint-Henri" et le "Réveil des citoyens de la Petite Bourgogne". Au départ ces derniers, comme nous l'avons vu précédemment lorsque nous avons décrit les problèmes abordés par ces différentes organisations, manifestaient une volonté de faire participer la population au projet de rénovation urbaine annoncé par la Ville de Montréal pour la Petite Bourgogne. Ils furent amenés progressivement à s'orienter vers la recherche de solutions à des problèmes particuliers devant la lenteur de la Ville à procéder à la rénovation.

C'est à la suite de l'annonce par la ville de Montréal de ce projet de rénovation que s'organisèrent ces deux comités centrés sur la rénovation urbaine : "Ce comité est officiellement fondé au tout début de janvier 1965, quelques jours seulement après la retentissante déclaration des curés du quartier qui connut une certaine notoriété et accéléra la mise en marche du projet "La Petite Bourgogne" (70).

Ces comités, eux aussi formés stratégiquement autour de problèmes concernant les gens, visaient à éviter que se répète à Montréal les expériences de rénovation aux Etats-Unis qui, dans les faits, répondaient avant tout aux intérêts des promoteurs et se faisaient par-dessus la tête des gens concernés :

"*Notre action auprès des citoyens de Saint-Henri dans le domaine de la reconstruction domiciliaire était fondée sur deux postulats qui en réalité n'en font qu'un : l'insuffisance de la plupart des entreprises américaines en matière de rénovation urbaine ; la conviction qu'il faut concevoir celle-ci comme bien autre chose que la simple transformation physique d'un milieu. Dans un très grand nombre de cas américains, des projets de soi-disant rénovation ont seulement abouti soit à laisser inoccupés pendant plusieurs années de vastes espaces urbains qu'on avait déblayés, soit à y construire des habitations à prix très élevé. Au point que plusieurs observateurs se demandent s'il ne s'est pas agi souvent d'une simple tactique pour se débarrasser de quartiers dont on avait honte... Nous croyons que la rénovation urbaine doit redonner la vie à un quartier et aux familles qui l'habitent". (71)*

C'est pourquoi ces comités, au départ, visaient à participer entièrement à l'élaboration et l'exécution du plan de rénovation. Cependant, le pouvoir municipal refusa systématiquement de reconnaître ces comités comme représentatifs de la population et le service d'urbanisme considérait comme une voie sans issue la participation des citoyens au plan de rénovation.

"... les autorités municipales refusent, sans trop le dire, de reconnaître ces comités, prétextant que le quartier est déjà représenté par un conseiller. Bien que les autorités tiennent toujours compte des différents groupes de pression, surtout des groupes financiers, sans s'interroger sur le nombre de leurs membres et leur caractère représentatif, elles acceptent difficilement cette nouvelle force populaire... Les spécialistes s'engagent dans un nouveau type d'action, la rénovation urbaine... ouvrir le dialogue, c'est accepter qu'on remette en cause leurs analyses et leurs plans, qu'on les force à explorer de nouvelles avenues, qu'on contredise même leurs opinions. C'est à leur point de vue, s'engager dans une voie sans issues. C'est aussi menacer leur suprématie. Ils ne voient pas ce que peut apporter une participation de la population". (72)

"Nous Saint-Henri" et le "Réveil des citoyens de la Petite Bourgogne" organisent plusieurs assemblées de citoyens où les urbanistes étaient invités à répondre à leurs questions. Bien que ces spécialistes aient fourni des informations sur les projets élaborés par la Ville en matière de rénovation globale, ils ne pouvaient répondre d'une façon adéquate aux questions des gens :

"Ils (les urbanistes) ne peuvent cependant pas apporter des réponses satisfaisantes aux questions jugées essentielles par les citoyens ; "Que va-t-il advenir de mon logement ?" "Quel dédommagement prévoit-on m'assurer ?" "Où pourrais-je me reloger pendant la démolition et la reconstruction ?" "Quels seront les prix des loyers des nouvelles habitations ? etc.". (73)

Devant la lenteur de la Ville pour répondre aux demandes des citoyens, ces deux comités s'orientèrent vers la recherche de solutions à des problèmes plus immédiats, telle la démolition des maisons dangereuses :
"Le comité a eu à modifier ses objectifs immédiats ; il s'est penché sur l'étude des conditions du quartier et a entrepris des actions isolées en vue de faire démolir des maisons jugées dangereuses, etc." (74).
Mais pourquoi n'ont-ils pas continué à revendiquer la participation au projet de rénovation ? D'une part, ces comités stratégiquement organisés autour de problèmes particularisés ne pouvaient indéfiniment subsister sans amorcer des solutions sinon ils se vouaient rapidement à l'immobilisme et à la désaffection des gens : "Le comité sentait qu'il ne rejoignait pas une bonne partie de la population. Il n'avait pas de problème concrets à lui présenter et se questionnait sérieusement sur le pourquoi et la validité de son existence" (75).
D'autre part, n'ayant pas les ressources et l'entraînement nécessaire pour s'attaquer à des problèmes complexes, le comité visait surtout à l'acquisition d'un agir rationnel et d'attitudes coopératives :

"Le comité n'avait ni la capacité ni l'entraînement nécessaire pour s'attaquer réellement aux problèmes complexes posés par la rénovation. Pouvait-il s'organiser en une force de pression capable d'obliger le gouvernement à attaquer le problème de front et en profondeur ? Pouvions-nous entreprendre une campagne d'information et alerter l'opinion publique ?". (76)

Ainsi la Ville de Montréal, par son refus de répondre aux demandes de ces comités les enfermaient, dans les faits, dans la recherche de solutions à des problèmes particuliers et isolés à l'intérieur du plan de rénovation. Cependant devant la popularité des assemblées publiques, qui à quelques occasions réunirent plus de trois cents personnes, la Ville mis sur pied une "Agence d'Information" pour répondre aux questions individuelles des gens récupérant ainsi les insatisfactions : "C'est à cette époque que le Service d'Urbanisme organise dans le quartier, une Agence d'Information destinée à apporter des réponses aux interrogations des résidents au sujet des étapes de la rénovation. Cette initiative était surtout destinée à apaiser les gens, en attendant que des décisions précises soient prises par les planificateurs" (77).

Donc le pouvoir municipal répondit à des problèmes particuliers en récupérant et isolant les unes des autres les revendications de ces organisations populaires. Cette réponse du pouvoir municipal ne correspondait pas à la vision du pouvoir local que se donnaient les initiateurs venus du Conseil de développement social du Montréal métropolitain. Le pouvoir municipal était conçu par eux comme la structure pouvant le plus adéquatement assurer la démocratie participante considérée de plus, stratégiquement, comme essentielle à la formation d'un leadership authentique dans le milieu.

Dans le prochain chapitre, nous tenterons de voir les effets sur la pratique des initiateurs de la réponse du pouvoir local aux revendications de ces groupes populaires. Nous allons maintenant aborder leur mode d'insertion dans l'appareil dont ils font partie.

3.2. pratique de direction :
initiative du Conseil de développement social

Le Conseil des oeuvres de Montréal, en collaboration avec les agences de service social, constatait que l'approche traditionnellement reconnue en service social, à savoir l'approche individualisée mieux connue sous le nom de "casework", était de plus en plus coûteuse et au bout de la ligne très peu efficace ;

"L'abbé RIENDEAU, à l'époque, directeur du Conseil des oeuvres, en fréquentant les expériences américaines (Chicago), les a trouvées bonnes. En même temps au Conseil des oeuvres chez plusieurs, il y avait "une conscience assez vive" (78) du fait que le Service Social traditionnel ne valait pas grand chose, ça coûtait cher...". (79)

D'une part, on évaluait que les institutions de bien-être ne touchaient qu'une faible partie des populations aux prises avec des problèmes sociaux et le nombre des professionnels était insuffisant :

"Les services de bien-être existant ne répondent pas réellement à l'ensemble des besoins auxquels ils prétendent répondre. Et nous avons des indices que les services actuels de bien-être sont de plus en plus insuffisants :
a/ De larges couches sociales qui ont besoin d'aide ne sont pas rejointes
b/ La distance entre le nombre de nouveaux professionnels et les postes ouverts est effarante et s'accroît à un rythme rapide". (80)

D'autre part, l'urbanisation accélérée, liée au changement de nos sociétés, occasionnerait des problèmes que les formes traditionnelles de traitement ne pourraient aborder d'une façon valable :

> *"Les formes anciennes de traitement social sont inadéquates par rapport aux besoins, partiellement à cause des changements sociaux rapides que nous connaissons :*
> - *Nous tenons peu compte d'une façon systématique du phénomène de l'urbanisation accélérée. Le problème est relié à celui des personnes qui arrivent à Montréal et ne s'y adaptent pas ou qui se détériorent. L'inadaptation manifeste problèmes majeurs.*
> - *Que faisons-nous face à des problèmes actuels comme l'endettement familial, la planification des naissances, le chômage chronique etc...*
> - *Le nombre de personnes rejointes par les agences est minime par rapport aux besoins". (81)*

C'est sur la base de ces constatations que le Conseil des oeuvres de Montréal (C.O.M.) par l'intermédiaire de son directeur général, constitua une équipe visant à explorer de nouvelles voies, entre autres moins coûteuses et plus efficaces, pour solutionner des "problèmes sociaux" :

"En 1963, le projet est conçu essentiellement comme une expérience pilote devant servir à explorer de nouvelles méthodes d'approche pour mieux répondre aux besoins du milieu et devant aider le Conseil des oeuvres à établir une nouvelle politique d'intervention dans les quartiers défavorisés" (82).

Le discours de cet appareil nous permet de mieux situer les interventions des initiateurs et leur rapport organique à l'appareil dont ils font partie.

D'une part, ce n'est pas par hasard que les initiateurs étaient imprégnés de l'influence des théories d'origine américaine sur l'organisation communautaire. Le directeur de cet organisme, après un séjour à Chicago, voulait mettre à l'épreuve ces théories comme alternative aux méthodes traditionnelles de service social. D'autre part, leur approche, en terme d'inadaptation des structures qui ne questionne pas la fonction des institutions concernées, s'inscrit dans la logique de l'appareil dans lequel ils s'inséraient car c'est essentiellement une approche en termes de besoins et de services conséquents, plus efficace et moins coûteuse dans le prolongement du travail effectué par les institutions de bien-être, qui guide les efforts de cet organisme. C'est une analyse en termes de non-fonctionnalité des structures de bien-être, pour répondre aux problèmes d'adaptation des gens aux nouvelles conditions produites par l'industrialisation, qui justifie les projets d'organisation populaire dans les quartiers Saint-Henri et Pointe Sainte-Charles.

Pour cette période, c'est sur ces fondements que se construit un lien organique entre les initiateurs et le Conseil des oeuvres : ils actualisent l'analyse produite par cet organisme à travers leurs interventions dans les quartiers Saint-Henri et Pointe Saint-Charles.

Cette analyse, quoique différente des analyses traditionnelles en service social, ne va pas au-delà d'une description de la situation de ces quartiers. De plus, son mode de saisie des institutions de notre formation sociale nous enferme dans la rationalité des moyens à prendre pour résoudre des "problèmes". C'est en ce sens que cet appareil inscrit et amorce un nouveau type de direction hégémonique : "qu'il s'agisse d'ouvrir une communauté au progrès technique ou de porter remède aux conséquences sociales du progrès technique, qu'il s'agisse de l'organisation communautaire dans les pays développés, en voie de développement, ou sous-développés, cette méthode de changement social constitue, dans sa logique interne, une technique de propagande..." (83).

Si la neutralité des initiateurs n'est qu'apparente, dans la mesure où les outils de travail qu'ils fournissent aux groupes populaires portent la rationalité de l'appareil dont ils font partie, on ne peut par ailleurs induire une absence de conflits. Bien qu'il s'agisse d'une équipe nouvellement formée, autour de ce "projet-pilote", on voit déjà poindre un certain nombre de questions de leur part relativement à l'institution dans laquelle ils s'insèrent :

"Pour avoir des fonds, il (le C.O.M.) doit présenter au public des réalisations qui lui font toucher du doigt sa générosité... Dans ces conditions, il est douteux que le public qui le soutient voit d'un bon oeil celui-ci consacrer une partie de ses ressources à promouvoir l'organisation d'une classe sociale qui revendiquerait avec force sa juste part du gâteau, remettant ainsi en question un état de faits qu'il accepte". (84)

Mais ce n'est que plus tard, comme nous le verrons dans le chapitre suivant autour, entre autres, des réactions du pouvoir municipal face à leurs revendications et de l'évaluation de leur travail dans les quartiers, que des demandes seront formulées, au Conseil d'administration du C.O.M. par les initiateurs de cette institution qui organisent des groupes populaires dans les différents quartiers.

Nous disons "entre autres" car le constat d'échec formulé par cet organisme face à l'approche dite traditionnelle et la "conscience assez vive" de ses intellectuels organiques n'est pas que le reflet d'une pratique où cette institution se définirait comme sujet du changement. Nous avons introduit une conception de l'Etat où la direction hégémonique reflète l'état des rapports dans le bloc dominant.

Quoique notre intention ne soit pas de recenser l'état des rapports entre infrastructure et superstructure pour l'ensemble de la période qui nous intéresse, soit de 1960 à 1973, il est utile de savoir que bons nombres de chercheurs s'entendent sur la distinction de trois étapes dans l'histoire (vue sous l'angle du mouvement ouvrier) depuis 1960- (85) : L'étape de la révolution tranquille (1960-1966)... L'étape de la social-démocratie (1966-1969)... L'étape du socialisme (1970-1974) (86). La présente période étudiée est qualifiée de "L'étape de la révolution tranquille" :

"De 1960 à 1965, le mouvement ouvrier québécois évolue dans le sillage de la "révolution tranquille". Les objectifs et les luttes des organisations ouvrières de l'époque – presque exclusivement syndicales – se confondent pratiquement avec les objectifs et les luttes des promoteurs de la "révolution tranquille" ; i.e. les têtes de file du Parti Libéral du Québec (PLQ) et du mouvement étudiant, quelques journalistes et universitaires progressistes, etc. Les réformes accomplies par le gouvernement Lesage dans le domaine de la santé, de l'éducation, de la sécurité sociale, etc., et les discours nationalistes des vedettes de "l'équipe du tonnerre" (René Lévesque, Paul Gérin-Lajoie, Jean Lesage) séduisent, pendant un temps, les principaux leaders du mouvement ouvrier. Ces derniers ont l'impression que l'Etat du Québec, après les années noires du "duplessisme", est devenu un levier pour promouvoir des changements sociaux ajustés aux intérêts de l'ensemble de la collectivité et principalement aux intérêts des travailleurs. Dans les faits, ils donnent un appui quasi-inconditionnel au PLQ et traitent ce dernier comme un allié stratégique des travailleurs. Peu clairvoyants au sujet des intentions réelles et à long terme du gouvernement, ils ont de la difficulté à percevoir que le projet de la "révolution tranquille" est contrôlé, non par les travailleurs, mais par une nouvelle petite bourgeoisie moderne et nationaliste... qui cherche à faire une alliance temporaire avec les travailleurs (et permanente avec la bourgeoisie québécoise) pour faire reculer à la fois la petite bourgeoisie traditionnelle et la bourgeoisie canadienne. Ainsi, pendant la "révolution tranquille" surtout avec la montée

de la fièvre nationaliste, les travailleurs québécois, rivés à la question nationale, tendent à oublier leurs intérêts de classe". (87)

Nous avons cru utile de faire cette longue citation car elle nous permet à la fois de saisir :

1o/ La morphologie du bloc dominant, à savoir une nouvelle petite bourgeoisie moderne et nationaliste qui, à partir du PLQ, tente de faire une alliance permanente avec la bourgeoisie québécoise pour faire reculer la petite bourgeoisie traditionnelle et la bourgeoisie canadienne ;

2o/ Le contexte dans lequel le Conseil des oeuvres, devenu plus tard Conseil de développement social de Montréal, trouva l'inspiration suffisante au réajustement de sa stratégie d'action qu'il appela le constat d'échec des méthodes dites traditionnelles. C'est aussi dans ce contexte que se développent les intellectuels organiques, qu'on qualifie comme étant ceux ayant une "conscience vive".

les intellectuels organiques

Les premiers initiateurs de ces pratiques étaient des gens ayant une formation universitaire ou en cours de formation universitaire dans le domaine des sciences sociales, plus spécifiquement pour certains dans le domaine du service social. Ils étaient pour la plupart des militants chrétiens, si on peut ainsi s'exprimer, impliqués dans les quartiers populaires : on appelait certains des militants des "chantiers". Avec l'intention du Conseil des oeuvres de construire des pratiques plus adaptées face aux problèmes sociaux, ces derniers trouvaient là une légitimation et un support institutionnel pour explorer de nouvelles voies d'intervention. Ce furent d'ailleurs les premières expériences significatives du département de Service social de l'Université de Montréal dans le domaine de l'organisation communautaire : le Sud-Ouest de Montréal devint le laboratoire privilégié de ces "apprentis-sorciers". On institutionnalisait une pratique en voie de se définir mais qui ne trouvait pas jusqu'à ce moment de milieu propice pour se développer (88). Le questionnement du C.O.M. s'insérait dans un processus qui dépassait largement la petite équipe de travail nouvellement formée par ce dernier. Il s'insérait aussi, par exemple, dans une pensée religieuse en ébullition et qui amorçait un dépassement avec certaines pratiques de l'Eglise catholique au Québec. Voyons ce que disait Michel BLONDIN viscéralement impliqué dans cette expérience :

"... au Conseil des oeuvres... il y avait une conscience assez vive du fait que le service social traditionnel ne valait pas grand chose... L'idée essentielle c'était d'aller vivre avec les gens le plus simplement possible. Nous avions... le même budget de nourriture que les gens avec lesquels nous vivions... j'ai couché pendant deux ans dans le secrétariat des chantiers, par terre dans mon sac de couchage. Tous les soirs nous nous retrouvions. pour réfléchir ensemble, à partir des textes, comme ceux de l'Abbé Pierre ou du Père Lebret... Nous nous sentions à l'extrême avant-garde de ce qui se passait au Québec. Nous avions tout mis en commun et nous opérions comme groupe de réflexion. C'était dans une perspective d'un engagement vis-à-vis du milieu. J'ai très peu travaillé à mes études scolaires. Pour moi, c'était beaucoup plus motivant de travailler aux chantiers. Si j'ai fait du "casework", du "groupework" pour passer finalement à l'organisation communautaire... si j'ai terminé mes études, c'était largement pour régler le problème de l'em-

ploi. Graduellement, nous avons commencé à faire de la peinture dans les maisons et ensuite à vivre avec les gens ; ensuite, nous sommes passés à une action sociale... Pour moi... ce que j'avais au fond de moi-même à cette époque... c'est de créer quelque chose pour nous autres, le Québec, Montréal, qui soit authentiquement nous autres. Avec FORTIN au Québec, j'ai fait deux choses : d'un côté j'ai pris des cours de base en sociologie, d'un autre côté j'ai fait des travaux personnels en sociologie urbaine, j'ai lu des documents de base... On a employé le terme "animation sociale" autour de 1966...". (89)

L'amorce d'un nouveau type de direction hégémonique dans cette "étape de la révolution tranquille" n'est pas seulement apparente au C.O.M. à travers un réajustement de sa stratégie d'action et l'intégration de nouveaux types d'intervenants, mais aussi à travers sa structure de fonctionnement.

restructuration progressive du Conseil des oeuvres

Cette transformation dans la pratique de l'institution s'accompagne d'un réaménagement de sa structure de fonctionnement.

Il faut mentionner que le Conseil des oeuvres de Montréal a été formé comme corporation sans but lucratif, en vertu de la troisième partie de la Loi des compagnies du Québec, le 26 décembre 1942.

Donc cette organisation avait déjà une assez longue histoire (90). En ce sens il faut noter qu'entre 1933, date de sa fondation, et 1953, cette institution est contrôlée en grande partie par des écclésiastiques du diocèse de Montréal. Progressivement on voit apparaître des représentants de la Province et des municipalités, prélude d'une intervention plus grande de l'Etat provincial et de l'émergence d'un nouveau type d'hégémonie. Mais ce n'est que plus tard, comme nous le verrons dans le prochain chapitre, que se consolida le nouveau type de direction :

"1953 : Le Synode diocésain établit un "Office des oeuvres" comme organisme administratif de la Curie diocésaine dans le domaine des oeuvres de bienfaisance.
La "Commission des oeuvres de charité et de Service social" est abolie par le fait même. Le Conseil des oeuvres n'a plus de mandat ecclésiastique.
1955 : Les règlements du Conseil des oeuvres sont révisés et amendés, selon les conseils d'un aviseur légal. Dans les règlements tel qu'amendés, les membres de la corporation sont laissés à l'entière discrétion du Conseil d'administration... Le représentant de l'Archevêque peut assister et a voix consultative à toutes les réunions... Un précédent est créé par l'élection au Conseil d'administration de représentants de services publics (municipaux et provinciaux). Cette élection était justifiée par le fait que le Conseil des oeuvres se reconnaissait maintenant comme rôle d'aider à développer tous les services (privés ou publics) requis pour répondre aux besoins de la population locale". (91)

De plus au niveau du financement nous constatons que les deux principaux bailleurs de fonds sont la Fédération des oeuvres de charité canadiennes-françaises qui organise chaque année des campagnes de souscription volontaire et le gouvernement du Québec (92).

C'est ainsi que se traduit progressivement au niveau de cet appareil l'emprise d'un certain type de direction hégémonique, soit celui d'une "nouvelle petite bourgeoisie moderne et nationaliste... qui cherche... à faire reculer à la fois la petite bourgeoisie traditionnelle et la bourgeoisie canadienne" (93). Nous verrons dans le prochain chapitre, d'une part, que ce processus ira en s'accentuant et que, d'autre part, le gouvernement fédéral ne tardera pas à réagir et à mettre en place, entre autres, sur la base de "problèmes sociaux" son propre appareil de direction hégémonique (94).

Cette référence à la conjoncture politique vise seulement pour le moment, à situer ces appareils dans le cadre de la lutte hégémonique qui se mène entre les pouvoirs fédéral et provincial. Rappelons à cet égard que la constitution canadienne établit une division des juridictions entre les gouvernements fédéral et provincial qui est source de conflits et conséquemment de luttes pour l'hégémonie dans la société civile.

(1) BLONDIN Michel, Conseil du quartier de Saint-Henri, Conseil des oeuvres de Montréal, Mars 1966, p. 20.

(2) BLONDIN Michel, *Conseil du quartier de Saint-Henri*, Conseil des oeuvres de Montréal, décembre 1964, p. 27.

(3) MONGEAU Serge, *L'animation en quartier défavorisé : l'expérience de Saint-Henri*, Conseil des oeuvres de Montréal, mars 1966, p. 9.

(4) BLONDIN Michel, op. cit. p. 30.

(5) BLONDIN Michel, op. cit. p. 34.

(6) Idem p. 31.

(7) BLONDIN Michel, *La Petite Bourgogne*, Conseil des oeuvres de Montréal, octobre 1966, p. 1.

(8) MONGEAU Serge et SIMARD Pierre, *L'animation sociale à Saint-Henri*, Conseil des oeuvres de Montréal, août 1966, p. 25.

(9) MONGEAU Serge, *L'animation en quartier défavorisé : l'expérience de Saint-Henri*, Conseil des oeuvres de Montréal, mars 1966, p. 21.

(10) MONGEAU Serge, *L'animation sociale à Saint-Henri*, Conseil des oeuvres de Montréal, août 1966, p. 15.

(11) MONGEAU Serge et SIMARD Pierre, *L'animation sociale à Saint-Henri*, Conseil des oeuvres de Montréal. Août 1966, p. 18.

(12) MONGEAU Serge et SIMARD, *L'animation sociale à Saint-Henri*, Conseil des oeuvres de Montréal, août 1966, p. 25.

(13) Idem p. 25.

(14) MONGEAU Serge et SIMARD Pierre, *L'animation sociale à Saint-Henri*, *Conseil des oeuvres de Montréal. Août 1966, p. 28.

(15) Idem p. 18.

(16) Sources : *Opération : Rénovation sociale*, op. cit. p. 18. Ils définissent l'état de pauvreté à partir du minimum de revenu que doit avoir une famille-type.

(17) MARCEAU Françoise, *Le Sud-Ouest, c'est quoi*, Conseil de développement social du Montréal métropolitain, mai 1970.

(18) *Opération : Rénovation sociale*, op. cit. pp. 65 et 66.

(19) Ce tableau a été effectué à la fois à partir de données statistiques de 1966 et de 1974. Pour les données de 1966, nous avons utilisé les données fournies dans *Opération : Rénovation sociale*, déc. 1966, page 62. La cueillette des données pour 1974 a été réalisée grâce à la collaboration de Micheline BOUCHER et de Michel PREVILLE, tous deux étudiants à l'Université du Québec à Montréal. Michel PREVILLE a été responsable de la compilation et du travail statistique pour comparer les données de 1974 à celles de 1966.

(20) Pour rendre possible la comparaison entre 1966 et 1974, Michel PREVILLE a regroupé deux zones postales pour le quartier Centre-Sud, soit les zones 34 et 24.

(21) *Opération : Rénovation sociale*, op. cit. p. 65.

(22) Idem, p. 66.

(23) BLONDIN Michel, "L'animation sociale en milieu urbain : une solution". *Recherches sociographiques*, Vol. VI, numéro 3, septembre-décembre 1965. Les Presse de l'Université Laval, p. 285.

(24) La ville de Montréal est marquée par une diminution de sa population au profit des banlieues principalement. C'est un processus qui n'est pas le propre des quartiers entourant le Centre-Ville. Par ailleurs c'est dans les quartiers entourant le Centre-Ville que ce processus est le plus accentué (cf. *Opération : Rénovation sociale*, op. cit., p. 75). C'est aussi un secteur marqué par une concentration importante du nombre d'assistés sociaux même s'il faut savoir qu'au Québec leur proportion a doublé "De 1960 à 1969, on est passé de 111,039 à 228,904..." COLLIN Jean-Pierre et GODBOUT Jacques ; op. cit. page 220.

(25) SEWELL John, *Up against City Hall*, James LEWIS et SAMUEL, Toronto, 1972.

(26) BASTIEN Pierre et autres, *Où vont les investissements immobiliers à Montréal ?*, Cahier 1, op. cit. p. 14.

(27) Quatre logements et plus.

(28) BASTIEN Pierre et autres, op. cit. p. 109.

(29) Idem p. 104.

(30) BASTIEN, Pierre et autres, op. cit. Tableau effectué à partir des données des pages 27, 28 et 19.

(31) Idem, p. 108.

(32) Tiré d'une entrevue avec Michel BLONDIN, le 16/01/70 et reproduit dans Frédéric LESEMANN et Michel THIENOT, op. cit. p. 299.

(33) Nous utiliserons principalement les textes suivants :
BLONDIN Michel
. "L'animation sociale en milieu urbain : une solution", *Recherches sociographiques*, vol. VI numéro 3, septembre-décembre, 1965, Les Presses de l'Université Laval.
. *La Petite Bourgogne*, Conseil de développement social du Montréal Métropolitain, Septembre 1966.
. *Conseil de quartier de St-Henri*, Conseil de développement social du Montréal Métropolitain, décembre 1974.
. *L'animation sociale : sa nature et sa signification au Conseil des oeuvres de Montréal*, Conseil de développement social du Montréal Métropolitain, décembre 1967.
Nous complèterons ces textes par ceux d'autres membres de ce service d'animation sociale de cette période :
. MONGEAU Serge, *L'animation en quartier défavorisé : l'expérience de Saint-Henri*. Conseil de développement social du Montréal métropolitain, mars 1964.
. OUELLET Hector *Opérationalisation des orientations de l'animation sociale du Conseil des oeuvres de Montréal*, C.D.M.N. novembre 1967.

(34) BLONDIN Michel, "L'animation sociale en milieu urbain ; une solution". *Recherches sociographiques*, Volume VI, numéro 3 sept. - déc. 1963, Les Presses de l'Université Laval, p. 285.

(35) Idem, p. 285.

(36) BLONDIN Michel, *La Petite Bourgogne*, Conseil du développement social du Montréal métropolitain, septembre 1966, p. 1.

(37) MESSIER Camille et MAROIS Michelle R., *L'intégration urbaine des immigrants de l'Est du Québec*, Tome I, mai 1971, . 47. Conseil de développement social du Montréal métropolitain. Voir surtout le chapitre II touchant à la distribution démographique des immigrants de l'Est du Québec.

(38) BLONDIN Michel, "L'animation sociale en milieu urbain : une solution" *Recherches sociographiques*, Volume VI, numéro 3 sept. - déc. 1965, Les Presses de l'Université Laval, p. 285.

(39) BLONDIN Michel, *Conseil de quartier de Saint-Henri*, Conseil de développement social du Montréal métropolitain, déc. 1964, p. 10.

(40) BLONDIN Michel "L'animation sociale en milieu urbain : une solution" Recherches sociographiques, *Volume VI, numéro 3, septembre-décembre 1965, Les Presses de l'Université Laval*, p. 285.

(41) *Voir à ce sujet : MERTON R.K., NISBET R. Contemporary Socil Problems : an Introduction to the Sociology of Deviant Behavior and Social Desorganisation. New York, Harcourt, Brace and World, 1961.*

(42) *MONGEAU, Serge. L'animation en quartier défavorisé : l'expérience de Saint-Henri Conseil de développement social de Montréal métropolitain, mars 1966, p. 8 et 9.*

(43) *Les principaux écrits à ce sujet sont : ALINSKY, Saul d', "From Citizen Apathy to Participation", 6th annual fall conference, Association of Community Councils of Chicago, Chicago Industrial Areas Foundation, 19 octobre 1957 et ALINSKY, Saul D. Reveil for Radicals, Chicago, University of Chicago Press, 1946.*

(44) *MENARD Jean-François,*

(40) BLONDIN Michel "L'animation sociale en milieu urbain : une solution" Recherches sociographiques, Volume VI, numéro 3, septembre-décembre 1965, Les Presses de l'Université Laval, p. 285.

(41) Voir à ce sujet : MERTON R.K., NISBET R. *Contemporay Social Problems : an Introduction to the Sociology of Deviant Behavior and Social Desorganisation*, New York, Harcourt, Brace and World, 1961.

(42) MONGEAU, Serge, *L'animation en quartier défavorisé : l'expérience de Saint-Henri* Conseil de développement social de Montréal métropolitain, mars 1966, p. 8 et 9.

(43) Les principaux écrits à ce sujet sont : ALINSKY, Saul D., "From Citizen Apathy to Participation", 6th annual fall conference, Association of Community Councils of Chicago, Chicago Industrial Areas Foundation, 19 octobre 1957 et ALINSKY, Saul D. *Reveil for Radicals*, Chicago, University of Chicago Press, 1946.

(44) MENARD Jean-François, *Communauté locale et organisation communautaire aux Etats-Unis*, Cahiers de la Fondation nationale des sciences politiques, Armand Colin, 1969, p. 163.

(45) ALINSKY Saul D., "Defining Community Organisation Practice", N.Y., *National Association of Social Workers*, déc. 1962, p. 18.

(46) MONGEAU Serge, *L'animation du quartier défavorisé : l'expérience de Saint-Henri*, Conseil de développement social du Montréal métropolitain mars 1966, p. 2.

(47) LESEMANN et THIENOT, op. cit. p. 299.

(48) ROSS M.G. *Community Organisation, Theory and Principles*, New York Harper and Row, 1955, p. 174. Traduit en français par nous.

(49) MONGEAU Serge, *L'animation en quartier défavorisé : l'expérience de Saint-Henri*, Conseil de développement social du Montréal métropolitain, mars 1966, p. 3.

(50) BLONDIN Michel, *Conseil de quartier de Saint-Henri*, Conseil de développement social du Montréal métropolitain, décembre 1964. p. 12.

(51) MONGEAU Serge, op. cit. p. 4.

(52) MONGEAU Serge, op. cit. p. 8.

(53) BLONDIN Michel, "L'animation sociale en milieu urbain : une solution". *Recherches sociographiques*, volume VI numéro 3, septembre-décembre 1965. Les Presses de l'Université Laval, p. 286.

(54) OUELLET Hector, *Opérationnalisation des orientations de l'animation sociale du Conseil des oeuvres de Montréal*, Conseil de développement social du Montréal métropolitain, novembre 1967, p. 3.

(55) BLONDIN Michel *Conseil de quartier de Saint-Henri*, Conseil de développement social du Montréal métropolitain, décembre 1964, p. 20.

(56) Idem p. 20.

(57) BLONDIN Michel, *L'animation sociale : sa nature et sa signification au Conseil des oeuvres de Montréal*, Conseil de développement social du Montréal métropolitain, décembre 1967, pp 6 et 7.

(58) ROSS M.G. *Community Organisation. Theory and Principles*, New Harper and Row, 1955.

(59) MENARD Jean-François, *Communauté locale et organisation communautaire aux Etats-Unis*, Cahiers de la Fondation nationale des sciences politiques, Armand Colin, 1969, p. 128.

(60) MENARD Jean-François, *Communauté locale et organisation communautaire aux Etats-Unis*, Cahiers de la Fondation nationale des sciences politiques, Armand Colin, 1969, p. 128 à 130.

(61) Voir à ce sujet : MONGEAU Serge et SIMARD Pierre *L'animation sociale à Saint-Henri*, Conseil de développement social du Montréal métropolitain, août, 1966.

(62) MENARD, Jean-François, *Communauté locale et organisation communautaire aux Etats-Unis*, Cahiers de la Fondation nationale des sciences politiques, Armand Colin, 1969, p. 130.

(63) Idem.

(64) MENARD Jean-François *Communauté locale et organisation communautaire aux Etats-Unis*, *Cahiers de la Fondation nationale des sciences politiques*, Armand Colin, 1969, p. 130.

(65) Idem p. 130.

(66) Idem p. 130.

(67) BROWN AMES Herbert, op. cit.

(68) MENARD Jean-François, *Communauté locale et organisation communautaire aux Etats-Unis*, Cahiers de la Fondation nationale des sciences politiques. Armand Colin, 1969, p. 59. Pour plus d'information sur cette conception du pouvoir municipal voir le chapitre III : l'inadaptation du système du gouvernement local.

(69) Voir à cet effet LEVEILLE, Jacques : *Le concept d'opposition dans l'étude des systèmes politiques*, texte ronéotypé, été 1975, 44 p.

(70) BLONDIN Michel "L'animation sociale en milieu urbain : une solution". *Recherches sociographiques*, Volume VI, numéro 3, sept.- déc. 1965, p. 295.

(71) Idem p. 299 et 300.

(71) BLONDIN Michel, "L'animation sociale en milieu urbain : une solution" *Recherches sociographiques*, volume VI, numéro 3, septembre-décembre. 1965 p. 298.

(73) CORBEIL Michel "L'expérience du Conseil des oeuvres de Montréal". *Relations*, mai 1970, pp. 143 et 144.

(74) MONGEAU Serge et SIMARD Pierre. *L'animation sociale à Saint-Henri*, Conseil des oeuvres de Montréal, août 1966, p. 25.

(75) Idem p. 26.

(76) Idem p. 26.

(77) CORBEIL Michel, "L'expérience du Conseil des oeuvres de Montréal", *Relations*, mai 1970, p. 144.

(78) Souligné par nous.

(79) LESEMANN et THIENOT, op. cit. p. 299.

(80) BLONDIN, Michel *Conseil du quartier de Saint-Henri*, Conseil des oeuvres de Montréal, décembre 1964, p. 8.

(81) BLONDIN Michel, op. cit. p. 8.

(82) MONGEAU Serge et SIMARD Pierre, op. cit. p. 9.

(83) MENARD, Jean-François, *Communauté locale et organisation communautaire aux Etats-Unis*, Cahiers de la Fondation nationale des sciences politiques, Armand Colin, 1969, p. 4.

(84) MONGEAU, Serge et SIMARD Pierre, op. cit. p. 50.

(85) A cet effet, il faut souligner le travail considérable de deux chercheurs dont les idées directrices sont présentées dans :
PELLETIER Michel et VAILLANCOURT Yves, *Les politiques sociales et les travailleurs*, Cahier IV. Les années 60, Montréal, 1974.

(86) Voir à ce sujet : En collaboration, "Les chrétiens dans le mouvement ouvrier au Québec", *Relations*, numéro spécial, Montréal, nov. 1974. Vol. 34, numéro 398, page 293 à 297.

(87) Voir à ce sujet : En collaboration, "Les chrétiens dans le mouvement ouvrier au Québec". *Relations*, numéro spécial, Montréal, nov. 1974, vol. 34, numéro 398 pp. 293-297.

(88) Voir à cet effet :
. QUIRION, Hugues, "Y-a-t-il un métier d'animateur social ?" *Relations*, mai 1970, numéro 349, pp. 153-156.
. Aussi pour les Etats-Unis : MENARD, Jean-François, op. cit. la 3ième partie.

(89) LESEMANN et THIENOT, op. cit. p. 299 à 304.

(90) Cf. à cette fin. P. LAPLANTE, *Le Conseil des oeuvres de Montréal*, C.D.S.M.M., oct. 1960, 43 p.

(91) P. LAPLANTE, op. cit. p. 6-7-.

(92) Informations tirées du rapport annuel de 1965. Centre de documentation. Conseil de développement social de Montréal.

(93) Revue *Relations*, op. cit. p. 293. Il n'est pas de notre intention de revenir dans le cadre de cette partie de la recherche sur la définition donnée dans cette revue des classes sociales, puisque ce n'est pas essentiel pour notre propos. Nous voulons indiquer cependant que ce type d'approche correspond à une saisie globale de cette N.P.B. Saisie qui laisse peu de prise à l'étude de la dynamique de sa constitution et de son développement. comme nous le verrons dans le chapitre V.

(94) Comme nous l'avons indiqué dans l'introduction de cette thèse, dans les développements relatifs à la société civile, nous employons le terme d'appareil de direction hé-

gémonique dans la mesure où il est utile à la fois pour dépasser les courants de pensée culturaliste surtout développés aux Etats-Unis, et préférables à la notion d'appareil idéologique d'Etat, dans la mesure où nous voulons cerner les alliances et la lutte pour la direction hégémonique qui se mènent dans le domaine de la société civile. Luttes menées, dans le cas présent, entre le pouvoir fédéral et provincial.

CHAPITRE II

LES GROUPES POPULAIRES DANS LES QUARTIER CENTRE-SUD ET HOCHELAGA A PARTIR DE 1968

ENTREE EN MATIERE

Dans le chapitre précédent, nous nous sommes arrêtés sur l'apparition des premiers groupes populaires qui tentèrent d'organiser la communauté immédiate face à des problèmes particuliers qui devaient de "toute nécessité" les concerner, dans le secteur Sud-Ouest de Montréal, soit les quartiers Saint-Henri et Pointe Saint-Charles.

A partir de 1968, nous voyons apparaître de nouveaux types de regroupements de citoyens qui visent moins à revendiquer des services auprès des institutions qu'à mettre en place des groupes cherchant à résoudre eux-mêmes des problèmes qui concernent l'ensemble du quartier (entendu ici comme un regroupement sociologique de plusieurs paroisses ou parties de paroisse). Les premières organisations de cette nature apparurent dans les quartiers Centre-Sud, à prédominance d'assistés sociaux, et Hochelaga, à prédominance d'ouvriers comme nous le verrons plus loin.

Il s'agit comme dans le chapitre précédent de mettre à l'épreuve les hypothèses que nous avons développées pour les fins de notre recherche. A cet effet, nous tenterons de cerner le sens de la modification de la pratique qui survient avec l'apparition de cette nouvelle forme de groupes populaires au début de 1968 (dans Centre-Sud et Hochelaga).

Nous utiliserons à cette fin le même mode d'exposition que celui du chapitre précédent. Passons donc à la description de ces groupes populaires.

I. DESCRIPTION DES GROUPES POPULAIRES

les bases d'organisation

Au début des années 1968 nous retrouvons dans le Centre-Sud et Hochelaga des organisations du même type que celles décrites dans le chapitre précédent : dans Hochelaga, des groupes revendiquant, entre autres, un centre communautaire, des solutions aux problèmes de logement ; dans Centre-Sud, des groupes revendiquant, entre autres, la mise sur pied d'un comité de "brigadiers" scolaires et un groupe d'action autour du problème du logement.

A côté de ces organisations nous voyons se constituer des regroupements rassemblant des gens sur la base de quartier plutôt que sur une base de paroisse, et tentant d'aborder non pas des problèmes particuliers vécus par des groupes "naturels" au niveau du voisinage immédiat, la paroisse, mais des problèmes identifiés au niveau du quartier. Les premières organisations de ce type qui apparurent portent le nom de "Comptoir alimentaire d'Hochelaga-Maisonneuve" dans le quartier Hochelaga et de "Clinique des citoyens de Saint-Jacques" dans le quartier Centre-Sud. Si ces derniers partagent avec les organisations décrites dans le chapitre précédent la volonté de développer des services adéquats pour la population, ils substituent à la constitution de groupes de revendication, à partir de problèmes identifiés principalement au niveau de la paroisse, la constitution d'organisations cherchant, à partir de leurs propres moyens, des solutions pour des problèmes identifiés pour l'ensemble du quartier.

La "Clinique des citoyens de Saint-Jacques" a été suscitée à la suite de l'identification du problème aigu de santé dans le quartier Centre-Sud : "Plus de 40 o/o des travailleurs sont chômeurs, invalides ou handicapés. Le salaire moyen annuel est de 2 472 dollars alors que pour tout Montréal il est de 3 962 dollars. Cette situation économique augmente les risques de maladie parce que les frais médicaux sont exorbitants. La maladie occasionne d'autres problèmes majeurs. La seule porte de sortie qui nous reste est une clinique locale" (1).

Le "Comptoir alimentaire d'Hochelaga" pour sa part est le résultat de la réflexion d'un groupe ayant identifié le problème de l'endettement comme très aigu pour ce quartier et qui voyait dans la mise sur pied d'un service alimentaire une façon de pallier ce problème : "A partir du mois de février, nous mettions sur pied un cours, intitulé "Le Citoyen face au pouvoir", rassemblant une trentaine de nouvelles personnes autour des thèmes suivants : "travail et vie syndicale", "problèmes de quartier et vie politique", "problèmes familiaux et consommation". Plus tard, le groupe ayant travaillé sur le troisième thème sera vivement intéressé par l'idée d'un comptoir alimentaire" (2).

Ces organisations visent un double objectif : d'une part, à l'objectif consistant à revendiquer des services adéquats auprès principalement du pouvoir municipal, elles substituent l'objectif de se donner à partir de leurs propres moyens, des services qu'elles contrôlent, et qu'elles appellent des projets collectifs : "Nous travaillons pour nos intérêts... la clinique sera gérée par les citoyens et au service des citoyens : dans ces conditions les médecins qui y pratiquent sont des travailleurs au service de la population et non l'inverse... Les citoyens participent directement aux décisions et à l'administration de quelque chose qui les concernent directement..." (3). "Le Comptoir alimentaire est le résultat du travail de pères et mères de familles décidés à s'en sortir" (4).

D'autre part, à la structure relais à mettre en place entre les pouvoirs politiques, principalement le pouvoir municipal, et la population, elles substituent l'objectif de mettre en place des groupes de réflexion sur le fonctionnement de la société avec les gens bénéficiant des services organisés : "Nous avons pour but de contacter et d'informer la population... Nous travaillons à rendre nos voisins conscients des problèmes... enfin pour nous, les principes qui guident la mise sur pied de notre clinique illustrent ce que nous voudrions voir exister à l'échelle du pays" (5).

Ces organisations voulaient répondre à des problèmes qu'elles avaient identifiés comme vécus collectivement au niveau du quartier, à la suite d'une enquête ou de groupes de réflexion. Voyons les différents problèmes tels qu'ils étaient abordés par ces organisations.

problèmes de quartier et problèmes d'organisation

Les actions engagées, dans le cas présent, concernaient la santé et l'endettement. C'est en constituant des organisations mises sur pied et contrôlées par les gens concernés à partir de leurs propres moyens, que les groupes voulaient les mener à bien.

La mise sur pied de ce type d'organisations orienta les groupes vers deux types de problème : d'une part les problèmes organisationnels suscités par la mise sur pied de services qui n'étaient réalisés qu'à partir des ressources des gens concernés ; d'autre part les problèmes inhérents, qu'on pourrait qualifier de pédagogiques, à la volonté de réaliser les objectifs d'information et de participation.

Pour ce qui est des problèmes organisationnels, dans un premier temps, le "Comptoir alimentaire d'Hochelaga-Maisonneuve" s'informa des différentes expériences de coopératives alimentaires et arrêta son choix sur un mode de fonctionnement réalisable à partir des ressources des gens : "chaque acheteur doit verser un montant en parts sociales : la part sociale coûte 25 dollars et est payable sur vingt-cinq semaines. De plus, un montant de 25 cents doit être versé à chaque commande en vue de couvrir les pertes et les frais généraux..." (6).

Cependant, ce type de financement, s'il couvrait une partie du coût du projet, ne pouvait englober les frais pour un personnel permanent. Il fallait faire appel au bénévolat, avec tous les problèmes de coordination et d'administration que cela pose, tel l'apprentissage de la comptabilité, des lois concernant les coopératives, de l'inventaire, etc., et qui exigent du temps et de nombreuses rencontres pour assurer un fonctionnement efficace.

En ce qui regarde la "Clinique des citoyens de Saint-Jacques", au problème de financement, de coordination et d'administration, s'ajoute celui de s'assurer l'apport d'un personnel qualifié et prêt à fonctionner dans une organisation du genre. Ils réussirent cependant à constituer une équipe de spécialistes pour assurer le fonctionnement de cette clinique : "Quatre médecins, deux dentistes, une équipe de pharmaciens, un avocat, un comptable, et d'autres travailleurs qualifiés travaillent... avec le comité pour mettre sur pied la clinique des citoyens" (7).

Comme ces organisations reposaient en grande partie sur le bénévolat des gens, il était difficile d'élaborer des solutions permanentes aux problèmes organisationnels ; c'est pourquoi cet ordre de problème occupait continuellement une place aussi importante. C'est ainsi que laborieusement les gens affrontaient les problèmes quotidiens, de nature organisationnelle, suscités par la mise sur pied de ces services.

Le second ordre de problèmes abordés par ces organisations comme nous l'avons déjà mentionné, est celui de la participation et de l'information. Un des objectifs de ces organisations consistait à assurer le contrôle du service mis en place par la population concernée, en assurant une participation directe aux décisions et à l'administration courante. Cependant cette volonté d'assurer la participation des citoyens concernés, qui était à la fois essentielle pour s'assurer le personnel bénévole, nécessaire pour faire fonctionner ces organisations, et souhaitée pour que le service fourni soit réellement contrôlé par les gens, n'allait pas sans difficultés. Ils devaient continuellement explorer de nouvelles formules pour actualiser cet objectif, qualifié par eux, de problème de la participation : "Mais au point où nous en sommes maintenant qu'on est toujours les mêmes à travailler ou encore qu'on se fait exploiter par des ouvriers comme nous autres qui profitent de notre bénévolat sans rien en échange" (8).

Lié à cette volonté de réaliser la participation des citoyens se greffait le second objectif visant à fournir une information aux gens "sur les droits qu'ils ont et comment ils peuvent s'y prendre pour les faire respecter" (9). De plus, il s'agissait d'informer les gens sur le sens du projet collectif, conçu à la fois "comme illustration de ce qu'ils voulaient voir exister à l'échelle du pays" et comme réponse aux problèmes suscités par le fonctionnement de notre société : "... de l'information sur le sens original donné à cette entreprise de type coopératif dans une société où les marchés d'alimentation sont contrôlés par deux autres grandes chaînes..." (10).

Encore là, la réalisation de cet objectif n'allait pas sans poser de problèmes. D'une part, la place importante que prenaient les problèmes organisationnels et de participation ne laissait peu de temps à la réalisation de cet objectif : "... les responsables ont été accaparés par les tâches d'organisation et... personne n'a réellement pris en main le rôle de l'information. Le peu d'information qui a pu se faire, a porté sur le fonctionnement pra-

78

tique du comptoir alimentaire" (11).

D'autre part, les gens étaient d'abord intégrés au service fourni et peu enclins à réfléchir sur les problèmes qui les entourent : "... la grande majorité qui achète... ne participe qu'en achetant sa part sociale, on vient réaliser des économies fantastiques" (12).

Les organisations devaient là aussi explorer continuellement des méthodes qui rendent possible l'actualisation de cet objectif d'information de la population.

Ainsi la "Clinique des citoyens de Saint-Jacques" et le "Comptoir alimentaire d'Hochelaga-Maisonneuve" s'orientent vers la recherche de solutions à des problèmes à la fois organisationnels, de participation et d'information, suscités par la volonté de mettre en place des services, à partir de leurs propres moyens pour répondre à des problèmes qu'ils avaient identifiés au niveau des quartiers concernés. Ces services rejoignent d'une part, dans le quartier Centre-Sud, une population à bas revenu vivant dans des logis détériorés, dans la plupart des cas insalubres, et composés d'une très forte proportion d'assistés sociaux ; d'autre part, dans le quartier Hochelaga, une population à moins bas revenu, vivant dans des logis moins détériorés et composés d'une plus faible proportion d'assistés sociaux.

les populations touchées

Dans le quarier Centre-Sud, 79.5 o/o de la population gagne moins de 4 000 dollars, tandis qu'à Hochelaga 67,6 o/o de la population gagne moins de 4 000 dollars, alors que la moyenne de la zone métropolitaine (Z.M.) est de 56.3 o/o comme le montre le tableau suivant (13) :

SALAIRE DU CHEF DE FAMILLE	Centre-Sud	Hochelaga	Z.M.
1 000	8	6	—
1 000 – 1 999	14.5	9,5	—
2 000 – 2 999	26.5	19.5	30.8
3 000 – 3 999	30,5	32.3	25.5
4 000 – 5 999	18,0	28.4	29.5
6 000 et plus	4,0	7.0	14.2

De plus, l'état de l'habitation est lamentable dans Centre-Sud si on considère que 88.3 o/o des logements ont été construits avant 1920 et que 53 o/o ont besoin de réparations. Comparativement à ce quartier, dans Hochelaga l'état de l'habitation est moins lamentable, si on considère que 49.3 o/o des logements ont été construits avant 1920 et que 23,4 o/o ont besoin de réparations comme le montre le tableau suivant :

	Centre-Sud (14)	Hochelaga (15)
AGE DU BATIMENT		
— construit avant 1920	88,3 o/o	49,3 o/o
— construit après 1945	1,1 o/o	22,2 o/o
ETAT DU LOGEMENT (16)		
— logements ayant besoin de réparations	40 o/o	23 o/o

Si nous considérons le taux de réception d'allocations d'assistance publique à domicile par cent ménages pour 1966 par rapport au taux moyen pour la zone métropolitaine, nous constatons que la proportion d'assistés sociaux dans le quartier Hochelaga est un peu plus basse que la moyenne pour la zone métropolitaine. Dans le quartier Centre-Sud elle est près du double de la moyenne métropolitaine (17), comme nous le montre le tableau suivant :

TABLEAU I

TAUX DE RECEPTION D'ALLOCATIONS D'ASSISTANCE PUBLIQUE A DOMICILE PAR 100 MENAGES. MONTREAL

ZONES POSTALES	TAUX — o/o	
	1966	1974 (18)
1	41,26	
3 (19)	12,44	
34 plus 24 CENTRE-SUD	8,1	22,5
18	8,28	
30 SAINT-HENRI	6,86	24,4
14	6,70	
22 POINTE SAINT-CHARLES	6,48	26
TAUX MOYEN ZONE METROPOLITAINE	5,53	
4 HOCHELAGA	5,14	18,1
34	5,02	
10	4,04	
8	3,99	
2	3,02	
39	2,87	
35	2,48	
36	2,35	
20	2,20	
5	2,15	
11	2,11	
15	2,05	
28	2,04	
25	1,66	
12	1,39	
26	1,19	
9	1,01	
29	0,67	

Centre-Sud est composé d'une "population plutôt âgée, presque exclusivement canadienne-française, moyennement de ménages non familiaux, famille moyennes, assez bonne stabilité de résidence dans logements assez détériorés" (20). Quant à Hochelaga, il est composé d'une "Population moyennement jeune, surtout canadienne-française, mais éléments canadiens-anglais, peu de ménages non familiaux, familles assez nombreuses, chefs de famille assez jeunes, moyenne stabilité de résidence dans logements assez bons" (21).

Mentionnons qu'à cause, entre autres, de la relative différence de revenu, de situation de logement et du taux d'assistance sociale, entre Centre-Sud et Hochelaga, le "Comptoir alimentaire d'Hochelaga-Maisonneuve" rejoint plus de salariés que la "Clinique des citoyens de Saint-Jacques" : "A Saint-Jacques les "marginaux" sont plus nombreux..." (22).

Les populations touchées par ces projets sont donc dans le Centre-Sud plus démunies, en terme de revenu, d'habitation, etc., que celles rejointes à Hochelaga : "... une intervention centrée sur un quartier "pauvre" (Centre-Sud)... une intervention centrée sur des quartiers plus ouvriers (Hochelaga-Maisonneuve" (23).

Si nous comparons le pourcentage d'assistés sociaux de 1966 avec celui de 1974, nous constatons, d'une part, que dans Centre-Sud ce pourcentage a doublé pour 1974 et que, d'autre part, dans Hochelaga ce pourcentage a triplé.

Centre-Sud est, parmi les quartiers entourant le Centre-Ville, celui qui a le plus haut taux d'assistés sociaux. C'est un quartier, comme nous l'indique le tableau II, qui a subi de plus une perte importante de sa population en rapport avec des opérations de démolition-rénovation : un secteur entier du quartier a été démoli pour faire place à l'édifice de Radio-Canada, la chaîne d'Etat ; un autre secteur a été en partie détruit pour laisser passer une autoroute allant d'Est en Ouest. C'est aussi un quartier, comme nous l'indique le tableau III sur les investissements immobiliers, qui se caractérise par un fort pourcentage d'investissements institutionnels. Il est suivi par la fonction résidentielle qui ne représente par ailleurs qu'une faible proportion des logements construits à Montréal : 4 160 logements sur un total de 129 840 presque exclusivement concentrés dans l'appartement. Centre-Sud fait partie d'un secteur à investissement moyen (24) marqué, comparativement à Saint-Henri et Pointe Saint-Charles, positivement par le redéveloppement du Centre-Ville. Nous pouvons induire, eu égard aux caractéristiques socio-économiques, que le redéveloppement de Centre-Sud s'accompagne de l'accélération de la détérioration du milieu qui peut favoriser l'émergence de mouvements de lutte dans ce quartier.

En ce qui concerne Hochelaga, c'est un quartier qui se présente comme relativement conservé si on observe l'âge des bâtiments, le type de population et le niveau de revenu. Par ailleurs, le tableau I nous indique un accroissement important du nombre d'assistés sociaux : la proportion d'assistés sociaux a triplé en huit ans. Le processus semble indiquer qu'un changement dans la composition de la population est en voie de se produire dans ce quartier. De plus, comme nous l'indique le tableau II, la population totale a diminué entre 1961 et 1971, passant de 82 170 à 72 950.

TABLEAU II

GAIN ET PERTE DE POPULATION 1951 - 1956 - 1964 - 1971 (25)

QUARTIERS	CENTRE-SUD	HOCHELAGA
ANNEE		
1951	98 999	80 148
1956	88 232	80 242
1961	81 537	82 470
1964	76 017	82 422
1971	55 892	72 950

TABLEAU III

POURCENTAGE D'INVESTISSEMENT IMMOBILIER DANS CHAQUE CATEGORIE PAR RAPPORT AU TOTAL DANS LE QUARTIER CENTRE-SUD - 1957-1972 (26)

POURCENTAGE DE LA SOUS-FONCTION APPARTEMENT PAR RAPPORT AU TOTAL RESIDENTIEL DE CES QUARTIERS 1957-1972 (27)

	RESIDENTIEL	Hab.	Apt.	COMMERCE	INSTITUTION	INDUSTRIEL	DIVERS
SAINT-JACQUES	40		100	44,6	2,2	5,7	7,5
PAPINEAU	1,4		100	2	96,5	0,1	0,1
BOURGET	75,3	0,4	99,6	8,5	15,6	0,1	0,1
SAINT-EUSEBE	38,1	6,5	93,5	22,7	30,5	7,1	1,4
SAINTE-MARIE	16,8	0,2	99,8	7,7	59,1	13,9	2,3
Moyenne pour Centre-Sud (28)	34,4			16,9	40,7	5,3	2,2

TABLEAU IV (30)

POURCENTAGE D'INVESTISSEMENT IMMOBILIER DANS CHAQUE CATEGORIE PAR RAPPORT AU TOTAL DES INVESTISSEMENTS DANS LE QUARTIER HOCHELAGA (1957-1972)

POURCENTAGE DE LA SOUS-FONCTION APPARTEMENT PAR RAPPORT AU TOTAL RESIDENTIEL DE CES QUARTIERS (1957-1972)

CATEGORIES	RESIDENTIEL		COMMERCE	INSTITUTION	INDUSTRIEL	DIVERS
HOCHELAGA						
PREFONTAINE	12,1	41,5	3,4	42,7	1,8	9,3
MAISONNEUVE	12,8	55,6 87,9	30,3	8,2	5,1	7,2
HOCHELAGA	6,6	38,9 87,2	16,5	27,9	9,3	0,5
Moyenne pour le quartier Hochelaga	10,5	45,3 93,4	16,7	26,2	5,3	5,8

Si nous regardons les investissements effectués dans ce quartier, comme nous l'indique le tableau IV, nous observons d'une part un faible pourcentage d'investissements dans l'habitation et l'industrie, d'autre part un pourcentage plus élevé d'investissements institutionnels et en appartements en hauteur. On peut induire que s'installe à la fois progressivement un changement dans la structure de la population et dans l'organisation de cet espace urbain. Il fait d'ailleurs partie d'un secteur à investissement plus élevé "... l'existence d'un couloir de quartiers à investissement plus fort qui suit en gros la rue Sherbrooke... les quartiers Laurier, Saint-Louis, Lafontaine et Saint-Jacques, Bourget, Saint-Eusèbe et Saint-Marie, Préfontaine, Maisonneuve..." (29). Par ailleurs, il s'agit d'un processus qui est beaucoup moins accentué que dans les quartiers que nous avons déjà abordés et donc en soi moins susceptible de favoriser l'émergence de mouvements de lutte dans Hochelaga. Ceci tend à renforcer l'hypothèse qu'il y a d'abord un lien conjoncturel entre l'apparition de mouvements de lutte dans des espaces déterminés et les effets incidents qui accompagnent la réorganisation de l'espace.

Ce lien serait l'expression d'un nouveau mode d'intervention de l'Etat qui s'inscrit progressivement dans le théâtre urbain à travers le rôle d'intellectuels organiques.

2. ANALYSE ET STRATEGIE DES INITIATEURS DE CES ORGANISATIONS.

Comme pour l'apparition des premiers groupes populaires que nous avons décrits dans le chapitre précédent, la constitution dans Centre-Sud et Hochelaga d'organisations visant à se donner des services à partir de leurs propres moyens, face à des problèmes identifiés au niveau du quartier, n'est pas le fruit du hasard même si leur action portait sur des problèmes importants. Ces organisations ont été initiées par des intellectuels qui développèrent une analyse des causes de ces problèmes et qui élaborèrent des objectifs, stratégies et moyens conséquents, dont les organisations décrites sont une expression.

Si dans Hochelaga la mise sur pied des groupes populaires a été principalement l'initiative du C.D.S., dans Centre-Sud la mise sur pied de la "Clinique des citoyens de Saint-Jacques" a été une initiative du Plan de réaménagement social urbain (P.R.S.U.) (31) à laquelle participèrent des agents du C.D.S.

A ce point de notre exposé, nous nous arrêterons sur l'analyse, les objectifs, les stratégies et les moyens utilisés par les initiateurs du C.D.S. afin de caractériser soit la pratique de ces organisations, soit les raisons pour lesquelles ils participèrent à ces organisations (dans le cas de la "Clinique des citoyens de Saint-Jacques" dans Centre-Sud).

Nous utiliserons principalement les textes de Pierre LAGRENADE (32) que nous complèterons par des textes provenant de membres de l'équipe (33). Ce dernier était représentatif d'un nouveau courant de pensée qui se développait au niveau de l'équipe, comme l'indique Michel BLONDIN : "Ces deux personnes (GAREAU et LAGRENADE) ont fait un cheminement qui est bien différent du mien. Moi, j'étais à la fin de la génération du cours classique régulier et tout ce qui s'ensuit. Eux sont davantage marqués par la naissance de l'engagement politique non partisan. Il est différent parce qu'il est de caractère plus idéologique. En entrant dans l'équipe, ils ont apporté une contribution importante. Cela a permis de donner de nouvelles orientations à notre travail et surtout de remettre les techniques à leur place" (34).

l'analyse

L'analyse sous-jacente à la pratique de ces organisations revenait à considérer les problèmes sociaux dans ces quartiers comme résultant moins des déficiences personnelles des gens, comme ils le soutenaient au départ, que de l'inégale répartition des richesses collectives qu'ils appellent l'avoir, le savoir et le pouvoir.

Par avoir, ils entendaient : "la sécurité matérielle, c'est en fait, ne pas être continuellement pris par des problèmes d'argent. Ca veut dire être capable de se procurer les biens et les services qui sont disponibles dans la société"... (35). Ils affirment que c'est une minorité qui a amplement de sécurité matérielle et qui gaspille cette richesse. Il resterait une certaine catégorie de gens qui ont un peu de sécurité matérielle et les dépourvus qui forment la majorité.

Le savoir est vu ainsi : "... des connaissances de boss... des connaissances techniques qui nous permettent d'exercer un métier et toutes les informations nécessaires pour savoir comment fonctionne la société" (36). Encore là, il y aurait une minorité qui contrôle l'information, ceux qui n'ont presque pas d'information et ceux qui ont quelques informations dans le domaine de leur compétence.

Le pouvoir est perçu de la façon suivante : "Être libre ou indépendant, ça veut dire être en mesure de vivre sa propre vie sans être au crochet des autres. Quand on vit en société, ça veut dire la démocratie, chacun a le même poids ou le même pouvoir, c'est la majorité qui décide. En fait, être libre ça veut dire avoir le pouvoir de choisir sa propre destinée et d'influencer également l'orientation de la société. Avoir du pouvoir signifie avoir la possibilité réelle d'influencer et de faire valoir son point de vue"... (37).

Cependant, à partir de cette description de la situation collective ou d'une part, une minorité possède d'une façon excessive l'avoir, le savoir et le pouvoir et d'autre part, un "groupe formant la majorité" (38) qui participe peu ou pas à cette richesse collective, ils dégagent que c'est fondamentalement l'absence de pouvoir qui est la cause de cette inégale répartition. Dans ce type d'analyse, la mentalité des gens vivant dans des quartiers défavorisés, leur absence de coopération et d'auto-détermination serait beaucoup moins le résultat des déficiences personnelles pour s'adapter au changement occasionné par l'industrialisation, d'une conséquence des structures de notre société qui favorisent l'inégale répartition des ressources collectives. C'est en travaillant à un partage équitable du pouvoir qu'on arriverait à changer la mentalité et les intérêts des différents groupes sociaux.

Pour modifier les mentalités, autant des "financiers que des ouvriers", il s'agirait d'arriver à construire une société où "Les trois principales valeurs seraient l'égalité, la liberté et la fraternité... Egalité des chances, en ce sens que n'importe qui pourrait avoir les moyens suffisants pour s'épanouir à son maximum... La liberté véritable... qui tient compte des autres... où l'on remplacerait les valeurs de l'argent, du profit et des avantages personnels, par l'égalité, la fraternité et la liberté pour permettre à chacun et à tous de s'épanouir pleinement... La fraternité où chaque personne est au service de l'autre" (39).

Mais comme le pouvoir est identifié comme étant la cause première de cette situation, c'est à ce niveau qu'il faudrait travailler : "... remettre le pouvoir à la majorité de la population puisqu'une fois que l'on a le pouvoir on peut se procurer le reste" (40).

Cependant, agir au niveau du pouvoir ne signifierait pas que la majorité identifiée se substitue à la minorité, mais bien d'arriver à ce que tous les groupes d'intérêt dans la société aient un poids égal dans les décisions. Le pouvoir étant conçu comme un instrument neutre au-dessus des intérêts de classes particulières : "... chaque individu, groupe et classe sociale qui se retrouve tout autour du cercle a un poids égal... sur les décisions... Ainsi la société ne serait plus divisée entre ceux qui gouvernent et ceux qui ne gouvernent pas, la société serait un tout où ceux qui sont autour du cercle feraient valoir leur point de vue en pleine connaissance de cause et avec un poids égal..." (41).

En résumé, de cette analyse ils tiraient les constatations suivantes : d'une part, la perpétuité de la pauvreté dans ces quartiers s'explique moins par l'absence de bonnes conditions de vie et la mentalité des gens que, fondamentalement, par l'inégale répartition du pouvoir entre les différents groupes composants la société ; d'autre part, c'est en modifiant les structures sociales pour arriver à un partage équitable du pouvoir entre les différents individus, groupes ou classes sociales qu'on changera les conditions de vie et la mentalité autant du "financier" que des "ouvriers".

Cette interprétation des problèmes sociaux à partir du pouvoir rejoignait les constatations faites aux Etats-Unis dans le cadre de la lutte contre la pauvreté, pendant les années 1961 à 1967, où graduellement, d'une analyse en terme de déficiences personnelles et d'absence d'occasion ou d'opportunité pour participer aux valeurs reconnues par la société, on passa à une analyse en terme d'absence de pouvoir (42) :

> *"Ce diagnostic en termes de dysfonctions amena les responsables des programmes à élaborer des solutions qui devaient pouvoir s'effectuer à l'intérieur d'une perspective institutionnelle (rationalité des moyens). Or, l'application de ces postulats dans le cadre des programmes d'action communautaire fit plutôt surgir des problèmes de conflit d'intérêts et d'orientation aux valeurs, entre groupes sociaux (rationalité des fins). La perspective initiale visait à débloquer l'entrée dans la classe moyenne... Le concept d'"apathie" fit place à celui de "powerlessness" et on en vint vite à interpréter ce sentiment de non-pouvoir en terme de conscience d'absence de pouvoir..." (43).*

Cette approche aux problèmes sociaux était surtout inspirée des écrits de sociologues québécois sur la société participante : "Dans notre réflexion et notre préparation des programmes généraux, nous mettons à contribution divers spécialistes de grande compétence qui peuvent contribuer à rendre notre travail plus rentable. Parmi eux, notons Gérald FORTIN, Fernand DUMONT... Jacques GRAND'MAISON, etc." (44).

Mais dans les documents écrits par les initiateurs, c'est surtout aux travaux de Gérald FORTIN, sur la participation, auxquels on se réfère (45). D'après ce dernier, se constituerait progressivement une société participante dont les groupes populaires, groupes considérés comme encore informels, seraient une expression :

> *"La société libérale et la société de classe correspond au passage de l'artisanat à la production à la chaîne, la société technocratique correspond au passage de la production à la chaîne à l'automation et à l'informatique. La société de participation correspondrait à la plénitude de l'automation et de l'informatique... Les forces vives et les mouvements sociaux informels semblent s'orienter vers la société de participation..." (46).*

Les groupes populaires sont ainsi identifiés comme faisant partie des précurseurs de la société participante. De là, l'importance accordée par les initiateurs, d'une part, à l'évaluation de l'inégale répartition des richesses collectives, c'est-à-dire de l'avoir, du savoir et du pouvoir, dans l'état actuel du développement de notre société ; et d'autre part, à l'identification du type de société vers laquelle nous nous orienterions, c'est-à-dire une société juste, fraternelle et égalitaire.

De plus, toujours selon les initiateurs, le pouvoir dans cette société participante serait fondé sur la fonctionnalité des groupes et non sur le conflit : "Le fondement du pouvoir dans cette société de participation n'est pas la force ni une caractéristique quelconque des individus, mais la fonctionnalité multiple des groupes... aucun des groupes ne prétend devenir un détenteur exclusif du pouvoir collectif de la société" (47).

De là, l'analyse centrée sur le pouvoir comme levier central à partir duquel on pourrait résoudre les problèmes sociaux. Car dans cette société participante, le pouvoir serait l'instrument collectif pour assurer la répartition des richesses :

"Tous les groupes partagent ainsi le pouvoir social. La relation de pouvoir qui s'é-tablit de groupes en groupes est une relation de collaboration et de discussion avec possibilité de compromis... l'Etat ne constitue pas un agent propre de pouvoir, mais plutôt un instrument qui détient son pouvoir par délégation des agents véritables qui sont les groupes fonctionnels. La responsabilité première de l'Etat est donc de mettre la société en état de développement, c'est-à-dire leur permettre de choisir les objectifs et de prendre les moyens nécessaires à atteindre ces objectifs..." (48).

Ainsi la société participante serait le résultat de l'évolution de nos sociétés dont les groupes populaires, entre autres, seraient une expression des valeurs qui y seraient actualisées. C'est donc l'action des individus ou des groupes, plus ou moins informels, véhiculant de nouvelles valeurs, non reconnues dans l'état actuel du développement de nos sociétés, qui serait le moteur de cette évolution.

les objectifs

Il s'agit donc dans le cadre de l'analyse élaborée par les initiateurs, face à l'état actuel de développement de notre société caractérisée par l'inégale répartition des richesses collectives, d'arriver à ce que le pouvoir soit contrôlé par ceux qui veulent construire une société égalitaire, fraternelle et juste. Et non pas, comme ils le soutenaient au départ, de développer des solutions à des problèmes sociaux, qui devaient pouvoir se réaliser à l'intérieur des institutions déjà existantes.

Cependant, pour passer de l'état actuel de développement de notre société à cette société de participation, les initiateurs identifièrent trois objectifs représentant des étapes chronologiques pour prendre le pouvoir afin de réaliser cette société "idéale" :

"Etape I-
- augmenter notre conscience de la société actuelle et réfléchir sur le sens d'un monde idéal ;
- associer le plus grand nombre de gens possible à cette réflexion.
Etape II-
- quand il y aura suffisamment de gens conscients, ceux qui veulent un monde meilleur (où 100 o/o de la population participerait également aux prises de décisions) deviennent la majorité et sont en mesure de prendre des décisions.
Etape III-
- au moment où la majorité est en mesure de prendre des décisions, cette majorité change les structures, les lois et les valeurs de la société actuelle dans le sens d'une société basée non plus sur l'argent, mais sur l'épanouissement de tous les hommes". (49)

Pour réaliser la première étape, ils visaient donc, d'une part, à clarifier le fonctionnement de la société actuelle et à identifier la société idéale, d'autre part, à faire en sorte que cette analyse soit diffusée auprès du plus grand nombre de personnes possible. Mais l'actualisation de cette première étape procéderait d'une stratégie s'inscrivant dans l'objectif global consistant en la prise du pouvoir.

la stratégie

Leur stratégie, dans le contexte de cette analyse, s'érigeait à partir de la mise sur pied de services totalement contrôlés par les gens concernés.

En effet, la mise sur pied de ces services permettait d'associer un nombre important de gens à une réflexion sur le fonctionnement de la société. A cette fin, dans un premier temps, il s'agissait d'identifier un problème vécu collectivement pour rejoindre le plus de monde possible. C'est pourquoi, d'ailleurs, ils participèrent à la "Clinique des citoyens de Saint-Jacques" et constituèrent dans Hochelaga un groupe de réflexion afin d'identifier des problèmes qui seraient ressentis collectivement. C'est aussi la raison pour laquelle ces organisations se constituèrent sur la base de quartier et non sur la base de paroisse. A partir de ce regroupement, il devenait possible de diffuser de l'information sur le fonctionnement actuel de la société :

"Diffuser une information adéquate, c'est-à-dire indispensable à leur regroupement et nécessaire à la critique et à la revendication. Elle a trait surtout aux contradictions et aux contrastes de notre organisation socio-politique plus qu'à ses mécanismes, lois... car cette information doit être à leur portée et partiellement ou confusément voulue sinon elle est conditionnement, manipulation idéologique et s'accule à plus ou moins long terme à la faillite si elle ne tient pas compte d'eux et de la situation objective dans laquelle ils sont, qu'ils soient chômeurs, ouvriers spécialisés, manoeuvres ou ouvriers qualifiés". (50)

Ceci nous permet d'expliquer l'importance accordée, par ces organisations, au problème de l'information, ainsi que la nature de l'information véhiculée : une information centrée sur la description de l'inégale répartition des richesses collectives.

De plus la mise sur pied de ces services rendrait possible l'apprentissage des valeurs propres à la société participante, c'est-à-dire une société égalitaire, fraternelle et juste : "Créer une mini-structure, un cadre d'action qui soit représentatif, c'est-à-dire dans lequel ils se connaissent entre eux comme groupe ayant des intérêts communs et un mode de vie commun... qui leur sert de tremplin d'action sur la société" (51).

La mise sur pied de ces structures, où les gens se reconnaissent, créerait les conditions nécessaires à la modification de la mentalité des gens. Car c'est en changeant les structures qu'on changerait les mentalités, par l'apprentissage de la participation autant aux objectifs généraux qu'aux tâches quotidiennes. Ce qui permet de comprendre l'importance accordée au contrôle du service par les gens. Par cette stratégie on préparerait les gens à cette société qui serait basée non pas d'abord sur le conflit, mais sur la fonctionnalité multiple des groupes.

De là, l'importance accordée aux problèmes d'organisation et de participation : afin d'assurer, en plus de l'apprentissage de la rationalité, l'acquisition d'un minimum de connaissance pour se préparer à fonctionner dans une société "idéale".

Enfin la constitution d'organisation actualisant les valeurs de la société de participation, à partir de problèmes vécus au niveau du quartier, et diffusant une information sur le fonctionnement de la société actuelle rendrait possible, par la multiplication d'organisations de ce type, la réalisation des objectifs propres à la phase II et III :

"Ce projet collectif a un impact sur l'ensemble du fonctionnement de la collectivité, il est donc global (touche et est sujet à modifier l'ensemble des secteurs d'activités de la collectivité). D'une manière générale, nous cherchons à ce que nos interventions aient un effet de répercussion ou d'entraînement sur les autres quartiers. Ce qui signifie que nous privilégions les interventions dont les répercussions s'étendront à d'autres quartiers". (52)

Cependant pour réaliser cette transformation de la situation collective, il fallait procéder graduellement sinon c'était "conditionnement, manipulation idéologique" : "Développer avec et/ou à partir d'eux un projet collectif nouveau (de type politique)mais perçu et senti comme possible" (53).

Voyons maintenant sur quels moyens reposait la réalisation de ces objectifs avec la stratégie conséquente.

les moyens

Selon l'approche élaborée par les initiateurs, au niveau des moyens, il s'agissait d'identifier un problème vécu collectivement, organiser un service contrôlé par les gens. faire connaître cette expérience pour que d'autres organisations semblables se développent. Au départ, on identifiera le quartier comme une base réaliste à partir duquel on pouvait identifier un problème vécu collectivement et où se retrouvaient les répercussions du fonctionnement actuel de la société :

> "Dans une ville aussi grande que Montréal, il est pratiquement impossible de cerner à partir de perceptions vécues l'ensemble de la vie de l'ensemble des gens. Il faut donc procéder à la sélection d'une unité cernable par un citoyen. Le quartier tel que défini empiriquement, dans "Opération, rénovation sociale", comme un ensemble d'environ 60 à 90 000 habitants, est une unité suffisamment organique et cernable pour servir de milieu d'analyse. L'exercice du pouvoir a des répercussions concrètes au niveau de la vie d'un quartier et ce serait donc à partir de cette réalité totale que se ferait l'analyse du pouvoir". (54)

Pour arriver à identifier un problème qui rejoigne le plus de monde possible sur cette base de quartier, au niveau des moyens, il s'agissait dans Hochelaga de faire une analyse de trois dimensions de la vie en quartier, à savoir la vie familiale, la vie de quartier et la vie de travail :

> "Il serait difficile de faire un travail d'analyse et de recherche avec un groupe de 10 à 70 personnes... il semble essentiel de fixer au départ le nombre de personnes qui participeraient à la recherche... comme il est impossible d'étendre ce travail de recherche sur une période excédant trois mois et que la vie d'un quartier est une réalité extrêmement vaste, il apparaît utile de tenter une décision en atelier de travail... le plus proche possible de la vie telle que vécue... nous proposons trois ateliers de travail ou trois dimensions de la vie en quartier :
> - la vie familiale : les thèmes d'analyse en serait la consommation (crédit, publicité...), le logement, la rue, etc.
> - la vie de quartier : santé, loisirs, école, associations de quartiers, etc.
> - la vie de travail : genre d'emploi, système de transport, principales usines, etc.". (55)

A partir de cette exploration autour de ces trois dimensions, il s'agissait de retenir un problème qui touche l'ensemble des gens participant à cette recherche et de mettre en place un service contrôlé par ces derniers pour les raisons stragégiques que nous avons abordées précédemment, à savoir l'apprentissage de nouvelles valeurs propres à la société de participation : "A partir du mois de février, nous mettions sur pied un cours, intitulé "le citoyen face au pouvoir", rassemblant une trentaine de personnes. Plus tard, le groupe... sera vivement intéressé par l'idée d'un comptoir alimentaire" (56).

De plus, il fallait s'assurer l'apport de personnes connaissant les secteurs où on vou-

Tait organiser des services : l'A.C.É.F. (Association coopérative d'économie familiale) coopérative orientée surtout à ce moment-là sur les problèmes de consommation et d'endettement) ; pour la clinique de santé, contacts avec des médecins.

A la suite de la mise sur pied de ces organisations il s'agissait d'explorer différents moyens pour diffuser cette expérience au plus grand nombre de gens possibles, bien que très peu de moyens fussent concrètement élaborés : "Il faut donc étendre la réflexion sur un monde idéal au plus grand nombre de gens possible et se mettre à travailler dans ce sens :
- Publier et diffuser le plus possible nos réflexions sur le sens d'un monde idéal.
- Organiser des réunions d'échanges sur le sens d'un monde idéal" (57).

"Plusieurs hypothèses sont possibles : journées d'étude ouvertes au grand public... diffusion de textes. De son côté, le Conseil des oeuvres entendrait assurer une diffusion maximum aux résultats d'une telle analyse. Les modalités restent cependant à étudier à ce niveau" (58).

conclusion

En résumé, l'analyse développée par les initiateurs, soutient que la pauvreté résulte de l'inégale répartition des richesses collectives, c'est-à-dire de l'avoir, du savoir et du pouvoir. Mais fondamentalement, c'est l'inégale répartition du pouvoir qui est à l'origine de la situation de pauvreté. D'où découle la formulation d'objectifs visant à atteindre un partage plus équitable du pouvoir. Le pouvoir étant un instrument qui dans le stade actuel de développement de notre société est contrôlé par une minorité possédant les richesses collectives. Il ne s'agit pas que la majorité se substitue à cette minorité, mais bien d'arriver à ce que tous les individus, groupes ou classes, partagent équitablement ce pouvoir. Donc le pouvoir est conçu comme une structure pouvant servir l'ensemble des intérêts des groupes composant la société. Ce partage équitable du pouvoir se réaliserait progressivement par l'apparition de nouvelles valeurs, dont les groupes populaires décrits seraient une expression, préfigurant la société de participation vers laquelle nous nous orienterions. Stratégiquement, il s'agit de multiplier les groupes qui, d'une part, comprennent la situation actuelle de notre société et qui, d'autre part, actualisent les valeurs de cette société participante. Ainsi on arriverait progressivement à créer une nouvelle société basée sur la fraternité, l'égalité et la justice. Au niveau des moyens il s'agit de diffuser au maximum l'information sur l'état actuel de notre société et sur les nouvelles valeurs qu'on voudrait actualiser. De plus, il fallait fournir aux gens l'acquisition d'un minimum de connaissances pour les préparer à fonctionner dans cette société "idéale". Nous contestons évidemment les fondements de cette analyse.

3. EVALUATION CRITIQUE DE L'APPROCHE DES INITIATEURS

Ce type d'analyse en terme d'inégale répartition des richesses collectives est un mode d'enfermement de la réalité qui laisse échapper des phénomènes structurels importants.

La réorganisation de l'espace s'accompagne, comme nous l'avons déjà mentionné, d'effets incidents inégalement répartis qui nous permettent d'éclairer cette inégale répartition des richesses collectives. Inégalités inscrites dans la structure sociale et qui se présentent sous différentes facettes. L'analyse des initiateurs ne tend pas à se raffiner sur cette question, au contraire, elle tend à se déplacer dans un univers de plus en plus abstrait.

Dans la période précédente, nous avons pu constater qu'ils liaient la détérioration de Saint-Henri et de Pointe Saint-Charles, entre autres, à des phénomènes d'industrialisation. Quoique leur approche fût d'abord descriptive, elle établissait un rapport entre l'industrialisation et l'état de certains espaces. Ce rapport n'est même plus apparent, il y a un déplacement de l'analyse par rapport à l'objet sur lequel porte leurs interventions, la liaison devient donc de plus en plus aléatoire.

De plus, le chapitre précédent nous a permis de commencer à analyser certaines pratiques nouvelles de l'Etat. En ce sens, voir dans le pouvoir un instrument à partager par tous néglige entre autres, à la fois son mode de fonctionnement et, d'autre part, le contexte dans lequel s'insère la pratique des initiateurs.

Le cadre analytique retenu dans cette recherche tend à saisir l'Etat dans son fonctionnement d'ensemble à travers la société civile et la société politique. De plus, le bloc historique est dominé et dirigé par la classe qui est capable de prendre en compte les intérêts des groupes auxiliaires et de contrôler ceux dont les intérêts lui sont antagonistes. Cette base analytique ne laisse pas de place à une vision naïve de l'Etat, telle que formulée par les initiateurs. Comment d'ailleurs s'expliquer cette approche des initiateurs quand nous avons pu constater dans le chapitre précédent que leur rapport au pouvoir local ne se prêtait pas à ce genre de représentation ? De plus, leur approche n'est pas en rupture avec celle mise en place dans la phase précédente. L'information véhiculée par ces agents portait sur les "contrastes de notre société" et non sur les lois fondamentales régissant le fonctionnement de nos sociétés, sous prétexte d'éviter la "manipulation idéologique". Or, cette information assure tout au plus aux gens participant à ces services l'acquisition d'une analyse qui est celle de ces initiateurs. La légitimation de leur pratique en termes de solidarité, égalité et fraternité s'inscrit aussi dans "une conception classique de la démocratie, de l'homme, et sans doute fondamentalement inspirée par la philosophie chrétienne et scolastique" (59).

C'est dans leur rôle d'intellectuel organique à travers leur rapport au pouvoir local et à l'appareil dont ils font partie que nous aborderons dans les pages qui suivent ces aspects de leurs interventions. Rôle charnière qui peut difficilement soustraire ces derniers aux alliances qui se nouent dans le bloc dominant. Alliance qui dans notre cadre analytique signifie l'intérêt que trouvent des groupes auxiliaires à participer à une direction hégémonique.

3.1. rapport du pouvoir municipal aux groupes populaires

Lorsque nous avons discuté des positions du pouvoir municipal dans le chapitre précédent, nous avons constaté que par sa pratique il isolait les unes des autres les revendications des groupes populaires et les amenait à s'orienter autour de la recherche de solutions à des problèmes particuliers.

Cependant, cette attitude du pouvoir municipal n'allait pas sans susciter des réactions de plus en plus vives dans la population, réactions se manifestant de différentes façons : "Marche des expropriés de la Petite Bourgogne sur l'Hôtel de Ville de Montréal (9 juin 1967) ; confrontation avec le Président du Comité exécutif (12 juin 1967) ; manifestation devant le Bien-Etre social de Montréal (août 1967) ; manifestation des gens des Habitations Jeanne-Mance au Conseil de Ville (1er février 1968), etc., etc." (60).

Les initiateurs qui au départ, comme nous l'avons vu dans le chapitre précédent, trouvaient important d'intervenir auprès du pouvoir municipal afin de faciliter l'institution de mécanismes consultatifs, s'interrogeaient de plus en plus sur l'attitude du pouvoir municipal : "Que se passe-t-il donc ? Marches, manifestations, assemblée publiques, pétitions, lettres, etc. Que cela signifie-t-il ? A quoi cela aboutira-t-il ? Montréal, ville riche et dynamique, oubliait que trois cent mille (300 000) personnes vivaient dans des conditions inacceptables. Montréal avait caché des taudis derrière des clôtures, détruisant 2 000 logements par année sous prétexte de progrès et de développement. Montréal avait oublié que plus du quart de sa population vivait dans des conditions inacceptables pour une société riche comme la nôtre. Montréal s'efforçait d'oublier ceux qui vivaient derrière les clôtures ou le plus près des splendeurs montréalaises : place Ville-Marie, place de la Bourse, place des Arts, Terre des Hommes..." (61).

De plus, le pouvoir municipal était de plus en plus considéré comme le "grand" responsable de la situation : "... en même temps que se faisait un travail de sensibilisation auprès de la population locale, des actions s'organisaient, dirigées contre les responsables de la situation définie. Dans la majorité des cas, il s'agissait des autorités municipales" (62).

Suite à ces différentes réactions, nous remarquons que le pouvoir municipal modifie son rapport aux groupes populaires. En effet, face aux citoyens de Centre-Sud qui revendiquaient depuis longtemps une clinique de santé, les autorités municipales se montrèrent plus réceptives, mais ne donnèrent aucune suite aux promesses faites :

"Le problème de la santé est le problème numéro 1 dans Saint-Jacques. Le docteur Lanquin l'avait reconnu en juillet 1967 en nous promettant une clinique médicale. Mais cette promesse ne fut pas tenue. Le comité de citoyens décida de continuer à revendiquer auprès de la Ville pour obtenir cette clinique... Le mémoire fut envoyé aux autorités provinciales et municipales ainsi qu'aux différents journaux. Les seules réponses reçues furent celles des autorités municipales qui se servirent de faux-fuyants pour ne pas accéder à notre demande très justifiée". (63)

Dans Hochelaga, nous assistons au même phénomène autour de la revendication d'un centre communautaire sportif et culturel par les citoyens :

"Il est étonnant de voir comment à la suite de revendications, les principes (la nécessité de la construction d'un centre communautaire dans le quartier Hochelaga-Maisonneuve sont aisément acceptés et surtout comment les autorités gouvernementales (municipales et provinciales en ce qui nous concerne) donnent l'impression de laisser s'éterniser toute forme de discussion et tout projet de réalisation subséquent... j'ai la nette impression que l'on se moque un peu trop facilement des revendications (définitivement légitimes) d'un comité de citoyens, d'abord en ne tenant pas les promesses de rencontre, ensuite en ne répondant pas au courrier et enfin ce faisant, en laissant mourir dans l'oeuf un projet hautement impérieux et en se laissant distraire délibérément par le lobbying des grosses compagnies et des groupes intermédiaires". (64)

Ainsi, le pouvoir municipal désamorce dans les faits les oppositions en donnant l'impression de vouloir répondre aux problèmes des gens. Il morcèle par le fait même les oppositions qui auraient pu s'organiser autour des problèmes soulevés.

Comme nous l'avons vu dans le chapitre précédent, lorsque nous avons traité de cette question, il devenait difficile de mobiliser les gens autour de problèmes s'il n'y avait pas de solutions concrètes qui se dessinaient. C'est pourquoi devant la lenteur des autorités gouvernementales, et principalement du pouvoir municipal identifié comme le principal responsable, les initiateurs orientèrent les groupes populaires vers la recherche de solutions à leurs problèmes à partir de leurs propres moyens. "De tout leur passé d'échec, de déception, de frustration, et de pitié, ils ont retenu une leçon pour se sortir du trou. Il n'y a qu'une voie : compter sur eux-mêmes seulement, être solidaires et prendre toutes leurs responsabilités. Le salut ne viendra pas du dehors, que ce soit des curés, des travailleurs sociaux, des politiciens, des gauchistes ou qui que ce soit. S'ils veulent changer leur situation, c'est par eux-mêmes qu'ils doivent le faire" (65).

Cette solution se justifiait d'autant plus que les autorités municipales se montraient de plus en plus hostiles face aux initiateurs de ces groupes populaires : "Messieurs DRAPEAU et SAULNIER s'impatientent devant les revendications jugées trop agressives de certains milieux populaires et n'en finissent pas de dénigrer de nouveaux agitateurs sociaux" (66).

C'est ainsi qu'on peut s'expliquer pourquoi les initiateurs identifièrent le pouvoir municipal comme étant au coeur de l'inégale répartition des richesses collectives, suite aux déboires et à l'hostilité de plus en plus apparente de ce dernier face à leurs revendications de services.

Cependant, on ne peut s'expliquer leur persistance à voir dans le pouvoir un instrument neutre au-dessus des intérêts de classe. Donc, la pratique de ces groupes consistant à répondre à partir de leurs propres moyens à leurs besoins, résulte de l'attitude du pouvoir municipal, face aux demandes et n'est surtout pas, avant tout, l'expression de nouvelles valeurs d'une société vers laquelle nous nous orienterions. Comment alors expliquer cette nouvelle analyse, ce nouveau discours sur les problèmes sociaux ? Comment expliquer que les initiateurs étendirent leurs actions à ces nouveaux quartiers ?

3.2. pratique de direction : une stratégie pour réduire les inégalités.

Nous avons vu, dans le chapitre précédent, que le Conseil des oeuvres de Montréal considérait, au départ, la mise sur pied des premières organisations populaires comme une expérience pilote servant à élaborer de nouveaux modèles de solution à des "problèmes sociaux". A travers cette expérience commençait à se traduire un nouveau mode de direction hégémonique qui était principalement soutenu par le pouvoir provincial et la Fédération des oeuvres de charité qui organisait des souscriptions volontaires. Enfin, les intellectuels qui supportaient cette pratique dans les quartiers se questionnaient déjà à ce moment là, même si c'était une équipe nouvellement formée, sur l'ambiguïté de leur situation . travailler à un partage plus équitable des richesses collectives, ce qu'ils appelaient la "juste part du gâteau" dans un organisme financé par un public qui ne serait pas disposé à remettre "en question un état de faits qu'il accepte". Cette attitude de leur part à l'intérieur d'un appareil de direction hégémonique pourrait correspondre à leur situation conflictuelle d'intellectuels organiques dont la critique est nécessaire pour le bloc au pouvoir ou dont la critique est le prélude à la naissance d'une crise hégémonique.

En effet, selon notre hypothèse, si les intellectuels, en l'occurence les initiateurs de groupes populaires, sont placés dans une situation conflictuelle, c'est-à-dire que si dans leur travail dans les quartiers ils rencontrent des difficultés à actualiser, par leur pratique, le discours de l'organisme dont ils font partie, ils forceront une modification du discours de cet appareil, et exigeront des ressources appropriées, pour rendre possible une pratique plus efficace. Mais la modification du discours de cet appareil de direction hégémonique peut n'être qu'un réaménagement de sa représentation pour répondre plus adéquatement à sa fonction de cohésion sociale au profit du bloc dominant.

A travers les textes abordés nous constatons qu'il y a effectivement amélioration des ressources pour soutenir le travail des initiateurs et modification du discours du Conseil des oeuvres de Montréal.

3.2.1. amélioration des ressources

Dans l'évaluation que fait l'équipe du service d'animation de la réalisation des objectifs qu'elle s'était fixés au départ, à savoir améliorer les conditions de vie des gens et agir sur leur défaitisme, nous constatons qu'elle rencontre des difficultés majeures à les actualiser.

En effet, les membres de l'équipe dans un retour critique sur leur action principalement effectuée dans Saint-Henri et Pointe Sainte-Charles, identifièrent trois postulats dans leur travail qui, dans la pratique, s'étaient avérés inadéquats. Ils décrivaient ces postulats de la façon suivante :

> "1- Le postulat d'une action qui porterait essentiellement sur l'apprentissage de technique de travail en groupe de sorte que le groupe lui-même puisse déterminer ses objectifs et développer par le fait même une prise de conscience plus large.
> 2- Le postulat qu'il est nécessaire sous une forme ou sous une autre, d'élaborer une action qui repose sur la représentation du groupe qui fait l'action. Cette idée de représentativité voulait être une réponse au fait que les porte-paroles traditionnels de ces quartiers étaient des commerçants, des hommes d'affaires et des professionnels qui n'habitaient plus le quartier depuis longtemps...
> 3- Le postulat que l'action amorcée devait reposer essentiellement sur les ressources propres au milieu". (68)

Face à ces postulats de travail, les résultats étaient pour le moins décevants. L'apprentissage de l'agir rationnel ne donna pas les effets escomptés, bien au contraire : "Il est très évident pour nous à ce moment-ci que les personnes qui ont été dans les comités de citoyens sur une période de deux ou trois ans n'ont pas acquis une vision nouvelle et plus globale de la société et n'ont pas développé une compréhension beaucoup plus globale de leur situation. Au contraire, nous avons observé la tendance à une vision de plus en plus restreinte de leur situation de même que la tendance à nier les problèmes essentiels de la majorité des gens du quartier" (69). Le nouveau leadership avait beaucoup plus tendance à réagir de la même façon que les commerçants et les hommes d'affaires que de se préoccuper des problèmes des gens.

Enfin, les comités de citoyens ne développèrent pas la solidarité requise pour prendre en main leur situation, bien au contraire : "Cette attitude de revendication et de pression ne modifie en rien leur situation ancienne et, de fait, renforce le sentiment qu'ils ont déjà, qu'ils valent peu de choses et qu'ils doivent attendre des autres des solutions à leurs problèmes" (70).

Par l'évaluation de leur pratique, ils confirment des remarques sur l'analyse des objectifs, stratégies et moyens, que nous avons faites dans le chapitre précédent : par leur pratique, les initiateurs enfermaient les gens dans la rationalité des moyens à prendre pour résoudre des "problèmes" et par le fait même, ils ne les amenaient pas à se questionner sur les causes des situations qu'ils vivaient.

Mais suite à l'identification des limites de leur action, les initiateurs exigeaient que le Conseil d'administration du Conseil des oeuvres de Montréal s'engage à fond dans "la lutte contre la pauvreté" en leur fournissant les instruments de recherche et le personnel suffisant pour dépasser le stade de l'expérimentation et lutter efficacement contre la pauvreté :

> "Susciter une expérience pilote de participation au sein d'un quartier en vue du mieux être de la population qui la compose n'est pas un projet qui peut s'imposer facilement. C'est une expérience qui demande... un processus de planification...

que le processus repose sur une recherche scientifique, que cette recherche soit globale... que la recherche et les plans d'action soient conduits par une équipe interdisciplinaire ; que le tout soit effectué avec la population... Il semble bien en révisant l'évolution de l'expérience que ces préoccupations, si elles n'étaient pas absentes, n'ont jamais pris corps de façon systématique... Et c'est l'obstacle fondamental auquel s'est heurté jusqu'à maintenant l'expérience pilote". (71)

Mais quoique les résultats ne fussent pas ceux souhaités, les initiateurs avaient quand même réussi à faire pénétrer leur projet dans la population. Ils mobilisèrent différents comités de citoyens pour faire des pressions sur le Conseil des oeuvres de Montréal, comme le notait le directeur général :

"la première question qui se pose est évidemment de savoir si la société est prête à entreprendre l'effort rigoureux qui s'impose. La deuxième question est ensuite de savoir s'il est possible d'améliorer sensiblement les conditions de vie des familles qui habitent les zones défavorisées de Montréal. Et dans l'affirmative... il reste à élaborer une stratégie positive de "guerre contre la pauvreté" en milieu urbain, en mettant l'accent sur les zones les plus défavorisées... Ce sont des questions de ce genre que nous posaient... des citoyens du quartier Saint-Henri et de Pointe Saint-Charles... Des questions similaires étaient soulevées par les citoyens de la zone Centre-Sud... En somme, dans tous les quartiers défavorisés du bas de la ville, les citoyens commencent à s'impatienter et à trouver qu'il est temps de faire quelque chose". (72)

Suite à ces différentes pressions, le Conseil d'administration du Conseil des oeuvres de Montréal s'engagea à donner suite au projet pilote, initié dans Saint-Henri et Pointe Saint-Charles, en répondant aux demandes des initiateurs pour "lutter contre la pauvreté : "... l'animation sociale et ses implications sont acceptées intégralement par le Conseil d'administration... Le Conseil des oeuvres en s'engageant par l'animation sociale dans les quartiers défavorisés a modifié son approche des problèmes, a élargi son champ d'intérêt et s'est encore plus préoccupé de contribuer réellement à élaborer des solutions précises et réalistes... Par le fait même, le Conseil des oeuvres fait l'apprentissage de situations nouvelles, liées à la présence de l'animation sociale. Le Conseil des oeuvres devient un organisme qui vit dans une situation conflictuelle, qui n'est pas indifférent à une série d'évènements nouveaux, qui prend parti dans ces évènements. Le conflit devient une situation qu'il est impossible de nier" (73).

A cette fin le Conseil d'administration augmenta le personnel du service d'animation sociale : "Le Conseil des oeuvres compte, depuis septembre 1967 sur les services de quatre animateurs sociaux professionnels possédant tous une formation universitaire... L'apport du nouveau personnel a permis que se développe et se pratique un véritable travail d'équipe, source de cohérence et d'efficacité dans nos interventions" (74). C'est ainsi que les initiateurs purent étendre leur travail aux quartiers Centre-Sud et Hochelaga et mettre sur pied ou participer aux organisations décrites dans le présent chapitre.

On voit donc que l'extension du travail dans les quartiers Centre-Sud et Hochelaga est à saisir, dans son rapport à la réorganisation de l'espace, comme phénomène conjoncturel. Les effets incidents qui accompagnent cette réorganisation de l'espace peuvent légitimer des choix d'intervention dans des espaces déterminés, mais ils ne peuvent en soi justifier la mise en place de groupes populaires : ces groupes ne sont pas le fruit d'une génération spontanée.

Comme nous l'avons déjà vu au chapitre premier, la mise sur pied de groupes populaires dans Saint-Henri et Pointe Saint-Charles résultait d'une exploration des lieux propices à la mise sur pied de nouveaux projets.

Dans Hochelaga, il s'agissait d'étendre une nouvelle "stratégie de lutte contre la pauvreté" à un quartier susceptible de se détériorer : "Hochelaga a été retenu surtout dans une optique de prévention d'une détérioration plus grande" (75).

Relativement à cette nouvelle stratégie, pour soutenir le travail de ces initiateurs, le Conseil des oeuvres de Montréal avait mis sur pied une équipe interdisciplinaire dans le but d'élaborer "une stratégie positive de guerre contre la pauvreté" : "Devant cette impatience bien légitime d'une part, et devant cette confusion sur les moyens à prendre d'autre part, le Conseil des oeuvres de Montréal a pris l'initiative, au cours de l'été 1966, de mettre à la tâche une équipe de spécialistes pour défricher le terrain et apporter un commencement de réponse" (76).

La mise sur pied de cette équipe de spécialistes donna lieu à la production d'un document officiel du Conseil des oeuvres de Montréal, intitulé "Opération : rénovation sociale" (77). Cette recherche avait pour but de :

"- ... fournir une perspective plus précise de ce en quoi consiste la lutte aux inégalités socio-économiques en milieu urbain ;
- ... faciliter les négociations entre les divers organismes qui ont un mot à dire dans la solution de ces problèmes ;
- ... fournir des hypothèses et des questions plus spécifiques aux chercheurs ;
- ... amorcer des réalisations et des projets expérimentaux". (78)

Devant les difficultés que ressentirent les initiateurs pour actualiser dans la pratique le discours de cet organisme, ils le forcèrent à fournir de nouvelles ressources pour développer une pratique plus efficace. Par ce processus, le Conseil des oeuvres tend à consolider un nouveau type de direction hégémonique qui n'était qu'embryonnaire dans la période précédente. Processus hégémonique qui trouve sa légitimation dans le développement d'une "nouvelle stratégie de lutte contre la pauvreté". La réforme de la pratique s'est accompagnée d'une modification du discours de cet organisme : le Conseil des oeuvres de Montréal ne parle plus d'explorer de nouvelles méthodes de traitement en service social, mais bien d'élaborer une stratégie pour lutter contre la pauvreté dans les zones défavorisées de Montréal.

3.2.2. modification du discours du Conseil des oeuvres de Montréal

A travers ce document officiel, à savoir "Opération : rénovation sociale", il y a d'une part une délimitation des zones urbaines où il faut agir d'une façon prioritaire, déterminées principalement par le niveau de revenu, l'éducation, l'emploi et la situation de l'habitation des gens vivant dans les différents quartiers de Montréal ; d'autre part, une proposition de stratégie globale pour lutter efficacement contre la pauvreté.

Dans la stratégie globale proposée, nous avons les réponses aux questions posées par le directeur général dans le préambule de ce document officiel ; à savoir "si la société est prête à entreprendre l'effort rigoureux qui s'impose ? et dans l'affirmative une stratégie positive de guerre contre la pauvreté devrait se réaliser comment ?"

A la première question, la réponse est la suivante : "Jusqu'à maintenant, notre société s'est trop souvent contentée de mettre sur pied des services de bien-être à ressources limitées, à qui on demande de faire "leur possible" pour atténuer les effets de la pauvreté, mais une telle position n'est plus tenable aujourd'hui... Nous prenons donc pour acquis, que notre société a les moyens d'éliminer la pauvreté si elle le veut bien. Il s'agit alors de définir clairement les objectifs à atteindre pour ensuite nous demander quels sont les meilleurs moyens d'y parvenir" (79).

A la deuxième question, la réponse fait suite à l'identification des zones prioritaires, ou une "stratégie positive de guerre contre la pauvreté" devrait se réaliser avec la participation active des citoyens des quartiers concernés, en exigeant auprès des différents niveaux de pouvoir concernés des conditions de vie, en terme surtout de revenu, d'éducation, d'occupation et d'habitation, qui soient décentes.

L'existence de quartiers défavorisés pourrait donc selon ce document, être enrayée "si on le veut". Il s'agit de définir clairement les objectifs et de choisir les meilleurs moyens. C'est concevoir la pauvreté comme un problème de marginalité à résoudre à partir d'une stratégie, où on s'assure la participation des gens concernés : "... poser le problème de la pauvreté ou de la misère dans les termes de marginalité etc... équivaut à poser le système social par rapport auquel cette marginalité se définit, comme radicalement différente. C'est concevoir de façon simpliste la société comme une globalité harmonieuse, opulente et généreuse dont l'expansion ne peut qu'éliminer graduellement les zones périphériques d'exception" (80).

Cette approche méconnaît les mécanismes de l'Etat que nous avons déjà mentionnés : "... une telle perspective méconnaissait grandement la notion et la fonction du politique au sein d'une société. Elle amenait à concevoir la machine étatique comme un simple appareil administratif et technocratique oeuvrant par définition dans les intérêts de l'ensemble de la population. La soi-disant dialectique entre dirigé "sujet de besoins" et dirigeant "susceptible de satisfaire ces besoins" se confondait au rapport expert-non expert. Les rapports de pouvoir devenaient ainsi des "rapports de connaissances" que doivent régulariser une compréhension et une coopération mutuelles..." (81).

Cette stratégie de "lutte contre la pauvreté" nous permet de mieux cerner la nouvelle analyse que formulèrent les initiateurs en terme d'inégale répartition des richesses collectives où est accordée une fonction centrale à l'Etat : "la pauvreté étant perçue comme un phénomène de marginalité qui se résolverait avec l'expansion de notre société". De plus, en concevant ainsi le pouvoir comme un instrument susceptible de satisfaire les "besoins" exprimés, stratégiquement il s'agissait de multiplier des organisations qui actualisent les valeurs d'une société dite de "participation" où au moment opportun, lorsqu'assez de gens partagent ces nouvelles valeurs, le pouvoir sera forcé de mettre en place des mécanismes de compréhension et de coopération mutuelles.

C'est ainsi que se tisse un nouveau rapport entre le Conseil des oeuvres de Montréal et ces intellectuels. D'une part, ces derniers consolident leur position dans cet organisme et, d'autre part, ils stimulent la reformulation du discours de cette institution : la critique des intellectuels a rempli une fonction utile au bloc au pouvoir...

Mais ce bloc n'est pas monolithique dans sa volonté hégémonique.

3.3. le contexte de la pratique du C.D.S.

Comme nous l'avons déjà mentionné, il faut élargir la vision de l'état des rapports dans cette institution au contexte plus global dans lequel elle s'insère, sinon nous réduisons sa pratique et en faisons un sujet du changement ou un "acteur historique"...

A partir des trois étapes que nous avons distinguées dans l'histoire du mouvement ouvrier, nous avons qualifié la période allant de 1966 et 1969 de "l'étape de la sociale-démocratie" où le bloc dominant évolue de la façon suivante :

"*A partir de 1966, l'économie québécoise, intégrée à l'économie nord-américaine, entre dans un cycle de dépression économique qui connaîtra son sommet dans les années 1969-1971. La phase de la révolution tranquille est terminée. Pour la pe-*

tite bourgeoisie moderne, elle s'est soldée partiellement par une réussite et partiellement par un échec. Partiellement par une réussite... où l'étatisation de l'éducation et de la santé a permis à la petite bourgeoisie moderne d'évincer la petite bourgeoisie traditionnelle... mais partiellement par un échec, dans la mesure où la petite bourgeoisie qui après avoir conquis quelques instruments économiques (entre autres : la Caisse de dépôt et de placement) s'est vite butée au durcissement de la bourgeoisie canadienne et de l'Etat fédéral qui ont refusé d'abandonner leurs positions acquises au profit de la petite bourgeoisie moderne nationaliste. Cette dernière, en alliance avec une potentielle bourgeoisie québécoise, aspirait à prendre le contrôle du développement économique et social de la société québécoise... Dans ce contexte, le P.L.Q. redevient nettement une succursale de son grand frère canadien et fédéraliste... Sous le leadership petit-bourgeois moderne de René LEVESQUE apparût le... P.Q. (parti québécois). La lutte nationale se donne de nouveaux instruments et prend la forme de la lutte pour l'indépendance du Québec". (82)

Cette lutte au niveau du bloc dominant n'est pas sans effets sur les travailleurs :

"Dans cette nouvelle conjoncture, les travailleurs québécois commencent à ouvrir les yeux et à devenir plus critiques vis-à-vis de l'Etat québécois. L'Etat-employeur n'est pas neutre... le mouvement syndical retrouve une plus grande autonomie et assume plus d'initiatives pour promouvoir un projet de société égalitaire et juste... Somme toute... les organisations du mouvement ouvrier... ont une orientation sociale-démocrate. Ces organisations sont conscientes que les droits fondamentaux des travailleurs sont violentés à l'intérieur de l'organisation sociale mais... elles continuent de reconnaître à ces derniers la capacité et la possibilité d'adopter des politiques plus respectueuses pour tous les citoyens". (83)

Encore une fois nous avons cru bon de faire cette longue citation pour mieux situer le Conseil des oeuvres de Montréal. Mais avant d'aller plus loin en ce sens il serait utile de mentionner que le mouvement étudiant québécois, à l'image du mouvement étudiant d'autres pays occidentaux, est lui aussi une force très active et critique pendant cette période qui se caractérise par des occupations et manifestations parfois violentes (84). Nous croyons utile de le mentionner car comme nous le verrons dans le prochain chapitre, il fut un des pôles importants dans le développement des mouvements de lutte urbaine à Montréal, surtout à partir de 1970.

C'est dans ce contexte de lutte hégémonique que le Conseil des oeuvres réformula son discours. Nous avons pu constater que les initiateurs tentent à la fois de se distinguer de ceux qui ont été formés dans les collèges classiques, fortement imprégnés de l'emprise religieuse, et de consolider leur position par l'introduction d'une rationalité nouvelle. De plus, nous avons vu dans le chapitre précédent, que le pouvoir provincial pénétrait progressivement cet organisme. C'est dans ce contexte que le Conseil des oeuvres devint progressivement le Conseil de développement social du Montréal métropolitain.

En effet, le Conseil des oeuvres présenta à la Province une requête enregistrée le 22 septembre 1969 pour modifier son nom et ses objectifs (85). Ces objectifs furent grandement modifiés et à titre d'exemple au lieu de "coordonner l'effort des oeuvres de bienfaisance", il visait à "participer à l'identification et à la prévision des besoins de la population et à contribuer à l'aménagement des ressources communautaires accessibles à tous" (86).

Dans son rapport annuel, le directeur général, à l'occasion de l'institutionalisation de ces modifications, identifie largement le C.D.S.M.M. aux objectifs du gouvernement provincial dans le domaine des affaires sociales : "Je me demande s'il ne serait pas temps d'établir ici une conférence administrative regroupant les coordonnateurs régionaux des différents ministères... nous pourrions fournir une consultation technique et politique très valable... auprès de l'Office de planification du Québec..." (87).

De plus, le conseil d'administration était renouvelé en partie tous les ans à partir d'élections au niveau de l'assemblée générale annuelle. On retrouvait dans cette assemblée des représentants d'agences de bien-être publiques et privées, des représentants d'organisations civiques ou professionnelles intéressés aux problèmes sociaux en milieu urbain.

Enfin cette consécration du rapport étroit qui s'établissait entre le C.D.S.M.M. et le gouvernement du Québec s'accompagna de l'augmentation de la part du financement de ce dernier aux différentes activités mises en marche. C'est ainsi qu'entre 1965 et 1969 le gouvernement provincial quadrupla sa participation financière (88).

Il faut à ce stade-ci souligner que le domaine des affaires sociales est constitutionnellement de juridiction provinciale. Cependant nous verrons que le gouvernement canadien réussira progressivement, en s'appuyant sur le Parti Libéral du Québec, à contrôler ce champ d'activité... En ce sens il faut signaler que le Conseil de développement social du Montréal métropolitain sera traversé progressivement par la lutte qui se mène entre la "nouvelle petite bourgeoisie nationaliste" et les fédéralistes au niveau de la direction hégémonique. Comme nous le verrons ultérieurement, cette lutte engendra la création d'un Centre régional de santé et de services sociaux (C.R.S.S.S.) contrôlé totalement tant au niveau administratif que juridique, par le gouvernement provincial, et des mesures de contrôle de plus en plus grande de la Fédération des oeuvres de charité canadienne-française qui devint le principal bailleur de fonds pour le C.D.S.M.M. Car si la "nouvelle petite bourgeoisie nationaliste" était à la recherche d'assises politiques à travers principalement le Parti Québécois, le Parti Libéral du Québec "succursale de son grand frère canadien et fédéraliste" était lui au pouvoir...

Mais dans ce contexte politique le gouvernement fédéral devait construire, entre autres sur la base de "problèmes sociaux" en milieu urbain, ses propres assises de direction hégémonique. C'est au début de 1966 que fut créé la Compagnie des jeunes Canadiens.

3.3.1. la Compagnie des jeunes Canadiens

La Compagnie des jeunes Canadiens (C.J.C.), formée en corporation de la Fonction publique, était totalement dépendante du gouvernement fédéral pour son financement et devait périodiquement se soumettre à des véfications :

> "17. Le Conseil doit soumettre chaque année à l'approbation du ministre un budget d'exploitation pour l'année financière suivante de la Compagnie. Aucune partie des crédits que le Parlement peut affecter aux objets de la Compagnie ne doit être avancée à la Compagnie pour l'année en question tant que le ministre n'a pas approuvé le budget prévu à cette fin. ... ... 25. Un vérificateur nommé par le gouvernement en conseil vérifie chaque année la comptabilité et les opérations financières de la Compagnie". (89)

Par ailleurs elle accordait une large participation dans le Conseil de la Compagnie des jeunes Canadiens (C.J.C.) à ses "intellectuels organiques" oeuvrant dans différents milieux, et qui étaient connus sous le nom de volontaires de la C.J.C. :

> "4. Des quinze membres du Conseil, dix doivent être élus par les membres volon-

taires de la Compagnie de la manière et pour des mandats d'au plus trois ans que déterminent les statuts administratifs de la Compagnie approuvés par le gouverneur en conseil et les autres membres doivent être nommés par le gouverneur en conseil pour des mandats d'au plus trois ans que fixe ce dernier". (90)

"La loi créant la Compagnie des jeunes Canadiens lui permettait d'étendre ses activités à de nombreux secteurs : "15. Pour la réalisation de ses objets la Compagnie peut, en consultation avec des autorités ou organismes fédéraux ou provinciaux ou d'autres autorités ou organismes gouvernementaux intéressés, si semblable consultation est nécessaire ou recommandable : a/ se livrer à des initiatives de développement communautaire dans les régions urbaines et rurales au Canada ; b/ organiser et mettre en oeuvre des programmes essentiellement destinés à accroître, sur le plan social et économique, les occasions offertes aux jeunes avant la fin de leurs cours ; c/ organiser et mettre en oeuvre des programmes destinés... aux jeunes... handicapés... ; d/ collaborer à des initiatives de formation professionnelle... ; e/ assurer l'organisation des loisirs des jeunes... ; f/ entreprendre des programmes d'hygiène publique de concert avec l'autorité locale... ; g/ dispenser l'enseignement ménager... ; h/ organiser et mettre en oeuvre des programmes favorisant la réalisation d'initiative coopératives et du développement communautaire et dans d'autres activités connexes...". (91)

L'activité de la Compagnie des jeunes Canadiens débuta, à Montréal, au début des années 68. Quoiqu'il soit difficile, à cause entre autres du manque de documentation (92), de cerner la logique interne des différentes pratiques introduites par les volontaires de la C.J.C., il est frappant de constater que leurs actions exprimaient beaucoup plus ouvertement que les agents du C.D.S. une volonté d'organiser la classe ouvrière montréalaise.

En effet, ils sont à l'origine de bon nombre d'efforts en vue de la mise sur pied d'organisations autant sur la base de l'entreprise que du quartier :

"Dans la Petite Bourgogne, des volontaires travaillent avec les citoyens des îlots Saint-Martin qui ont été déplacés par la rénovation et qui doivent être relogés... Dans Pointe Saint-Charles, on cherche à regrouper les citoyens plus conscients du quartier à partir de problèmes concrets en vue d'exercer des pressions sur les autorités municipales... Dans Saint-Henri, le comité ouvrier lutte pour obtenir un hôpital et pour syndiquer les travailleurs des usines du quartier... Dans Milton-Park, le Comité de citoyens s'oppose au projet du trust Concordia Estates Limited qui vise à démolir le quartier et à construire des conciergeries de luxe... Dans le Comité de Sainte-Marie, les volontaires contribuent à la formation d'un comité ouvrier... etc.". (93)

Ces derniers s'associèrent à des groupes politiques de gauche (94), qui, quoique peu développés et enracinés, menèrent des luttes radicales à l'occasion. Parmi ces organisations, il y avait le Mouvement de libération populaire (M.L.P.) qui en s'inspirant de la problématique marxiste, "développera surtout un travail de formation... et un travail de propagande..." (95)

Ce mouvement se scinda en différentes tendances dont l'une qu'on qualifia de "populiste radicale" et où se retrouvèrent bon nombre de militants de la C.J.C. : "La tendance populiste radicale qui consistait à dire que les tâches des révolutionnaires pour la construction d'un parti de travailleurs consistait à aller militer là où il y a le plus de monde le plus à gauche... et qui fonda le F.L.P. ... Cette tendance aura une véritable audience de masse et sera la plus organisée" (96).

Le Front de libération populaire (F.L.P.) entreprit un certain nombre d'actions dont la lutte contre un monopole dans le domaine du transport des voyageurs entre l'aéroport de Dorval et Montréal, en s'associant au Mouvement de libération du taxi (M.L.T.), mouvement voué à la défense des intérêts des chauffeurs de taxi. Ils profitèrent d'une grève des policiers à Montréal pour organiser une manifestation monstre qui dégénéra en émeute.

La Compagnie des jeunes Canadiens trop identifiée à des actions de ce type exprimait une pratique hégémonique pour le moins gênante dans le théâtre urbain montréalais. Comme nous le verrons dans le prochain chapitre lorsque nous traiterons du pouvoir local, les intellectuels de la C.J.C. devinrent des cibles facilement attaquables.

(1) En collaboration : "Le Comité des citoyens de Saint-Jacques". *Participation*. numéro 3, décembre 1968, p. 7.

(2) GAREAU, Jean-Marc, *Bilan de six mois d'activités du comptoir alimentaire*, Conseil de développement social du Montréal métropolitain, avril 1970, p. 1.

(3) En collaboration, "Le Comité des citoyens de Saint-Jacques", *Participation* numéro 3, décembre 1968, p. 4.

(4) GAREAU, Jean-Marc, *Bilan de 6 mois d'activités du comptoir alimentaire*, op. cit.

(5) "Le Comité des citoyens de Saint-Jacques", *op. cit.*, p. 4.

(6) GAREAU, Jean-Marc, *Bilan de 6 mois d'activités du comptoir alimentaire*, op. cit., p.3.

(7) "Le comité des citoyens de Saint-Jacques", op. cit., p. 8.

(8) GAREAU Jean-Marc, *Bilan de 6 mois d'activités du comptoir alimentaire*, op. cit., p. 4.

(9) "Le Comité des citoyens de Saint-Jacques", op. cit., p. 4.

(10) GAREAU Jean-Marc, *Bilan de 6 mois d'activités du comptoir alimentaire*, op. cit., p. 1.

(11) Idem, p. 4.

(12) Idem, p. 5.

(13) CHABOT-ROBITAILLE, Louise, *De l'eau chaude, de l'espace et un peu de justice*, Conseil de développement social du Montréal métropolitain, mai 1970, p. 10 et 146.

(14) COTE Serge, *Portrait-robot des sous-zones du quartier Centre-Sud"*. Conseil de développement social du Montréal métropolitain, juillet 1971.

(15) GAREAU Jean-Marc, *Portrait du quartier Hochelaga-Maisonneuve*, Conseil de développement social du Montréal métropolitain, janvier 1971, pp. 7 et 8.

(16) En collaboration, *Opération, rénovation sociale*, Conseil des oeuvres de Montréal, décembre 1968, p. 28.

(17) Ce tableau est tiré de : En collaboration, *Opération, rénovation sociale*, Conseil des oeuvres de Montréal, décembre 1968, p. 62.

(18) Voir note 1 du tableau I dans le chapitre I.

(19) Voir note 2 du tableau I dans le chapitre I.

(20) Sources : *Opération, rénovation sociale*, op. cit., p. 73.

(21) Idem, p. 71.

(22) FAVREAU Louis, *Bilan 68-69 : Hochelaga-Maisonneuve*, Conseil de développement social du Montréal métropolitain, avril 1969, p. 9.

(23) FAVREAU Louis, *A propos d'une intervention d'animation, celle du Conseil des oeuvres*, Conseil de développement social du Montréal métropolitain, janvier 1969, p. 25.

(24) BASTIEN Pierre et autres, op. cit., p. 14.

(25) Tableau effectué à partir des données de *Opération, rénovation sociale*, op. cit., p. 75.
Pour 1971, les données sont tirées de *Statistiques Canada*. Le quartier Centre-sud pour 1971 regroupe les sous-secteurs de recensement 32, 33, 34, 35, 36,37. 38, 39, 41, 42, 43, 44, 45, 46, 47, 48, 49, 50, 51, 52, 53, 54, 153 ; Hochelaga regroupe 14, 15, 16, 17, 18, 19, 20, 21, 22, 23, 24, 25, 26, 27, 28, 29, 30, 31.

(26) BASTIEN, Pierre et autres, op. cit., pp. 26-27 et 28.

(27) Idem, p. 107.

(28) Nous n'avons pas retenu le secteur administratif Ville-Marie car il était à la fois partie de Centre-Ville et partie de Centre-Sud.

(29) BASTIEN Pierre et autres, op. cit., p. 40.

(30) *Sources* : BASTIEN, Pierre et autres, op. cit., pp. 27, 28, 29 et 108.

(31) Cet organisme privé a été développé principalement à l'aide de dons provenant d'une fondation privée et de fonds de sources variées.

(32) LAGRENADE Pierre, *D'aujourd'hui à demain*, Conseil de développement social du Montréal métropolitain. juin 1968.
BLONDIN Michel, LAGRENADE Pierre, *Dégagement d'un projet collectif ou d'un*

102

idéal possible, Conseil de développement social du Montréal métropolitain, janvier 1968.

(33) BLONDIN Michel, *Rapport des activités 1967-1968 et projet de programme 1968-1969*, Conseil de développement social du Montréal métropolitain, mai 1968.
FAVREAU Louis, "En marge du débat sur l'animation : réponse d'un nouveau sorcier", *Socialisme 69* (18), 1969. Ce dernier était un collaborateur au niveau de l'équipe et non un membre au sens strict.
SERVICE D'ANIMATION SOCIALE, *Esquisse d'un projet pilote d'information politique dans le cadre d'un quartier ouvrier de Montréal.* C.D.S.M.M. novembre 1968.
GAREAU Jean-Marc, *Bilan de 6 mois d'activités du comptoir alimentaire du comité des citoyens d'Hochelaga-Maisonneuve*, C.D.S.M.M., avril 1970.

(34) LESEMANN, THIENOT, op. cit., p. 311.
(35) LAGRENADE Pierre, *D'aujourd'hui à demain.* op. cit., p. 6.
(36) LAGRENADE Pierre, *D'aujourd'hui à demain*, op. cit., p. 7.
(37) Idem, p. 7.
(38) Idem, p. 8.
(39) Idem, p. 21.
(40) Idem, p. 24.
(41) Idem, p. 24.
(42) Pour plus d'information sur les modifications de l'approche aux problèmes sociaux dans le cadre de la lutte contre la pauvreté aux Etats-Unis, voir : SHIPMAN G.A., "Maximum Feasible Misunderstanding : a Review Article". *Journal of Human Resources*, vol. II, numéro 1, Winter 1970, p. 7 à 11.
(43) BELANGER Paul, PAQUET Pierre et VALOIS Jocelyne, *La formation professionnelle des adultes et la reproduction des contradictions sociales.* I.C.E.A., janvier 1973, pp. 15. et 16. C'est un bon exposé de l'expérience américaine (ronéo).
(44) Michel BLONDIN, *Rapport des activités 1967-1968 et projet de programme 1968-1969.* Conseil de développement social du Montréal métropolitain, mai 1968, p. 3.
(45) En particulier au texte suivant : FORTIN Gérald, *Participation et société.* Université Laval, département de sociologie, septembre 1968, ronéo.
(46) Idem, pp. 58 et 63.
(47) Idem, p. 53.
(48) FORTIN Gérald, op. cit. p. 55.
(49) LAGRENADE Pierre, *D'aujourd'hui à demain.* op. cit., p. 30.
(50) FAVREAU Louis, "En marge du débat sur l'animation : réponse d'un nouveau sorcier". op. cit., p. 90.
(51) FAVREAU Louis, "En marge du débat sur l'animation : réponse d'un nouveau sorcier". op. cit., p. 90.
(52) BLONDIN Michel LAGRENADE Pierre, *Dégagement d'un projet collectif ou d'un idéal possible*, Conseil de développement social du Montréal métropolitain, janvier 1968, p. 1.
(53) FAVREAU Louis, "En marge du débat sur l'animation : réponse d'un nouveau sorcier". op. cit., p. 90.
(54) SERVICE D'ANIMATION SOCIALE, *Esquisse d'un projet pilote d'information politique dans le cadre d'un quartier ouvrier de Montréal*, Conseil de développement social du Montréal métropolitain, novembre 1968, p. 2.
(55) Idem, p. 3.
(56) GAREAU Jean-Marc, *Bilan de 6 mois d'activités du comptoir alimentaire du comité des citoyens d'Hochelaga-Maisonneuve*, Conseil de développement social du Montréal métropolitain, avril 1970, p. 1.
(57) LAGRENADE Pierre, *D'aujourd'hui à demain*, Conseil de développement social du Montréal métropolitain, juin 1968, p. 8.
(58) SERVICE D'ANIMATION SOCIALE, *Esquisse d'un projet pilote d'information politique dans le cadre d'un quartier ouvrier de Montréal*, Conseil de développement social du Montréal métropolitain, novembre 1968, p. 4.

(59) DIDIER René, "Où va l'animation sociale ?". *Relations*, mai 1970, op. cit., p. 152.
(60) BLONDIN Michel, *Bâtir la terre des hommes oubliés,* Conseil de développement social du Montréal métropolitain, mai 1968, p. 1.
(61) BLONDIN Michel, *Bâtir la terre des hommes oubliés,* op. cit., p. 1.
(62) LAMARCHE François, "Les comités de citoyens : un nouveau phénomène de contestation". *Participation* numéro 3, décembre 1968, p. 3.
(63) En collaboration, "Le comité des citoyens de Saint-Jacques". *Participation,* numéro 3, décembre 1968, p. 7.
(64) LEBEL Bertrand, "Aux citoyens en colère, le gouvernement offre un mur de silence à escalader", *Le Devoir,* 24/1/67, p. 5.
(65) BLONDIN Michel, *Bâtir la terre des hommes oubliés,* op. cit., p. 1.
(66) LAMARCHE François, "Les comités de citoyens : un nouveau phénomène de contestation". op. cit., p. 1.
(67) LAMARCHE François, "Les comités de citoyens : un nouveau phénomène de contestation". op. cit., p. 1.
(68) En collaboration, *Evolution du travail auprès d'un comité de citoyens,* Conseil de développement social du Montréal métropolitain, mai 1966, pp. 1 et 2.
(69) En collaboration, *Evolution du travail auprès d'un comité de citoyens,* op. cit., p. 2.
(70) Idem, p. 3.
(71) MONGEAU Serge, SIMARD Pierre, *L'animation sociale à Saint-Henri.* Conseil des oeuvres de Montréal, septembre 1966, p. 36.
(72) En collaboration, *Opération, rénovation sociale,* Conseil des oeuvres de Montréal, décembre 1966, p. 13.
(73) BLONDIN Michel, *L'animation sociale, telle qu'élaborée et mise en oeuvre au Conseil des oeuvres de Montréal,* Conseil des oeuvres de Montréal, octobre 1968, p. 20 et 22.
(74) BLONDIN Michel, *Service d'animation sociale,* Conseil des oeuvres de Montréal, mai 1968, p. 1.
(75) *Opération : rénovation sociale,* op. cit., p. 16.
(76) Idem, p. 13.
(77) Idem,
(78) Idem.
(79) En collaboration, *Opération, rénovation sociale,* Conseil des oeuvres de Montréal, décembre 1966, pp. 33-34.
(80) LAMARCHE François, *Une ville à vendre,* Cahier 1, EZOP-Québec, 1973, p. 4.
(81) LAMARCHE, François, *Une ville à vendre,* op. cit., p. 5.
(82) *Relations,* op. cit., pp. 293-294.
(83) Idem.
(84) A cet effet, il faut lire : en collaboration, "Histoire du mouvement étudiant (1964-1972)", *Mobilisation* numéro 2, vol. 4, octobre 1974, 56 p.
(85) Tiré du Centre de documentation du Conseil de développement social à partir des documents relativement à la charte et ses règlements.
(86) Au centre de documentation du C.D.S.M.M. : *Projet : modifications suggérées aux objets de la charte,* juin 1969, annexe 2.
(87) BELLEY Yvon, *Rapport du directeur général aux membres de l'assemblée du Conseil des oeuvres de Montréal,* Centre de documentation du C.D.S.M.M., juin 1969, p. 4 et 5.
(88) Tiré des rapports annuels du C.D.S.M.M. de 1965 et 1969, au Centre de documentation de cet organisme.
(89) Statuts révisés du Canada : *Loi sur la Compagnie des Jeunes canadiens,* 1966-1967, vol. I, chapitre C.26.
(90) Idem.
(91) Statuts révisés du Canada, *Loi sur la Compagnie des jeunes Canadiens,* 1966-1967 (70). Volume I. Chapitre C. 26.
(92) A cause de crises internes, comme nous le verrons ultérieurement, les volontaires de la C.J.C. détruisirent bon nombre de documents et il est difficile d'obtenir la colla-

boration d'anciens volontaires qui, pour des raisons politiques, ne sont pas prêts à écrire leur histoire. C'est par des entrevues et des analyses par quartier des différentes pratiques initiées par ces derniers qu'il serait possible d'avancer dans la compréhension de leur pratique, ce qui en soit ferait l'objet d'une recherche qui n'est pas essentielle pour les fins de nos développements. Par ailleurs, il faut souligner que deux ouvrages tentent de retracer l'histoire de la C.J.C. pour l'ensemble du Canada : BALY Marguerite, *Revolution Game*, Toronto, New-Press, 1970, 219 p. ; HAMILTON, *Ian, The Children Crusade,* Toronto, Peter Martin Associate, 1970, 190 p.

(93) LESEMAN, Frédéric, THIENOT, Michel, *Animation sociales au Québec*. Rapport de recherche U. de M., Montréal, octobre 1972, p. 74.
(94) Voir à cet effet : en collaboration "Le mouvement étudiant", *Mobilisation*, vol. 42, octobre 74, 56 p.
(95) Idem, p. 8.
(96) Idem, p. 13.

CHAPITRE III

LE REGROUPEMENT DES GROUPES POPULAIRES
AU NIVEAU DE MONTREAL AU DEBUT DES ANNEES 1970

ENTREE EN MATIERE

Dans le chapitre précédent, nous nous sommes arrêtés sur l'apparition dans Centre-Sud et Hochelaga de groupes populaires qui cherchaient à résoudre à partir de leurs propres moyens des problèmes identifiés au niveau de l'ensemble du quartier.

Au début de 1970, un regroupement des groupes est constitué à partir duquel sera formé un parti politique au niveau municipal. Ce parti politique vise moins à mettre en place des groupes populaires cherchant, à partir de leurs propres moyens, à résoudre des problèmes au niveau du quartier, qu'à identifier des solutions à différents problèmes au niveau de l'ensemble de la ville, entendue ici comme étant la municipalité de Montréal. A cette fin, il s'appuyait sur les organisations de base déjà constituées et tentait d'élargir son influence à de nouveaux quartiers dont les quartiers Saint-Edouard et Rosemont.

Comme pour les chapitres précédents, il s'agit, à partir du mode d'exposition retenu, de mettre à l'épreuve nos hypothèses de travail.

1. DESCRIPTION DU REGROUPEMENT DES GROUPES POPULAIRES

les bases d'organisation

Au début de 1970, plus précisément en mars 1970, fut fondé le "Regroupement des associations populaires du bas de la ville et de l'Est de Montréal" (R.A.P.). Ce regroupement était constitué de militants de divers comités de citoyens dont nous avons précédemment parlé, c'est-à-dire de groupes populaires de St-Henri, Pointe Saint-Charles, Centre-Sud et Hochelaga, auxquels s'ajoutèrent des militants syndicaux et étudiants. Il s'agit à ce moment-là de militants regroupés d'une façon plus ou moins informelle et qui à partir de leur base d'organisation respective manifestent l'intention de mettre sur pied un parti politique au niveau municipal : "Mener une action politique au sens strict, c'est-à-dire d'opposition au pouvoir municipal pour le remplacer" (1).

A cette fin, le R.A.P. se donna comme objectif spécifique de : "Convoquer les conseillers municipaux pour qu'ils rendent des comptes à leurs électeurs. Le but : monter une "machine politique" tout en dénonçant les conseillers municipaux (et, à travers eux, l'administration Drapeau-Saulnier)" (2).

De ces premières bases d'organisation plus ou moins informelles, mais consolidées par les assemblées publiques autour des conseillers municipaux qui réunirent "pas moins de 1,000 travailleurs" (3), fut mis en place le Front d'action politique (FRAP) visant à affronter le pouvoir municipal. On visait à travers le FRAP les objectifs suivants :

1. Créer un rapport de force réel, faire bouger l'adversaire (c'est-à-dire les conseillers

municipaux exclusivement) ;
2. Mener une campagne massive de politisation des salariés que seule une situation électorale... pouvait fournir et conséquemment ;
3. Permettre l'extension du FRAP dans tous les districts de Montréal par des comités de base, les C.A.P. ;
4. Développer une crédibilité politique auprès d'un certain nombre de salariés (15 à 20 pour cent de la population), de l'opinion publique en général et de tous les groupes populaires organisés (syndicats, comités de citoyens...) ;
5. Nous donner les moyens de mener par la suite une lutte de portée sur les trois fronts" (4).

Il s'agit ici du domaine du travail, de la consommation et du politique sur lesquels nous reviendrons plus loin.

Le FRAP visait à constituer une organisation politique au niveau de Montréal en s'appuyant d'abord sur les organisations déjà existantes, à savoir les groupes populaires du Sud-Ouest et de l'Est de la ville, mais aussi à étendre sa crédibilité au niveau de l'ensemble des districts électoraux de Montréal.

A cette fin, le FRAP constitua une organisation centralisée au niveau de Montréal avec des bases d'organisation appelées Comités d'action politique (C.A.P.) au niveau de chacun des districts électoraux de Montréal. Chronologiquement on implanta ces C.A.P. dans le Sud-Ouest, l'Est de la ville et enfin dans les quartiers ouvriers de St-Edouard et de Rosemont ; par la suite on implanta des C.A.P. dans les autres districts électoraux. Nous verrons d'ailleurs plus loin, pourquoi on procéda ainsi.

Les Comités d'action politique (C.A.P.) se donnaient comme rôle : 1) permettre une meilleure coordination des luttes que mènent les groupes populaires et regrouper les forces existantes ; 2) politiser la population en démontrant que la cause réelle des problèmes se situe au niveau du pouvoir politique" (5).

De plus les C.A.P. se définissaient comme : "L'unité politique de base d'un mouvement général de regroupement de la classe ouvrière à Montréal... et situe son action au niveau des districts électoraux" (6).

A long terme on visait ainsi à : "Etablir une véritable démocratie urbaine sur une base décentralisée soit celle des districts électoraux, et promouvoir l'extension de la démocratie populaire aux autres paliers de gouvernement et aux entreprises" (7).

L'ensemble de ces unités de base formait le FRAP. A cette fin les structures étaient organisées de la façon suivante : "Une assemblée générale constituée de tous les membres de chacun des C.A.P. ainsi que des représentants des organisations populaires souscrivant aux objectifs fixés par l'assemblée générale" (8). "Un conseil permanent qui a pour fonction de surveiller l'exécution des décisions prises en assemblée générale et de prendre les décisions qui s'imposent entre les réunions de l'assemblée générale... il est composé de deux délégués élus par chacun des C.A.P. ... d'un représentant pour chaque organisation populaire qui adhère au FRAP. ... cinq membres élus au secrétariat" (9).

Il s'agit donc d'une structure centralisée mais qui associe les Comités d'action politique à la coordination et à la décision au niveau du Conseil permanent. Mais le secrétariat de par ses fonctions jouait un rôle de direction et d'encadrement des activités du Conseil permanent.

Ce parti politique ainsi constitué visait à aborder un certain nombre de problèmes identifiés au niveau de l'ensemble de la ville. Voyons les différents problèmes que tentait d'aborder le FRAP.

les problèmes abordés par le FRAP

Dans les chapitres précédents nous avons constaté que les groupes populaires abordèrent des problèmes au niveau de la paroisse ou du quartier. Avec la constitution du Front d'Action Politique nous assistons à une volonté de résoudre globalement au niveau de Montréal un certain nombre de problèmes.

Le FRAP voulait aborder les problèmes sur le plan de la consommation, sur le plan du travail et celui de la politique municipale. Il appelait les trois niveaux de problèmes, des fronts de lutte qu'on définissait ainsi :

> "**Front de la consommation.** *Il faut s'organiser en fonction de nos intérêts immédiats et accessibles sur le plan du logement, de la santé, de l'alimentation, du crédit etc... A ce titre, la coopérative est un instrument de combat qui permet de commencer à organiser le pouvoir populaire. Ainsi il faut que les travailleurs prennent le contrôle des caisses populaires qu'ils créent des coopératives de consommation, etc.*
>
> **Front du travail.** *La consolidation d'une véritable solidarité des travailleurs demeure un objectif central. La lutte ouvrière sur le plan des salaires et des conditions de travail doit s'élargir et viser la création d'un pouvoir ouvrier dans les usines et les bureaux. Sur le front du travail, les militants des Comités d'action politique supporteront la lutte des syndicats et des comités ouvriers en informant la population sur les problèmes des travailleurs et en organisant la solidarité des citoyens de son territoire avec les luttes ouvrières.*
>
> **Front politique** *sur le plan municipal. Sur ce front, il s'agit de canaliser les énergies de tous les groupes populaires et de les organiser sur le plan politique au niveau municipal afin d'orienter les politiques en fonction des intérêts de la majorité. Nous devrons, par exemple, surveiller les conseillers municipaux, organiser des assemblées publiques de confrontation et, lorsque notre force nous le permettra, présenter des candidats dans les districts électoraux"* (10).

Cependant, de ces trois niveaux de problèmes le "front municipal" était le mieux organisé, en fonction de la campagne électorale qui se préparait pour le mois d'octobre de la même année 1970. A cette fin, autour des problèmes de logement, de santé, de transport en commun, des loisirs et de la culture, de l'administration et du développement économique et social, le FRAP présentait une série de solutions au niveau de Montréal dans son programme électoral (11).

On espérait par le "front municipal" développer, comme nous l'avons vu précédemment, "une crédibilité politique auprès d'un certain nombre de salariés (15 à 20o/o de la population), de l'opinion publique en général, et de tous les groupes populaires concerné" afin d'amorcer le travail sur les deux autres "fronts de lutte".

Le FRAP , tout en visant de 15 à 20o/o de l'électorat montréalais, rejoignait principalement les populations vivant dans les quartiers St-Henri, Pointe St-Charles, Centre-Sud et Hochelaga. A ces quartiers, comme nous l'avons dit précédemment, s'ajoutent les quartiers St-Edouard et Rosemont, parmi les premiers où furent mis en place des C.A.P. (12). Par la suite, on implanta des C.A.P. dans différents districts électoraux.

Nous constatons que ces quartiers sont moins défavorisés. St-Edouard par ses caractéristiques socio-économiques est plus rapproché d'Hochelaga que des autres quartiers mentionnés. Rosemont, comme nous l'indique le tableau 1 de la page suivante, représente une tendance à l'habitation, qualifiée de satisfaisante, que l'on retrouve, entre autres, dans le secteur Nord et Nord-Est de la ville. Voyons plus en détail les caractéristiques de ces deux quartiers.

TABLEAU 1

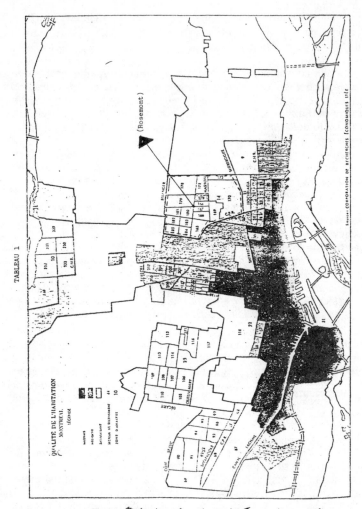

Source : "Opération, rénovation sociale", op. cit., p. 176.

les populations touchées

Dans le quartier St-Edouard 70,9 o/o de la population gagne moins de 4,000 dollars, tandis que dans Rosemont 59,5 o/o de la population gagne moins de 4,000 dollars. Ces deux quartiers sont composés d'une population gagnant des salaires en dessous de la moyenne pour la zone métropolitaine (Z.M.) qui est de 56,3 o/o comme le montre le tableau ci-après (13) :

Salaire du chef de famille	St-Edouard	Rosemont	Z.M.
Moins de 3 000 dollars	39	29,1	30,8
3 000 – 3 900 dollars	31,9	30,4	25,5
4 000 – 5 999 dollars	25,7	33,8	29,5
6 000 – 9 999 dollars	3,2	6,1	
10 000 dollars et plus	0,2	0,6	14,2

Les conditions de logement dans St-Edouard se rapprochent sensiblement de celles du quartier Hochelaga. Le quartier Rosemont est beaucoup moins détérioré. En effet 47 o/o des logis du quartier St-Edouard et 11,1 o/o des logis de Rosemont ont été construit avant 1920 ; 23,8 o/o des logis de St-Edouard et 12,5 o/o des logis de Rosemont ont besoin de réparation, comme le montre le tableau ci-après (14) :

	St-Edouard	Rosemont
Age des batiments		
Construits avant 1920	47	11,1
Construits après 1945	15,1	50,1
Etat des logements		
Logements ayant besoin de réparations	23,8	12,5

Si nous considérons le taux de réception d'allocations d'assistance publique à domicile par cent ménage par rapport au taux moyen pour la zone métropolitaine, nous constatons que la proportion d'assistés sociaux dans les quartiers St-Edouard et Rosemont est plus basse que la moyenne pour la zone métropolitaine, comme nous le montre le tableau II ci-dessous (15) :

Ailleurs que dans le Sud-Ouest et Centre-Sud, c'est une population de salariés, qualifiée d'ouvrière par les initiateurs, que l'on tente de rejoindre : "Rosemont (et St-Edouard) est vraiment un quartier ouvrier, on n'a qu'à comparer le nombre de professionnels entre Rosemont (26,6 o/o) et Ville-Mont-Royal (81,6 o/o) pour s'en apercevoir... A Rosemont les salaires sont inférieurs à la moyenne métropolitiane..." (17).

L'apparition de ces "Comités d'action politique" (C.A.P.) dans St-Edouard et Rosemont semble peu liée à des effets incidents qui accompagnaient la réorganisation de l'espace.

Si nous regardons les investissements effectués dans St-Edouard, comme nous l'in-

TABLEAU II

TAUX DE RECEPTION D'ALLOCATIONS D'ASSISTANCE PUBLIQUE A DOMICILE PAR 100 MENAGES. MONTREAL.

ZONES POSTALES	TAUX 1966 (16)
1	41,26
3	12,44
34, 24 CENTRE-SUD	8,1
18	8,28
30 ST-HENRI	6,86
14	6,70
22 POINTE ST-CHARLES	6,48
TAUX MOYEN ZONE METROPOLITAINE	5,53
4 HOCHELAGA	5,14
34	5,02
35, 10 (ST-EDOUARD)	3,3
8	3,99
2	3,02
39	2,87
35	2,48
36 (ROSEMONT)	2,35
20	2,20
5	2,15
11	2,11
15	2,05
28	2,04
25	1,66
12	1,39
26	1,19
9	1,01
29	0,67

dique le tableau III, nous observons un faible pourcentage d'investissement dans l'habitation, le commerce et l'industriel ; par contre, il y a un pourcentage très élevé dans l'appartement en hauteur et relativement élevé dans l'institutionnel. A la fois, par son volume d'investissement, qui est de 55 millions à St-Edouard (18), et par son pourcentage d'investissement institutionnel et d'appartements en hauteur, le quartier St-Edouard se rapproche du quartier Hochelaga. Cependant, il y a plus d'investissement dans la fonction commerce à Hochelaga : 16,7 o/o contre 8,05 o/o dans St-Edouard.

Les quartiers St-Edouard et Hochelaga ont donc certaines similitudes quant à leur taux d'investissements et leurs caractéristiques socio-économiques. Similitudes à partir desquelles on ne peut par ailleurs induire qu'ils fonctionnent dans la dynamique relativement à la réorganisation de l'espace : Hochelaga est adjacent au quartier Centre-Sud qui a

TABLEAU III (20)

POURCENTAGE D'INVESTISSEMENTS IMMOBILIERS DANS CHAQUE CATEGORIE PAR RAPPORT AU TOTAL DES INVESTISSEMENTS DANS CES QUARTIERS (1957-1972)

POURCENTAGE DE LA SOUS-FONCTION APPARTEMENT PAR RAPPORT AU TOTAL RESIDENTIEL DANS CES QUARTIERS

Catégorie St-Edouard	Hab.	Résidence	Apt.	Commerce	Institutionnel	Industriel	Divers
		66,8					
MONTCALM	24,7		73,3	8,1	22,2	0,2	2,4
		36,8					
ST-EDOUARD	3,6		96,4	8,0	50,7	1,4	2,8
Moyenne pour		51,8					
St-Edouard	14,2		85,8	8,05	36,4	0,8	2,6

un développement qualifié de positif, en ce sens son taux d'investissement dans la fonction commerce est un indicateur d'une dynamique différente mais que les données dont nous disposons ne nous permettent pas de qualifier.

Si nous regardons maintenant les investissements effectués dans Rosemont, au tableau IV, nous constatons, quoique la zone d'analyse pour les investissements ne soit pas exactement la même que celle utilisée par l'analyse socio-économique (19), que la fonction habitation est de loin la plus importante.

TABLEAU IV (21)

POURCENTAGE DANS CHAQUE CATEGORIE PAR RAPPORT AU TOTAL DES INVESTISSEMENTS DANS CES QUARTIERS

POURCENTAGE DE LA SOUS-FONCTION APPARTEMENT PAR RAPPORT AU TOTAL RESIDENTIEL DANS CES QUARTIERS

Catégorie Rosemont	Hab.	Résidence	Apt.	Commerce	Institutionnel	Industriel	Divers
		69,6					
ROSEMONT	31,2		68,8	9,8	11	5,9	3,3

Une première constatation s'impose : la réorganisation de l'espace s'accompagne d'effets incidents dans les quartiers entourant le Centre-ville. Nous avons vu que dans les quartiers St-Henri, Pointe St-Charles et Centre-Sud, la réorganisation de l'espace s'accompagne de l'accentuation de la taudification et de l'augmentation de la population d'assistés sociaux. Par ailleurs, ce processus est moins perceptible dans les quartiers Hochelaga et St-Edouard, et quasi inexistant dans Rosemont.

On ne peut donc pas soutenir qu'il y a un rapport direct entre la réorganisation de l'espace et l'apparition de mouvements de lutte en milieu urbain. Cette réorganisation de l'espace se caractérise par la faiblesse des investissements industriels à partir de laquelle on peut induire qu'il y a une tendance au déplacement des activités industrielles et à la concentration au Centre-Ville des activités gestionnaires et administratives.

Pour quantifier et qualifier plus précisément l'accentuation des effets incidents, il faudrait mieux connaître l'évolution de ces quartiers sur une base historique plus longue. De plus, une analyse plus fine des investissements de la période retenue (1957-1972) exigeait la construction sur une base annuelle, et selon les catégories retenues, de tableaux nous permettant de qualifier le processus en cours et d'indiquer des tendances (22).

C'est pourquoi nous ne pouvons qualifier à ce stade-ci ces effets incidents. Par contre, pour les fins de notre recherche, nous pouvons mieux préciser le rapport entre la réorganisation de l'espace et le développement de mouvements de lutte en milieu urbain.

L'apparition de groupes populaires est d'abord à mettre en rapport avec de nouvelles formes d'hégémonie qui s'instaurent dans l'Etat à travers le rôle charnière d'intellectuels organiques. L'apparition de groupes populaires dans des espaces déterminés a, au début, trouvé sa légitimation dans l'état déplorable de certains quartiers. Mais cette légitimation tend à s'estomper au fur et à mesure que se développe cette intervention. C'est le langage de la prévention qui prend la relève. Ainsi, les effets incidents qui accompagnent la réorganisation de l'espace ont conjoncturellement favorisé l'apparition de groupes populaires dans les quartiers entourant le Centre-Ville. Mais leur développement s'insère dans une logique qui n'est pas celle de l'espace mais de la dynamique qui s'instaure dans la société civile, dans une conjoncture précise au Québec, ce que nous avons appelé "la révolution tranquille" et ses différentes étapes.

A cet effet, comme nous le montre les tableaux V et VI, les organisations qu'on pourrait qualifier de défensives sont plus nombreuses dans les quartiers entourant le Centre-Ville, tandis que les organisations politiques, comme le sont les C.A.P., sont plus nombreuses dans les quartiers Nord-Est par exemple.

Cette prolifération d'organisations de type défensif dans ces quartiers nous permet de mieux visualiser la nouvelle pratique de direction hégémonique mise de l'avant pas l'intermédiaire des animateurs au début des années 60. Nouvelle pratique qui a été le coup d'envoi d'un nouveau mode de "traitement" des "problèmes sociaux" : "ces premiers comités représentent donc un microcosme de l'ensemble des organismes populaires existant aujourd'hui dans les différents quartiers" (23).

Cette prolifération de groupes populaires centré surtout dans les services s'est accompagnée d'un rôle accru des citoyens dans ces organisations. Mais "l'importance actuelle des individus résidant dans le quartier n'exclut pas les autres catégories, et en particulier les animateurs qui jouent un rôle important dans 44 o/o des organismes" (24). Prolifération rendue en bonne partie possible grâce au financement du pouvoir fédéral à travers les projets P.I.L et P.J.

Les animateurs tendaient, comme nous le verrons, à rejoindre d'autres catégories de la population moins centrées sur la mise en place de services. Ils s'orientèrent de plus vers des objectifs plus directement politiques. Cette pratique des initiateurs fait mieux ressortir l'intérêt des effets incidents retenus pour analyse. Ils nous permettent de mieux lire l'histoire des mouvements de lutte qui passe par de nouveaux quartiers, de nouvelles populations et la recherche de nouvelles alliances. Nous avons privilégié un type de lecture plus qualitatif que quantitatif, en d'autres termes une lecture moins centrée sur la description quantitative de différentes "contradictions" rencontrées dans le théâtre urbain, mais plutôt une lecture du processus à l'oeuvre dans les ruptures qui, dans le cas présent, s'instaurent dans la société civile.

Nous allons maintenant nous attarder à cerner la logique sous-jacente à la mise en place de ces organisations. Logique que nous repérons à travers la rationalité des initiateurs.

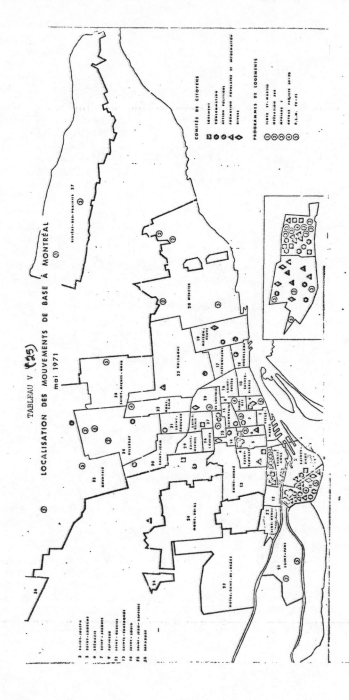

TABLEAU V (25)

LOCALISATION DES MOUVEMENTS DE BASE À MONTRÉAL

mai 1971

(25) Tableau réalisé par le Centre de Recherche Urbaine et Régional (C.R.U.R.) de Montréal.

TABLEAU VI (2b)

166.

CENTRE-VILLE ET ZONES LIMITROPHES
LOCALISATION DES ORGANISMES POPULAIRES

Consommation
Dépannage
Garderie
Loisir
Information
Formation
Santé
Logement
Juridique
Politique
Centre communautaire
Autre

CENTRE-VILLE

Sherbrooke

Ste-Catherine

Notre-Dame

Bridge

ST-HENRI

POINTE-ST-CHARLES

Wellington

St-Laurent
St-Denis
St-Colomb
Papineau
Mont-Royal
Av. du Parc

MILE-END

PLATEAU-MONT-ROYAL

CENTRE-SUD

Iberville

HOCHELAGA-MAISONNEUVE

Pie IX

Ontario

mille

N

(2b) Tableau réalisé par le C.R.U.R. de Montréal.

2. ANALYSES ET STRATEGIES
DES INITIATEURS DE CES ORGANISATIONS

Comme pour l'apparition des groupes populaires que nous avons décrits dans les chapitres précédents, la constitution de C.A.P. dans les quartiers St-Edouard, Rosemont et la formation du R.A.P. et du FRAP visant à agir sur des problèmes identifiés au niveau de la ville n'est pas le fruit du hasard. Ces organisations, comme nous le verrons ultérieurement, ont été initiées et orientées par des intellectuels organiques, dont ceux du Conseil de développement social du Montréal métropolitain (notre cas d'analyse), qui développèrent une analyse des causes de ces problèmes et qui élaborèrent des objectifs, stratégies et moyens conséquents, dont les organisations décrites sont une expression.

Cette volonté de mettre sur pied une organisation politique au niveau de Montréal nécessitait, entre autres, au plan de l'organisation un élargissement de l'équipe de direction pour actualiser le "projet du FRAP". La conjoncture aidant, des agents des milieux syndicaux, du Parti québécois, du milieu étudiant, se joignirent à l'équipe du Conseil de développement social pour mettre en marche ce projet politique : "Les animateurs avaient entrepris une vaste remise en question de leurs interventions... Les syndicats (particulièrement la C.S.N.) avaient identifié la négociation collective comme un cul-de-sac dans la mesure où elle n'est pas complétée par l'ouverture d'un deuxième front : l'action politique. Les Conseils centraux de la C.S.N. avaient élaboré une stratégie qui comportait entre autres l'action politique sur le plan municipal : St-Jérôme, Baie-Comeau, Haute-Rive... La mobilisation populaire autour du P.Q. dans la région de Montréal laissait poindre une série d'espoirs nouveaux et ouvrait des voies d'actions nouvelles... Le mouvement étudiant qui s'identifiait aux groupes populaires et à l'action de base était également acculé à un véritable cul-de-sac après l'échec des occupations et le sabordement de l'U.G.E.Q. (27). C'est dans ce contexte que naquit le FRAP". (28).

C'est donc avec l'insertion de ces agents de différents milieux que les initiateurs tentèrent d'élaborer le projet FRAP.

Si l'idée d'un projet politique au niveau municipal rejoignait des agents de différents milieux, il demeure que les intellectuels du C.D.S., riches de leur expérience d'organisation des groupes populaires à Montréal, étaient les mieux préparés et enracinés pour en assurer la direction, du moins au départ : "Qui a initié la lutte ? Un regroupement d'animateurs du C.D.S. au point de départ auxquels se sont joints des militants du milieu étudiant et militants syndicaux du deuxième front" (29).

D'ailleurs c'est la même observation que fait la revue *Mobilisation* qui était loin de leur être favorable :

> "Encore une fois ce furent les animateurs sociaux (en particulier à Montréal ceux du... Conseil de développement social) qui ont initié et qui ont dirigé ce processus de transformation des comités de citoyens au cours de la période 1968-1970. En gros on peut dire qu'il y eut passage d'une orientation plutôt libérale et populiste vers une orientation plutôt social-démocrate. Ceci se manifeste entre autre par le fait que les animateurs sociaux cherchèrent moins à travailler avec "les marginaux" (assistés sociaux surtout) qu'avec la classe ouvrière et la fraction salariée de la petite bourgeoisie... (et concentrent) les énergies dans Maisonneuve et dans le Centre-Nord..." (30).

Mais si ce fut le cas au départ, progressivement le leadership se déplaça des initiateurs du C.D.S. à ceux du milieu étudiant et syndical, principalement. Par ailleurs à cause de leur situation stratégique les initiateurs du C.D.S. ont lourdement influencé le point de

départ de ce parti politique. C'est pourquoi à ce point de cet exposé, nous nous arrêterons exclusivement sur la pratique introduite par eux. Dans un prochain chapitre, nous
tenterons de décrire le passage progressif du leadership vers de nouveaux initiateurs et ses
effets sur la pratique du FRAP et d'un certain nombre d'organisations.

A cette fin, nous utiliserons principalement les textes de Louis FAVREAU (31) qui
eut un rôle important au niveau de l'équipe du C.D.S. Il l'amena à raffiner l'analyse tant
par ses interventions dans l'équipe que par des textes qu'il lui soumettait :

> *"Louis FAVREAU est arrivé au moment où l'on était complètement perdu avec
> notre approche psycho-sociologique et les comités de citoyens. On touchait le
> cul-de-sac. Louis nous apportait des points de repère qui nous ont aidés à tout
> redéfinir d'une façon positive, ce que l'on avait dit et que l'on avait à faire. Nous
> avons pris conscience de la nécessité d'une stratégie d'intervention à l'échelle
> métropolitaine, dans une perspective de transformation sociale où l'organisation
> politique avait beaucoup d'importance. A partir d'août, l'organisation concrète
> de notre travail s'est faite en fonction de ces clarifications. Des recherches entre-
> prises par Louise CHABOT, par Paul BELANGER, plus notre propre bilan des
> comités de citoyens, nous ont permis de comprendre que le travail ne pouvait
> aboutir qu'en se situant aussi au niveau de l'ouvrier à revenu moyen"* (32).

Nous tenterons d'expliquer dans la troisième partie de ce chapitre les raisons qui ont
amené les initiateurs à mettre en place des C.A.P. d'abord dans le Sud-Ouest, dans l'Est,
dans Rosemont et St-Edouard et à mettre en place le R.A.P. et le FRAP. A ce point de
notre exposé, nous nous arrêterons sur l'analyse, les objectifs, les stratégies et les moyens
utilisés par ces derniers afin de caractériser leur pratique dans ces organisations.

l'analyse

L'analyse sous-jacente à la mise sur pied successive du R.A.P. et du FRAP n'est pas
fondamentalement différente de celle qui présida à la mise sur pied de groupes populaires dans Centre-Sud et Hochelaga. Nous assistons avant tout à un raffinement de l'analyse. Rappelons brièvement que l'analyse consistait à expliquer fondamentalement le phénomène de pauvreté à partir de l'inégale répartition du pouvoir. Face à cet état de fait,
les groupes populaires seraient l'expression d'un mouvement plus ou moins informel visant à réaliser une société participante où serait actualisé un partage équitable du pouvoir
entre les différents groupes composant la société. Stratégiquement il s'agissait de multiplier les organisations qui d'une part actualisent les valeurs de la société participante et
qui d'autre part sont conscientes de l'état actuel de développement de notre société. Au
niveau des moyens il s'agissait de diffuser de l'information sur l'état actuel du développement de notre société et sur les nouvelles valeurs qu'on voudrait y actualiser.

Face à cette analyse, les initiateurs s'attardèrent à préciser : a) quel était l'état de développement des groupes informels ; b) quelles structures permettraient le plus adéquatement d'actualiser les nouvelles valeurs véhiculées par les groupes informels ; c) quels sont
les groupes informels les plus enclins à accélérer l'apparition de ces nouvelles valeurs.

Voyons quelle était leur analyse sur ces sujets .

l'état de développement des groupes informels

Les initiateurs tentèrent d'apprécier l'état de développement des groupes populaires qui feraient partie d'un mouvement plus ou moins informel en voie de se structurer et qui, comme nous l'avons vu précédemment, véhiculerait les valeurs de la société de participation.

Ce mouvement plus ou moins informel pouvait être cerné selon une typologie dégagée à partir de l'identification des groupes selon leurs tendances "dites" d'intégration ou "dites" en rupture. Il s'agissait de cette façon de connaître les types d'organisations les plus aptes à faire des actions qui soient en rupture.

En un point A on situait les organisations considérées comme visant l'intégration ; on retrouvait à ce niveau des organisations et des partis politiques connus sous les noms de Société Saint-Vincent-de-Paul, associations paroissiales, Société Saint-Jean-Baptiste, l'Union nationale et le Parti libéral. En un point B qu'on qualifie de passage transitoire vers une action en rupture, on situait l'apparition des comités de citoyens, le mouvement étudiant, le mouvement syndical (dont la Fédération des travailleurs du Québec et le Conseil des syndicats nationaux) et le Parti québécois. Le point C se présentait comme la rupture sur ce continuum à réaliser avec des organisations du point B.

Les groupes plus ou moins informels et en situation de transition s'affirmeraient progressivement pour s'inscrire dans un mouvement social plus large en formation : "Si l'on regarde... des périodes... 1960-65 et 1965-68, on constate que sur le plan politique (le mouvement indépendantiste) syndical (mouvement ouvrier) et de l'éducation (mouvement étudiant), il y a évolution assez rapide (ex : de l'Alliance laurentienne de Barbeau au P.Q. de Lévesque) au niveau non pas tellement des institutions... mais des mouvements. Conjointement l'idéologie de développement qui commençait en 1960 prend de l'envergure, touche non plus seulement de petits groupes, mais des couches sociales ou plus précisément des mouvements qui sont en voie d'acquérir du poids sur nos institution" (33).

les structures à mettre en place

Face à ce mouvement en formation, il fallait créer des conditions structurelles à son apparition, à l'actualisation des nouvelles valeurs véhiculées. C'est ainsi que la mise sur pied d'une organisation politique au niveau métropolitain, le FRAP se voulait une réponse adéquate et en continuité avec ces organisations pour constituer ce mouvement.

Cependant, le "Front d'action politique" n'est pas né spontanément. Il serait "l'aboutissement d'années de luttes populaires et d'enracinement dans plusieurs quartiers de Montréal" (34). D'ailleurs cette organisation politique comme nous l'avons dit précédemment, se présente comme une réponse qui a principalement son enracinement dans les quartiers populaires de Montréal : "Il (le FRAP) est d'abord dans la lignée des nombreux comités de citoyens qui, depuis 1963 se sont attaqués dans leurs quartiers respectifs à des problèmes précis" (35).

Par ailleurs, le FRAP se veut une réponse qui déborde les comités de citoyens pour rejoindre les autres types d'organisations en situation de transition comme nous venons de le mentionner :

"... face à l'incapacité du syndicalisme d'affaires à faire face aux problèmes politiques... peu à peu s'est développé dans les syndicats l'idée d'un deuxième front... Eventuellement, salariés syndiqués aussi bien que non syndiqués devraient se retrouver dans ce deuxième front... Il ne faudrait pas oublier enfin les changements qui s'accomplissent actuellement dans les C.E.G.E.P. et les universités. Les étudiants acceptent de moins en moins d'être réduits au simple rôle de consommateur passif..." (36).

118

Ainsi le FRAP se présente comme le principal porte-parole des groupes populaires, il se considère d'autre part comme la "jonction à Montréal de ces trois forces de salariés : comités de citoyens, militants syndicaux et étudiants, qui, pour la première fois, s'unissent dans une lutte commune" (37) : "... on peut dégager que les Comités d'action politique et le FRAP... originent des trois sources suivantes : 1) ils sont dans le prolongement de la pratique de lutte et d'organisation des comités de citoyens, sous la direction des animateurs sociaux ; 2) ils se sont construits en accord et en collaboration avec des permanents et militants syndicaux qui tendaient pour la plupart vers la constitution d'une force politique sociale-démocrate ; 3) ils ont reçu l'appui actif d'un certain nombre d'intellectuels progressistes venant surtout d'organisations étudiantes (et à un degré moindre d'organisations nationalistes) et cherchant à se lier à la classe ouvrière" (38).

D'autre part, l'organisation d'un parti politique au niveau municipal se présente comme une première étape : "Le pouvoir municipal ne constitue qu'un premier tremplin de lutte permettant aux salariés d'acquérir une force politique véritable qu'ils n'ont pas plus au plan municipal qu'au plan national" (39).

Ce premier tremplin est considéré comme névralgique parce que le pouvoir municipal serait plus propice d'une part à la mobilisation des gens autour de leurs intérêts immédiats et d'autre part à l'actualisation d'une structure de participation au pouvoir :

"La ville est le cadre naturel de toute vie sociale. C'est l'endroit des intérêts vitaux, des besoins fondamentaux, (santé, habitation, loisirs, transports, air, éducation...). C'est dans cette unité territoriale bien limitée qu'une administration est en pratique la plus apte à déceler les besoins fondamentaux de la collectivité. C'est là aussi qu'elle est plus à même de trouver les moyens de les satisfaire et de faire participer les citoyens à l'élaboration des solutions... Enfin, lutter pour démocratiser nos structures politiques municipales... constitue une expérience essentielle pour étendre le pouvoir des travailleurs salariés à tous les niveaux de décision" (40).

Cette volonté de réaliser "la société idéale" en commençant par cette première étape s'accompagnait de la volonté d'actualiser cette conception à l'intérieur du FRAP à travers sa structure organisationnelle et son programme. De là, la structure d'organisation du FRAP avec ses bases d'organisation au niveau des quartiers, c'est-à-dire les C.A.P.

Bref, la mise sur pied du FRAP correspondait d'une part à une volonté d'actualiser un mouvement social, en situation de transition, en s'appuyant principalement sur les groupes polulaires ; et d'autre part à actualiser à travers cette organisation politique les valeurs de la société participante.

A cette analyse de l'état de développement des groupes populaires et de l'élaboration d'une première étape dans la réalisation de la société participante, s'ajouta celle des groupes sociaux, classes sociales ou strates sociales les plus susceptibles de se mobiliser autour d'un projet politique et de servir de catalyseur dans la réalisation de la société participante.

les populations capables d'accélérer l'apparition de ce projet politique

Les initiateurs produirent une série d'analyses (41) sur différentes catégories de populations à savoir les assistés sociaux, les petits ouvriers et les ouvriers qualifiés en milieu urbain :

"... le phénomène nouveau c'est le développement d'une production et d'une consommation de masse... amenant une élévation du niveau de vie, la diminution des

distances sociales, la transformation des genres de vie, donc des attitudes ouvrières et... de l'orientation du mouvement ouvrier... Relié à ce phénomène c'est... la transformation des villes devenant moins industrielles et plus administratives, commerciales et techniciennes et par le fait même transformation de la population active de celles-ci, et également d'une importance croissante des employés, des fonctionnaires, des techniciens et cadres... La métropole se transformant, la vie ouvrière qu'on retrouve en son centre se diversifie. On peut ainsi distinguer deux types sociaux différents : les quartiers populaires et les zones ouvrières" (42).

Au niveau de Montréal ils délimitèrent deux zones où on retrouve concentrés ces "deux types sociaux différent" : "On pourrait délimiter géographiquement les quartiers populaires comme étant St-Henri, Pointe St-Charles, Ste-Marie, St-Jacques et les zones ouvrières comme Rosemont, Mercier, Hochelaga-Maisonneuve" (43).

Ces "deux types sociaux" sont distingués selon un certain nombre de critères : leur localisation spatiale, leur type de conscience et les actions possibles selon les deux types.

Pour ce qui est de la localisation spatiale de ces "types sociaux" ils mettent l'accent sur certaines caractéristiques culturelles et sur le type d'industrialisation qui a donné lieu à ces regroupements de populations :

"... a) quartiers populaires : issus de développement industriel de la fin du 19ème siècle (la vieille industrie secondaire : textile, chaussure...), ils se sont bâtis à l'ombre de l'entreprise... on peut y dégager les caractéristiques suivantes : – situation d'isolement et homogénéité sociale; – quartier... où l'unité est moins socio-professionnelle que culturelle... l'unité de voisinage domine... b) les zones ouvrières : quartiers plus contemporains où on peut retrouver certaines industries de transformation, on peut dégager les caractéristiques suivantes : – une certaine mobilité professionnelle et d'habitation et une plus grande sensibilité aux mass-média : – ... le cadre de référence s'élargit à la ville (l'isolement est moins prononcé); – sentiment d'être soumis... à une domination économique...; – mélange des catégories sociales : cols blancs, ouvriers spécialisés, manoeuvres..., plus grande séparation entre le lieu de travail et le lieu d'habitation" (44).

Pour ce qui est du type de conscience, ils mettent l'accent sur le degré d'information et sur la façon de s'expliquer les rapports sociaux dans la société :

"a) quartiers populaires – degré d'information sociale, politique et économique : absence totale; – explication de leur situation : se sentent en dehors de l'organisation socio-politique et exclus de l'organisation du travail et du système économique; la cause de leur situation est perçue comme une faillite personnelle; – jugement sur la société : rejet total de la société... aucune perception des structures ou de véritables adversaires... analyse morale... b) zones ouvrières : – degré d'information plus élevé sur l'organisation sociale...; – explication de leur situation en termes d'organisation; – analyse de la société : ... analyse libérale classique... et collective... où les règles du jeu sont à modifier..." (45).

A partir de la caractérisation, selon les "deux types sociaux", de leur localisation spatiale, de leur niveau de conscience, etc., ils identifient les types d'action qu'ils perçoivent comme possible :

"a) quartiers populaires : ... l'action se situe toujours au niveau immédiat de l'expérience personnelle... Elle se pose donc en termes de services (où le résultat est

*concret, immédiat personnalisé).   Et le sens qu'elle porte rejoint l'utopie communautaire...   Elle peut également se poser en termes de revendications, mais autour
de problèmes précis...   b)* **zones ouvrières** *: du fait de la perception de leurs droits
l'action se pose souvent sous forme de revendication (type syndicat, association de
locataires...) ou de participation à l'action politique..." (46).*

C'est à partir de cette analyse que l'on définit le milieu ouvrier, par rapport aux milieux populaires comme "plus en situation de modification des structures qu'en situation
d'aménagement" (47).   C'est ce qui explique l'extension du travail des initiateurs dans les
quartiers St-Edouard, de Rosemont pour rejoindre une "zone ouvrière" qui correspond à
un "mélange de catégories sociales : cols blancs, ouvriers spécialisés, manoeuvres...".

Par ailleurs, selon eux, s'ils privilégient le milieu ouvrier, tel que défini, comme catalyseur de nouvelles valeurs ils identifient un certain nombre d'implications : "... l'expérience confirme cependant que l'information qui ne peut servir à plus ou moins long
terme à l'action est inutile".   A partir de l'information il faut développer une perception
réaliste des fins, des étapes et des moyens, face au pouvoir en place qui permette l'intégration du groupe et des autres dans les articulations plus larges : syndicats, partis.
"Cette condition ouvrière détermine partiellement le type de "projet" susceptible de s'y
développer.   Type de projet qu'on pourrait qualifier de "réformiste", gardant toujours un
pied dans le système et l'autre en dehors, à la fois en rupture et intégré" (48).

Nous n'ajoutons pas ici l'analyse que firent ceux du milieu étudiant et syndical.
Nous aborderons leur analyse et ses implications dans le prochain chapitre.

résumé

Nous assistons donc à un raffinement de l'analyse élaborée par les initiateurs lors de la
mise sur pied de certains groupes populaires dans Centre-Sud et Hochelaga à partir de
1968.   Ainsi face à l'inégale répartition du pouvoir, il s'agit de mettre sur pied une organisation politique au niveau municipal capable d'une part d'être un tremplin pour sensibiliser un plus grand nombre de gens aux problèmes de notre société, et d'autre part d'actualiser au niveau municipal les valeurs propres à la société participante. A cette fin, il s'agit
selon les initiateurs de s'appuyer principalement sur la zone ouvrière, seule capable d'accélérer l'apparition des valeurs de la société participante. On constate aussi aux Etats-Unis,
dans le cadre de la lutte contre la pauvreté, cette concertation d'organisations populaires
pour contrôler le pouvoir municipal (49).

Cette approche comme nous l'avons vu dans le chapitre précédent était surtout inspirée des écrits de sociologues québécois sur la société participante.   A ces derniers, nous remarquons, à travers les documents consultés, que s'ajoutent les travaux de MALLET et de
TOURAINE (50) qui procèdent de la même problématique que les sociologues québécois
mentionnés, entre autres FORTIN, DUMONT, GRAND-MAISON, etc.

C'est donc, en agissant au niveau municipal, en s'appuyant sur les groupes populaires des zones ouvrières, qu'on actualisera progressivement une première étape dans la réalisation de la société participante.

les objectifs

Il s'agit donc dans le cadre de l'analyse élaborée, comme nous l'avons vu dans le chapitre précédent, face à l'état actuel de développement de notre société, caractérisée par l'i négale rétartition des richesses collectives, d'arriver à ce que le pouvoir soit contrôlé par ceux qui veulent construire une société égalitaire, fraternelle et juste. La mise sur pied du FRAP est conçue comme une étape dans la participation des travailleurs au pouvoir. Première étape offrant la possibilité à la fois de créer une effervescence politique tout en créant une base d'organisation structurée de participation qui pourrait, à cause de la situation névralgique de Montréal, progressivement s'étendre aux autres paliers de décision politique qui concernent les travailleurs.

Ainsi les objectifs consécutifs à cette analyse devenaient : "Création d'un parti politique municipal radicalement nouveau ; autonome vis-à-vis des groupes économiques influents ; favorable aux travailleurs, c'est-à-dire en fonction des intérêts de la majorité de la population, et permettant une participation politique des travailleurs en tant que collectivité" (51).

Mais l'actualisation de ces objectifs procédait d'une stratégie qui voulait rendre compte de cette volonté d'amorcer la rupture avec les organisations qui étaient au point B de leur typologie.

la stratégie

La stratégie qui a prévalue dans l'instauration de cette première étape consistait à faire un regroupement des groupes populaires à Montréal et à mettre en place les conditions nécessaires à la lutte sur les trois fronts (politique, consommation, travail) (52).

regroupement des groupes populaires

Il s'agissait de faire un regroupement des associations populaires qui aurait pour tâche de "réaliser l'opération conseillers municipaux". Il s'agit essentiellement de regrouper des militants des quartiers populaires et ouvriers pour organiser des assemblées publiques qui obligeraient les conseillers municipaux à rendre compte de leur mandat. Ce qui explique la formation du Regroupement des associations populaires (R.A.P.).

A cette fin, il s'agissait dans les quartiers populaires, de préparer les militants à poser des questions embarrassantes aux conseillers municipaux pour faire ressortir leur attitude "suiviste" dans le Parti civique du maire DRAPEAU (53). Dans les zones ouvrières telles Hochelaga-Maisonneuve, Rosemont et St-Edouard, par le biais de la mise sur pied de cours d'éducation populaire en collaboration avec la Commission des écoles catholiques de Montréal intitulés "Citoyens face au pouvoir", il s'agissait de rejoindre environ cent personnes par quartier pour préparer des assemblées publiques au niveau de leur secteur respectif. De là, l'extension du FRAP dans un premier temps, dans les quartiers St-Edouaed et Rosemont qui devaient servir de modèle pour les autres districts électoraux où l'on pourrait implanter des Comités d'action politique (C.A.P.).

Il s'agissait de bâtir des assemblées publiques durant le mois de mai 1970, dans un total de huit districts électoraux de Montréal qui regroupent le centre de la zone ouvrière de Montréal. Par ces assemblées publiques, il fallait démontrer l'incompétence des conseillers municipaux et "mousser" la création d'un parti politique... Ce serait ainsi le point de départ à une présence à l'opinion publique et à la constitution des Comités d'action politique dans l'ensemble des quartiers concernés pour lutter sur les trois fronts.

les conditions à l'apparition des trois fronts de lutte

A la suite de ce regroupement, de la formation des C.A.P. et de cette première présence à l'opinion publique, il s'agissait de créer une base populaire et ouvrière organisée face au pouvoir municipal pour ouvrir une campagne électorale sur le plan municipal au mois d'octobre 1970.

A cette fin, il s'agissait de convoquer une conférence de presse qui présente au public les Comités d'action politique et leur Manifeste. Par la même occasion, annoncer une soirée synthèse des assemblées qui aurait lieu dans les différents quartiers, pour rejoindre un minumum de 1 500 personnes et/ou, à partir de l'évaluation des résultats des assemblées publiques, on mettrait l'accent sur la nécessité de mener la campagne électorale : "fini la défensive on passe à l'offensive, il y a des problèmes à Montréal, on doit s'organiser en C.A.P. dans chacun des districts électoraux". A cette fin la mise sur pied d'assemblées publiques dans les districts d'Hochelaga, St-Edouard et Rosemont servirait comme nous le disions précédemment, de modèle pour les autres quartiers ouvriers. Cela devenait l'occasion d'ouvrir le premier front, celui de l'action municipale.

Il s'agissait à travers ce premier front d'arriver à élire quelques conseillers municipaux qui canaliseraient la contestation à Montréal autant sur le plan de la consommation, du travail que celui de la politique municipale. D'autre part, il était important de remettre en question le système de représentation politique au niveau municipal en faisant en sorte que face aux projets soumis par l'exécutif de la Ville, les conseillers élus par le FRAP exigent une consultation auprès de la population de leur district.

Suite aux élections municipales d'octobre, on ouvrirait le front de la consommation en faisant la lutte pour le contrôle des Caisses populaires afin qu'elles s'affilient à l'Association coopérative d'économie familiale (54), qu'elles utilisent des fonds pour informer les citoyens et financer la mise sur pied de coopératives alimentaires. Bref, développer des services et une action positive immédiate pour la classe ouvrière, le combat ouvrier étant conçu comme la jonction à établir entre les besoins immédiats et la prise du pouvoir.

Le front du travail suivrait les autres chronologiquement. On voulait monter un échantillonage de 40 usines, faire une étude des conditions de vie des travailleurs dans ces usines afin d'organiser des colloques où l'on définirait une stratégie d'intervention face à ces problèmes.

Voyons maintenant sur quels moyens reposait ce projet de lutte sur trois fronts.

les moyens

La mise sur pied du projet FRAP exigeait la mise en place de moyens dépassant largement ceux nécessités pour les périodes précédentes (55).

Le groupe initial composé d'étudiants, de permanents de la C.S.N. et pour une large part, des initiateurs du C.D.S. et de militants venant des groupes où ceux-ci étaient impliqués, avait comme tâche d'assurer la réalisation du front municipal.

Un certain nombre de tâches importantes au niveau de l'élaboration de dossiers était assuré par des étudiants en science politique. Les tâches d'organisation des assemblées, de publicité et de contacts avec des organismes étaient assurées par des initiateurs du C.D.S. La C.S.N. assurait le support technique à la mise en place de ces assemblées et dégageait un permanent pour soutenir le travail d'organisation, d'encadrement et de liaison.

Cependant, la constitution d'un conseil permanent provisoire et les tâches à plein temps qui y étaient liées pour la mise sur pied du FRAP, l'encadrement des Comités d'action politique, la formation et la recherche en vue de la préparation du programme, les relations avec l'extérieur et enfin la coordination en général, tout cela nécessitait plus que l'aide technique que pouvait apporter la C.S.N. Cela exigeait un apport financier important (salaire de permanents, imprimerie, etc.). C'est ainsi que : 1) la C.S.N. dégageait à mi-temps des permanents ; 2) les initiateurs du C.D.S. donnèrent au FRAP le tiers de leur salaire pour payer les permanents ; 3) on lança une campagne de souscription et d'adhésion au FRAP.

C'est avec ces maigres moyens financiers qu'on assurait un minimum de permanence au FRAP.

Cependant, les initiateurs du C.D.S. assuraient indirectement une bonne partie des tâches d'encadrement et d'organisation au niveau des quartiers. Indirectement en effet, car à l'aide de projets présentés au ministère de la Santé (56) et aux Eglises de Montréal (57) le nombre de personnes doubla au C.D.S., passant de quatre à huit. Cela augmentait les ressources financières du conseil permanent provisoire puisque tous remettaient le tiers de leur salaire au FRAP. D'autre part cela permettait d'intensifier les projets d'information et d'organisation communautaire dans les zones populaires déjà identifiées et les zones ouvrières d'Hochelaga-Maisonneuve, de Rosemont et St-Edouard, selon le schéma suivant : 1) Dans les "zones ouvrières" s'appuyant sur l'analyse que nous avons déjà abordée, les initiateurs organisèrent des cours d'information intitulés "Citoyens face au pouvoir", qui étaient un prétexte pour recruter en vue des assemblées publiques et pour former les futurs leaders des C.A.P. Ces cours permirent d'ailleurs de rejoindre 300 personnes. 2) Dans les zones populaires, ils visaient à mettre en place des organisations autosuffisantes, telles que les comptoirs alimentaires. Ainsi, en répondant aux besoins immédiats des gens de ces quartiers, s'assurait-on d'une plate-forme pour mener la lutte sur les trois fronts, dont le front politique municipal.

C'est avec ces moyens relativement limités que fut entrepris le projet FRAP sur lequel, nous l'avons vu, reposait en bonne partie l'actualisation des autres fronts de lutte.

conclusion

En résumé, l'analyse développée par les initiateurs, comme pour la période précédemment analysée, soutient que la pauvreté résulte de l'inégale répartition des richesses collectives. Mais fondamentalement, c'est l'inégale répartition du pouvoir qui est à l'origine de la situation de pauvreté. D'où découle la formulation d'objectifs visant à atteindre un partage plus équitable du pouvoir. A cette fin, il s'agit de mettre sur pied une organisation politique au niveau municipal comme premier pas à réaliser pour permettre aux groupes informels, en situation de transition, d'actualiser leurs valeurs nouvelles. Cependans pour réaliser cette tâche, il fallait s'appuyer sur les zones ouvrières qui sont plus aptes à agir comme catalyseur. Stratégiquement, il s'agit de mettre en place un regroupement de citoyens pour constituer un parti politique municipal. A partir de ce niveau de pouvoir, il deviendra possible d'une part d'actualiser les valeurs de la société participante et d'autre part de construire d'autres fronts de lutte sur le plan de la consommation et du travail. Le pouvoir étant ainsi conçu comme instrument à partir duquel on pourrait arriver à agir sur l'inégale répartition du pouvoir, du savoir et de l'avoir.

Nous contestons les fondements de cette approche car nous remettons en question sa base même, l'analyse.

3. EVALUATION CRITIQUE DE L'APPROCHE DES INITIATEURS

Nous ne reviendrons pas ici sur la critique du cadre conceptuel utilisé par les initiateurs. Nous voulons d'abord nous attarder au raffinement de leur analyse.

Dans leur démarche, les initiateurs sont amenés simultanément à modifier leur base sociale et à introduire un nouveau mode d'intervention.

Ils introduisent l'idée de zone ouvrière par opposition à zone populaire. L'idée de zone indiquant que la base géographique d'intervention correspond moins à une délimitation géographique qu'à des catégories particulières de la population. La zone ouvrière réfère à un regroupement de salariés ouvriers de différents secteurs auxquels s'ajoute "la fraction salariée de la nouvelle petite bourgeoisie". Les données fournies sur le rapport qui s'établit entre ces différentes catégories sociales indiquent que ce serait d'abord cette "fraction salariée de la nouvelle petite bourgeoisie" qui agit comme moteur de ce mouvement. Le type de modification des structures qui peut être entrevu à partir de cette zone ouvrière correspondrait à un "projet qu'on pourrait qualifier de "réformiste" gardant toujours un pied dans le système et l'autre en dehors, à la fois en rupture et intégré". C'est dans ces termes qu'est posé le rapport entre le passage à un nouveau type d'action et à une nouvelle base sociale.

Leur rapport à cette nouvelle base sociale et leur raffinement de l'analyse gomment l'intérêt que trouvent les initiateurs dans ce nouveau type de projet. Tout ce passe comme s'ils n'avaient pas le choix, que c'était le caractère "scientifique" de leur analyse qui guidait leur choix d'intervention. Cette approche ignore leur rôle charnière dans la superstructure. D'ailleurs, le caractère scientifique de la distinction introduite entre zone ouvrière et zone populaire a été largement démenti dans les faits. Les luttes des assistés sociaux se sont radicalisées à Montréal. Ils formèrent "l'Association pour la défense des droits sociaux" (A.D.D.S.) au début de 1971. Ils s'enracinèrent solidement dans différent quartiers et menèrent des luttes de plus en plus radicales. Ils réussirent, entre autres, à constituer un mouvement auprès des assistés sociaux pour refuser de payer la taxe d'eau de Montréal. Ils arrivèrent à tenir tête aux gouvernements provincial et municipal sur cette question. En ce sens, leur action est loin de "l'utopie communautaire".

En effet, les assistés sociaux, groupe délaissé progressivement par les initiateurs, s'organisèrent lentement, suite au vote en 1971 par l'Assemblée nationale du Québec du bill 26 qui définissait plus précisément les droits des gens vivant de l'assistance sociale. Dans plusieurs quartiers, ils organisèrent des secrétariats qui informaient les gens sur ces droits.

Les A.D.D.S., selon certains, se distingueraient "des comités de citoyens traditionnels en ce que ses "animateurs" sont des citoyens issus de milieux populaires et non des professionnels" (58). Encore une fois, nous voyons que le processus mis en marche par les initiateurs tend à introduire de nouveaux modes de rapport entre l'Etat et les assistés sociaux dans le cas présent.

Mais pourquoi les initiateurs s'insérèrent-ils dans cette logique d'action? C'est à travers le rôle charnière des intellectuels dans leur rapport au pouvoir local et à l'appareil dont ils font partie que nous allons aborder cette question.

3.1. Aspects de la pratique du pouvoir local

Nous avons vu que le pouvoir municipal se montra réfractaire aux groupes populaires décrits dans le chapitre précédent. Cette situation les obligeait à se retourner sur eux-mêmes et à partir de leurs moyens ils se donnèrent des services. Cependant, nous avons pu constater comment cette situation posait à la fois des problèmes d'organisation et de mobilisation des gens.

Par ailleurs, l'intransigeance de l'administration DRAPEAU-SAULNIER (59) ne se manifestait pas seulement face aux réactions des groupes populaires que nous avons décrits dans les chapitres précédents. La pratique du pouvoir municipal devenait de plus en plus contraignante pour un bon nombre d'organisations. Plus encore, même la force de l'ordre du pouvoir municipal se mit en grève le 7 octobre 1969.

Cette grève catalysa l'insatisfaction autour du pouvoir municipal. Au moment de la grève des policiers, le M.L.T. (Mouvement de libération du taxi) organisa une grève monstre contre Murray Hill, un monopole dans le domaine du transport, qui donna lieu à un éclatement de violence sans précédent, en plus d'un nombre imposant de blessés et d'un mort. Mais le M.L.T. visait aussi le pouvoir municipal dans son action :

"Ce n'est pas la Murray Hill que le Mouvement de libération du taxi visait surtout, lors de la nuit sanglante du 7 octobre... Trois fois, ils ont écrit à M. SAULNIER, deux fois, celui-ci leur a répondu sans jamais leur accorder d'entrevue. Mais pourquoi a-t-on manifesté mardi soir ? Devant une telle situation de fait, il est clair qu'au moment où d'autres groupes sociaux, policiers et pompiers, mettaient en évidence le manque de préoccupation de cette administration en ce qui concerne les travailleurs, nous nous devions d'indiquer conjointement avec ceux-ci notre insatisfaction..." (60).

C'est ainsi que le Front de libération populaire (F.L.P.), groupe politique de gauche, s'associe au M.L.T. et met en place une manifestation et demande la démission des dirigeant municipaux. Les groupes populaires ne sont plus les seuls à affronter le pouvoir municipal : "C'est alors que le Front de libération populaire (F.L.P.), sentant le régime DRAPEAU-SAULNIER en périlleuse situation policière et politique, annonce pour le lendemain une manifestation contre l'Hôtel de Ville réclamant la démission du maire et du président exécutif" (61).

Le régime DRAPEAU-SAULNIER fortement échaudé par le M.L.T., ne pouvant contenir la crise en cours avec ses conséquences politiques, prend à partie le gouvernement fédéral face aux événements de "Murray Hill" et à la participation de la Compagnie des jeunes Canadiens (C.J.C.), dans cette manifestation : "C'est alors que le Président SAULNIER, puisant dans une vitalité étonnante, va reprendre l'initiative de l'action et lancer une contre-offensive sans précédent à Montréal, ouvrant le jeu coup sur coup contre les "révolutionnaires", la Compagnie des jeunes Canadiens et son bailleur de fonds, le gouvernement TRUDEAU, la compagnie Murray Hill et son protecteur, le gouvernement fédéral encore une fois" (62).

Progressivement, on détourna l'attention presque'exclusivement sur "quelques agitateurs" de la C.J.C. Devant ces attaques répétées de l'administration locale de Montréal, le gouvernement fédéral institua une enquête sur la Compagnie des jeunes Canadiens : "Il est ordonné : — que le comité permanent de la radiodiffusion, des films et de l'assistance aux arts soit autorisé à examiner le cadre législatif, l'organisation et les activités de la Compagnie des jeunes Canadiens, et présente un rapport à ce sujet le 5 décembre 1969..." (63).

Dans le cadre de cette enquête, le pouvoir municipal fit un long témoignage pour associer le F.L.P., le M.L.T. et les volontaires de la C.J.C. : "... le sigle F.L.P. ... on (le) retrouve dans les locaux occupés... par les volontaires de la Compagnie des jeunes Canadiens du Comité ouvrier de St-Henri... Lors de l'émeute, qui a eu lieu dans la soirée du 7 octobre, devant les garages de la Murray Hill... des volontaires du Comité ouvrier de St-Henri... ont été vus en compagnie des manifestants du Mouvement de libération du taxi, M.L.T..." (64).

Cette enquête aboutit d'une part à modifier la loi sur la Compagnie des jeunes Canadiens. La composition du Conseil de la Compagnie fut changée : il serait dorénavant composé de sept à neuf membres nommés par le gouvernement. On se souvient que dans la loi de 1966, le Conseil était formé de quinze membres dont dix élus par les volontaires (65).

De plus on définit plus précisément la latitude qui dorénavant serait accordée à ces intellectuels organiques, et la fonction hégémonique qui leur serait assignée :

> *"Puisque la Compagnie des jeunes Canadiens a pour objet d'assister les citoyens dé-*
> *pourvus de pouvoirs et de moyens d'expression face à leur participation dans la*
> *société, il est inévitable que les volontaires de la Compagnie, au cours de leur en-*
> *gagement se trouvent à l'occasion en conflit avec certaines structures politiques,*
> *sociales ou économiques. De tels affrontements sont acceptables pourvu qu'ils*
> *contribuent à la poursuite des buts d'un projet de la C.J.C. en particulier. Les*
> *buts de ces projets sont déterminés par les cadres et les volontaires de la Compa-*
> *gnie et sont sujets à approbation et à révision périodique par le Conseil. Il va sans*
> *dire que les volontaires ont leurs propres convictions politiques, mais ni les volon-*
> *taires, ni les projets dans lesquels ils oeuvrent ne doivent militer directement au*
> *sein de partis ou de mouvements politiques... tout volontaire qui désire poursui-*
> *vres ses opinions politiques jusqu'à un militantisme actif au sein de partis ou de*
> *mouvements politiques sera invité à remettre sa démission"* (66).

Mais cette fois-ci, à travers son affrontement avec la C.J.C., le pouvoir municipal avait cristallisé bon nombre d'oppositions qui se détournèrent sur lui : "Le cul-de-sac dans lequel se trouvaient les comités de citoyens, le vide devant lequel se retrouvait le mouvement étudiant, les amorces d'ouverture d'un deuxième front par les syndicats (colloques régionaux), l'absence de toute opposition au Parti civique, le climat politique froid qui ne laissait supposer aucune mobilisation des militants, l'amoncellement des problèmes laissés sans solutions par le pouvoir municipal (état des logements, taxi, réduction des tarifs pour les billets de métro...) sont autant de facteurs qui favorisaient la participation à une élection comme moyen de consolider l'organisation des quartiers où il existait déjà des groupes (Hochelaga-Maisonneuve, St-Jacques, Pointe St-Charles) et constituer une base de militants là où il n'y en avait pas (St-Michel, Rosemont, St-Louis, Papineau, etc.)" (67).

C'est en raison des déboires et de l'hostilité de plus en plus apparente du pouvoir local que nous pouvons nous expliquer pourquoi les initiateurs identifièrent ce dernier comme étant au coeur de l'inégale répartition des richesses collectives, et qu'ils travaillèrent à la constitution d'un parti politique municipal.

Face à la perte de légitimité de la C.J.C. au Québec, et en particulier à Montréal, le pouvoir fédéral mettra de plus en plus à l'oeuvre une nouvelle stratégie de direction hégémonique, il renforcera son contrôle sur les politiques sociales du gouvernement québécois et initiera différents projets de courte durée sans continuité possible au niveau, entre autres, du financement. Nous aborderons ces deux points dans le prochain chapitre.

L'analyse qui a amené l'identification de groupes en situation de transition serait donc à resituer par rapport à la rupture qui s'est progressivement installée, entre autres, entre les initiateurs et le pouvoir local. C'est donc dans leur rupture avec le pouvoir local et non dans celle de la "zone ouvrière", qu'il faut rechercher l'origine du "mouvement en transition".

3.2. Pratique de direction : inégal développement de la stratégie des initiateurs

Nous avons vu dans le chapitre précédent que dans les quartiers Centre-Sud et Hochelaga la stratégie consistait à développer des groupes de réflexion sur la société actuelle à partir desquels il s'agissait de mettre en place des projets précis, c'est-à-dire des services organisés avec les gens sur la base de problèmes retenus. A travers ces organisations, il s'agissait de favoriser l'éclosion de nouvelles valeurs, d'assurer une critique de la structure sociale et de voir à multiplier les organisations ainsi constituées.

Si les initiateurs fonctionnaient selon la même stratégie dans leur implication auprès d'un quartier de la "zone ouvrière" (Hochelaga) et d'un quartier de la "zone populaire" (Centre-Sud), ils constatèrent que les résultats n'étaient pas les mêmes.

Dans Centre-Sud, composé d'assistés sociaux, après six mois d'activité, force fut de constater que s'ils réussissaient à mettre sur pied des services immédiats qui mobilisaient les gens, ils ne réussissaient pas par ailleurs à catalyser la réflexion autour de la thématique désirée. Bref, les aspirations des gens s'arrêtaient à une volonté d'obtenir un service et de contrôler les projets qu'ils avaient constitués : "... l'expérience s'avère être un échec : les possibilités d'action et de réflexion... ne réussirent pas à soulever un intérêt soutenu et les problèmes abordés n'ont pas permis aux participants de pousser une analyse le moindrement poussée de la société. Les causes de cet échec sont les plus diverses... Quoiqu'une cinquantaine de personnes y participèrent, je ne réussis pas encore à dégager un noyau de personnes suffisants pour engager un processus significatif" (68).

Dans le quartier Hochelaga-Maisonneuve les résultats furent différents. A partir du même processus les résultats furent plus stimulants. En effet, les groupes de réflexion attirèrent un nombre important d'ouvriers du quartier dans le cadre du cours "Les citoyens face au pouvoir" mis sur pied en relation avec la C.E.C.M. Ces cours furent suivis de la mise sur pied d'un comptoir alimentaire et de l'élaboration d'une recherche participante voulant faire ressortir "les contrastes plutôt que les mécanismes" de fonctionnement de notre société : "Décrire la situation en terme de contradiction et de contexte illustrant le pouvoir des autres... Contradictions plutôt que mécanismes, fonctionnements, lois..." (69).

C'es sur la base du résultat inégal de leur stratégie qu'ils s'appuyèrent pour amorcer une réflexion relativement aux populations touchées par leurs interventions. A l'aide d'une équipe de sociologues, ils construisirent la rationalité analytique que nous avons déjà décrite.

Par ailleurs cette rationalité, dans un contexte de rupture avec le pouvoir local, s'orienta dans des sentiers précis. En effet, selon ces derniers, si les gens rejoints dans la zone ouvrière leur apparaissaient disposés à recevoir de l'information, ces derniers considéraient cette information stérile s'ils ne pouvaient agir sur les problèmes abordés : "L'expérience confirme cependant que l'information qui ne peut servir à plus ou moins long terme à l'action est inutile. Nous avons également le sentiment qu'à partir de l'information et de la réflexion amorcée, les développement davantage une perception réaliste des fins, des étapes et des moyens face au pouvoir en place" (70).

De plus, les gens touchés par ces initiatives seraient plus intéressés par des projets tel "le salaire minimum garanti" que la réalisation d'un service au niveau du quartier. D'ailleurs, ils considéraient que cette population se mobilisait plus facilement autour d'organisations politiques : "Le R.I.N. et le P.Q. y ont fait des trouées importantes et même une certaine gauche est issue des quartiers" (71).

C'est en ce sens que la population ouvrière d'Hochelaga se présente pour eux comme à la jonction de différents phénomènes. C'est-à-dire que selon leur analyse et la typologie qu'ils constituèrent, ils considéraient que cette population ouvrière pouvait s'allier à d'autres organisations en situation de transition pour créer un mouvement social actualisant les valeurs de la société participante.

Cependant, ces observations leur posaient un certain nombre de problèmes. Ces derniers devaient définir leur propre implication : "Savoir davantage où il s'en va lui-même : ce qui implique qu'il a formulé certaines étapes, qu'il a cerné un possible qu'il peut proposer, une image cohérente de ce vers quoi on peut aller" (72).

En plus, il fallait qu'ils rejoignent d'autres quartiers ayant les mêmes caractéristiques sinon ce serait le cul-de-sac, l'isolement et la démobilisation. De là, l'extension de leur travail dans la "zone ouvrière", dont Rosemont et St-Edouard.

Bref, il s'agissait pour eux de penser une stratégie générale d'action qui soit réalisable et mobilisatrice. Ils avaient conscience d'avoir à choisir entre deux orientations. La première était ainsi définie : "l'une (psycho-sociologique) met plus l'accent sur les phénomènes socio-émotifs et se situe au niveau de groupes restreints" (73)

Cela leur apparaissait inacceptable car ils se cantonnaient ainsi à ne pouvoir rejoindre que les assistés sociaux aux prises avec d'énormes problèmes sociaux, mais dont leur analyse indiquait qu'ils n'avaient pas les ressources suffisantes pour organiser une action transformatrice de leur condition. Mais, "l'autre (socio-politique) définit les situations en termes de pouvoir, se situe par rapport à un collectif plus large" (74).

Cette orientation permettrait de rejoindre les "zones ouvrières" qui seraient plus aptes à se mobiliser, mais exigeraient des ressources organisationnelles et des projets précis.

Dans un contexte où le pouvoir local n'offre aucune prise, le choix allait de soi. Suite à leur évaluation des possibilités et limites, d'une part, du travail réalisable avec les zones populaires et ouvrières et, d'autre part, des limites identifiées à l'action de quartier, les initiateurs provoquèrent, en s'associant d'autres intellectuels, la constitution du R.A.P. et du FRAP.

Par le fait même, leur pratique devenait de plus en plus incompatible avec les limites inscrites dans la nature même du C.D.S. : une institution à but non lucratif financée par des fonds provenant d'une campagne de souscription volontaire et par le gouvernement provincial qui, lui, tentait d'y traduire sa propre emprise hégémonique.

Leur rapport organique à cette institution devint donc problématique. A cet effet, nous avons vu que ces intellectuels tentent de plus en plus de se soustraire au contrôle de cet organisme et d'utiliser au maximum ses ressources. Ils orientèrent des ressources vers des objectifs non ouvertement reconnus par leur Conseil d'administration, comme nous avons pu le constater lorsque nous avons traité des moyens utilisés pour réaliser le projet politique du FRAP.

Cependant, l'équipe du Service d'animation tente progressivement de faire accepter de nouvelles tâches qui sont sources potentielles de discussions et donc, dans la situation, de conflits. C'est ainsi qu'à la présentation de son programme annuel pour l'année 1970 au Conseil d'administration, l'équipe du Service d'animation introduit l'idée de la possibilité de mettre en place des organisations à caractère politique : "Le comité de citoyens continuera à se développer et deviendra de plus en plus le centre d'échange sur ce qui est en cours dans le quartier et le lieu de rencontre de divers autres groupements soit de type coopératif (comptoir alimentaire), soit de type socio-politique" (75).

On s'oriente ainsi vers un durcissement des positions qui prépare une crise, un éclatement au niveau de cet appareil.

C'est ainsi que progressivement se traduit le rôle charnière des intellectuels dans leur rapport au pouvoir local et à l'appareil dont ils font partie. Rapport qui nous permet d'éclairer le contexte entourant le développement du R.A.P. et du FRAP.

C'est donc avant tout ces derniers, à travers leur fonction charnière, qui sont en rupture et qui cherchent à s'allier de nouvelles couches sociales pour actualiser un projet politique dont le pouvoir local s'est progressivement identifié comme l'adversaire principal. Ils trouvent la légitimation de leur pratique dans un mouvement en transition dont ils sont à la fois les instigateurs et les principaux intéressés.

Leur fonction d'intellectuel les a progressivement amenés à se confronter à l'appareil d'Etat, et en particulier au pouvoir local. Une rupture s'est installée qui cristallise une crise hégémonique à l'intérieur du bloc dominant.

En effet, nous avons vu, dans le chapitre précédent, dans la conjoncture québécoise des années 1966-1969, que "la petite bourgeoisie moderne nationaliste" se butait "au durcissement de la bourgeoisie canadienne et de l'Etat fédéral". Dans ce contexte nous assistons à des guerres de position à l'intérieur des appareils de la société civile où la "petite bourgeoisie moderne nationaliste" tente d'organiser la logique "sociale-démocrate" face à l'effort de direction du gouvernement provincial se définissant de plus en plus comme "une succursale de son grand frère canadien et fédéraliste".

Nous avons vu d'ailleurs que le gouvernement fédéral rencontrait des difficultés à construire ses propres assises hégémoniques. A cet effet, très rapidement la légitimité de la direction de la Compagnie des jeunes Canadiens s'effrita sous l'action de ses intellectuels qui menèrent une critique et des actions plus radicales face, entre autres, au pouvoir municipal. Force est de constater que le mouvement initié par le fédéral plaça le pouvoir municipal dans une situation délicate et rendait impossible pour ce dernier de résoudre à lui seul le mouvement amorcé... C'est dans ce contexte que naquirent les programmes fédéraux connus sous les noms de Projet d'initiative locale (P.I.L.) et Perspective-Jeunesse (P.J.) sur lesquels nous reviendrons dans le prochain chapitre.

Le gouvernement provincial, qui se comportat de plus en plus en "succursale de son grand frère canadien", lui aussi confronté à des organismes comme le Conseil de développement social, cherchait à se redéfinir un nouveau type de direction hégémonique. C'est à travers la réforme des affaires sociales que s'amorça le processus qui donna lieu à une concentration des pouvoirs de direction au profit du bloc au pouvoir.

A cet effet, le gouvernement du Québec avait institué en 1966 une commission d'enquête sur la santé et le bien-être social qui donna lieu à la restructuration administrative des insitutions de santé et de bien-être, et à la réorientation des politiques sociales (76). C'est surtout à partir de 1970 que la réforme fut mise en application, mais le mandat de départ était assez étendu pour que ces intellectuels organiques lui fournissent une alternative globale de direction :

> "... Il est ordonné... que soit institué... une commission chargée de faire enquête sur le domaine de la santé et du bien-être social et, d'en restreindre son mandat, en particulier sur les questions relatives : ... à la propriété, à la gestion ainsi qu'à l'organisation médicale des institutions dites de bien-être social ; ... à l'acte médical, ainsi qu'à l'évolution de l'activité médicale et paramédicale ; ... aux mesures d'aide sociale et à leur développement ; ... à la structure et au rôle des divers organismes ou associations s'occupant de la santé et du bien-être social..." (77).

Nous nous arrêterons sur les effets concrets de cette réforme dans le prochain chapitre puisque c'est surtout à partir de 1970 que les effets concrets de cette commission d'enquête se manifestèrent.

Bref, face à la crise en cours, dont les initiateurs à travers leur rôle charnière sont une des expressions, se préparent des alternatives, par l'appareil d'Etat, dans le domaine de la société civile.

(1) En collaboration, *Manifeste du Mouvement d'action politique municipal*, Montréal, août 1969, p. 1, ronéo.

(2) LIZEE, Michel, in : *Animations sociales au Québec*, op. cit., p. 355.

(3) Idem, p. 357.

(4) Idem, p. 359.

(5) En collaboration, *Manifeste du F.R.A.P.*, Montréal, mai 1970, p. 15.

(6) Idem, p. 13.

(7) Idem, p. 16.

(8) Idem, p. 19.

(9) En collaboration, *Manifeste du F.R.A.P.*, Montréal, mai 1970, p. 19.

(10) En collaboration, *Manifeste du F.R.A.P.*, Montréal, mai 1970, p. 12.

(11) Pour plus d'information voir le programme du F.R.A.P., *Les salariés au pouvoir*, Montréal, les Presses Libres, 1970, 141 p.

(12) "Les quartiers de Rosemont et St-Edouard forment une immense zone résidentielle comprise entre les rues St-Laurent et Pie IX au nord et de la rue Sherbrooke et de la voie ferrée du Canadien Pacifique". Le quartier St-Edouard est séparé du quartier Rosemont par la rue Papineau, tiré de : *Projet d'éducation et d'organisation communautaire*, Conseil de développement social du Montréal métropolitain, décembre 1969, p. 3.

(13) LAGRENADE, Pierre, *Rosemont c'est quoi*, C.D.S., février 1970, p. 5.

(14) Idem, p. 7 et 8.

(15) Ce tableau comme le précédent est tiré de *Opération, rénovation sociale*, C.O.M., décembre 1966, p. 62.

(16) La comparaison avec 1974 a été impossible puisque les données n'étaient pas regroupées sur la même base géographique.

(17) LAGRENADE, Pierre, *Rosemont c'est quoi ?*, op. cit., p. 5.

(18) A partir de BASTIEN et autres, op. cit., p. 26-28.

(19) Pour l'analyse socio-économique, nous avons retenu les données relatives à la zone d'intervention des initiateurs. Cette zone est limitée à l'Est par le boulevard Pie IX, tandis qu'elle est limitée par la rue Viau pour l'analyse des investissements.

(20) BASTIEN et autres, op. cit., tableau effectué à partir des données des pages 27 à 29, 106 et 108.

(21) BASTIEN et autres, op. cit., tableau effectué à partir des données de la page 26 et de la page 106.

(22) Nous avions effectué dans des travaux précédents ces types de tableaux, mais ils n'étaient pas comparables avec les présentes données qui sont plus précises : nous avions construit différemment les catégories, nous n'avions pas effectué les mêmes regroupements de quartier, ni retenu tous les investissements, ni rejeté les permis de construction non utilisés, enfin nous avions compilé manuellement et non selon un système informatisé les données, ce qui augmente le risque d'erreurs.

(23) COLLIN, Jean-Pierre, GODBOUT, Jacques, *Les organismes populaires en milieu urbain : contre pouvoir ou nouvelle partique professionnelle*, op. cit., p. 214.

(24) Idem, p. 215.

(25) Tableau réalisé par le Centre de recherche urbain et régional (CRUR) de Montréal

(26) Tableau réalisé par le CRUR de Montréal

(27) Union générale des étudiants de Québec.

(28) En collaboration, *Historique et tendances de l'animation sociale à Montréal*, C.D.S., octobre 1971, p. 7.

(29) LAGRENADE, Pierre, LAPOINTE, Robert, *Bilan : animation sociale*, C.D.S., décembre 1972, p. 10.

(30) En collaboration, "Quelques aspects du début d'un mouvement socialiste à Montréal", *Mobilisation*, 2ème édition, numéro 1, vol. 3, 1975, p. 42.

(31) FAVREAU, Louis, *A propos d'une intervention d'animation, celle du Conseil des oeuvres*, C.D.S., janvier 1969, p. 26 ; FAVREAU, Louis, *Analyse sociologique des quartiers dans lesquels nous travaillons*, C.D.S., septembre 1969. Il y a de plus deux textes du F.R.A.P. dans lesquels Louis FAVREAU a été directement impliqué : le

programme du F.R.A.P., *Les salariés au pouvoir*, Montréal, les Presses Libres. 1970, 141 p. ; en collaboration, *Manifeste du F.R.A.P.*, Montréal, mai 1970. Enfin, des textes complémentaires de l'équipe du C.D.S. : 1/ Dans l'analyse de la stratégie du F.R.A.P., nous avons choisi une bobine enregistrée en janvier 1970 par Pierre LAGRENADE ; 2/ BLONDIN Michel, *Projet d'éducation et d'organisation populaire soumis aux Eglises de Montréal et au Ministère de la Santé nationale*, C.D.S., septembre 1969.

(32) LESEMANN, THIENOT, op. cit. p. 311.

(33) FAVREAU, Louis, *A propos d'une intervention d'animation, celle du Conseil des oeuvres*, C.D.S., janvier 1969, p. 26.

(34) *Les salariés au pouvoir*, op. cit., p. 28.

(35) *Les salariés au pouvoir*, op. cit., p. 28.

(36) *Les salariés au pouvoir*, op. cit., p. 29.

(37) Idem, p. 30.

(38) En collaboration, "Quelques aspects du début d'un mouvement socialiste à Montréal, *Mobilisation*, numéro 2, vol. 3 ; 2ème édition, p. 42.

(39) FAVREAU, Louis, "A propos d'une intervention d'animation...", op. cit., p. 8.

(40) *Les salariés au pouvoir*, op. cit., p. 16-17.

(41) A cette fin ils s'associèrent un certain nombre de sociologues de l'Université de Montréal et de Laval (Hélène DAVID, Paul BELANGER, Lionel ROBERT. etc..)

(42) FAVREAU, Louis, *Analyse sociologique des quartiers dans lesquels nous travaillons*, Conseil de développement social de Montréal, septembre 1969, p. 1.

(43) Idem.

(44) FAVREAU, Louis, *Analyse sociologique des quartiers dans lesquels nous travaillons*, op. cit., p. 1 à 4.

(45) Idem.

(46) FAVREAU, Louis, *Analyse sociologique des quartiers dans lesquels nous travaillons*, op. cit., p. 1 à 4.

(47) *"A propos d'une intervention..."*, op. cit., p. 16.

(48) FAVREAU, Louis, *Analyse sociologique des quartiers dans lesquels nous travaillons*, op. cit., p. 4, 6 et 8.

(49) Voir à ce sujet PIVEN France, CLOWARD, Richard A., *Regulating the Poor : the Functions of Public Welfare*, New-York, Random House, 1971.

(50) Les principaux travaux auxquels les initiateurs réfèrent sont les suivants : TOURAINE, Alain, *Sociologie de l'action*, Editions du Seuil, 1975, 506 p.. ; TOURAINE, Alain, *La société post-industrielle*, Editions Denoël, 1969, 315 p. ; TOURAINE, Alain, *Le mouvement de mai ou le communisme utopique*, Editions du Seuil, 1968, 301 p. ; TOURAINE, Alain, *La conscience ouvrière*, Editions du Seuil. 1966, 39 p. ; MALLET, Serge, *La nouvelle classe ouvrière*, Collection Esprit, Editions du Seuil, 1963, 266 p.

(51) *Manifeste du F.R.A.P.*, op. cit, p. 9.

(52) Pour la partie traitant de la stratégie des initiateurs, nous avons choisi une bobine enregistrée en janvier 1970 par Pierre LAGRENADE, membre du Service d'animation au Conseil de développement social du Montréal métropolitain. Cet enregistrement fait le point sur la stratégie sous-jacente à la mise sur pied du F.R.A.P.

(53) Le parti civique était le nom donné à l'organisation politique du Maire de Montréal, Jean DRAPEAU, mais on parlait plus communément de l'administration DRAPEAU-SAULNIER.

(54) L'Association coopérative d'économie familiale visait à ce moment-là à organiser sur une base collective les gens aux prises, entre autres, avec des problèmes d'endettement.

(55) Pour les moyens nous utilisons aussi l'enregistrement de Pierre LAGRENADE de janvier 1970.

(56) BLONDIN, Michel, *Projet d'éducation et d'organisation populaire soumis aux Eglises de Montréal et au Ministère de la Santé nationale*, C.D.S., septembre 1969.

(57) Idem.

(58) LESEMANN, THIETNOT, op. cit., p. 101.
(59) L'équipe au pouvoir à Montréal au niveau local.
(60) VENNAT, Pierre, Le M.L.T. visait plus l'administration DRAPEAU-SAULNIER que Murray Hill, *La Presse*, 3 octobre 1970.
(61) LECLERC, Jean-Claude, "Les policiers de Montréal ébranlent l'administration DRAPEAU-SAULNIER", *Le Devoir*, 3 octobre 1969, p. 5.
(62) LECLERC, Jean-Claude, op. cit., p. 5.
(63) CHAMBRE DES COMMUNES, *Procès-verbaux et témoignages concernant la Compagnie des jeunes Canadiens*, numéro 1, 24 octobre 1969, p. 7.
(64) Idem, numéro 14, p. 23.
(65) Status révisés du Canada, *Loi modifiant la loi sur la Compagnie des jeunes Canadiens*, 1969-1970. Premier supplément, chapitre IX, p. 71.
(66) CHAMBRE DES COMMUNES, op. cit., numéro 2, appendice "A", p. 137.
(67) LAGRENADE, Pierre, LAPOINTE, Robert, *Bilan : animation sociale*, C.D.S., décembre 1972, p. 11.
(68) LAGRENADE, Pierre, *Bilan Centre-Sud*, C.D.S., avril 1969, p. 1 et 7.
(69) FAVREAU, Louis, *Bilan 68-69 : Hochelaga-Maisonneuve*, C.D.S., avril 1969, p. 4.
(70) FAVREAU, Louis, *Bilan 68-69 : Hochelaga-Maisonneuve*, C.D.S., avril 1969, p. 4.
(71) Idem, p. 8.
(72) Idem, p. 4.
(73) BLONDIN, Michel, *Rencontre des animateurs du C.D.S.*, C.D.S., mai 1969, p. 2.
(74) FAVREAU, Louis, op. cit., p. 4.
(75) C.D.S.M.M., *Programme 1970-1971*, Centre de documentation du C.D.S., janvier 1970, p. 20.
(76) A cet effet, il faut lire : PELLETIER, Michel et Yves VAILLANCOURT, *Les politiques sociales et les travailleurs*, Cahier IV : les années 60, Montréal, 1974, 304 p.
(77) Idem, p. 241.

CHAPITRE IV

LA FORMATION DE COMITES D'ACTION POLITIQUE SUR LA BASE DE QUARTIER ET DE L'ENTREPRISE (1971-1973)

ENTREE EN MATIERE

Dans le chapitre précédent, nous nous sommes arrêtés à l'apparition du Regroupement des associations populaires (R.A.P.) et du Front d'action politique (FRAP), qui cherchaient à identifier des solutions pour différents problèmes observés au niveau de l'ensemble de la ville.

Ce projet politique s'est présenté comme une alternative face au cul-de-sac des actions de quartier dans une conjoncture politique où entre autres beaucoup d'intellectuels organiques à l'intérieur de différents appareils font le même constat d'échec de la "révolution tranquille". La conjoncture aidant les initiateurs du C.D.S., forts de leur "quasi-armée de réserve", tentaient de trouver une issue à leur projet politique de nature sociale-démocrate. Dans la réalisation de cette plate-forme politique ils s'associèrent avec des militants de groupes syndicaux et étudiants. Si ces derniers n'avaient pas tous le même enracinement que les initiateurs du C.D.S. dans les zones ouvrières et populaires, ils ne portaient pas tous non plus le même projet de direction hégémonique de "nature sociale-démocrate".

A travers la campagne électorale municipale de 1970, s'est progressivement développée une crise de direction qui s'est traduite au congrès de 1971 par un nouveau projet politique. C'est à ce nouveau projet que nous allons consacrer le présent chapitre, puisqu'il cristallise, pour la période qui nous intéresse (1970 à 1973), l'opposition au projet politique du type de celui des initiateurs du C.D.S.

C'est ainsi qu'à partir de 1971, nous voyons progressivement se constituer des groupes, sur la base du quartier et de l'entreprise, qui tentent non pas d'identifier des solutions face à des problèmes au niveau de la ville de Montréal, mais de mettre en place des organisations qui seraient aptes à agir à long terme sur les causes des problèmes du milieu ouvrier. Les premières organisations de ce genre apparurent dans les quartiers Centre-Sud (1) et Hochelaga. Elles portaient les noms de Comité d'action politique de Saint-Jacques et de Comité d'action politique de Maisonneuve.

Lors d'une rencontre entre militants en mars 1972, une scission est apparue à nouveau à l'intérieur du FRAP qui donna lieu au départ de la tendance que nous allons décrire dans les pages suivantes. Les militants demeurés au FRAP à la suite du congrès de 1972, s'orientèrent vers des tâches visant l'unification des forces syndicales, la création d'un parti politique et la démocratisation des syndicats. Leur pratique s'est développée et consolidée à l'intérieur du FRAP surtout à partir de 1973 jusqu'à sa dissolution en février 1974. Nous n'aborderons pas cette nouvelle tendance dans les pages qui suivent parce qu'elle nous entraînerait dans des développements au-delà de la période retenue pour analyse (2). La période retenue trouve sa justification dans l'analyse d'une séquence qui nous permette de saisir, s'il y a lieu, le développement dans l'Etat, à travers la société civile, d'une nouvelle pratique de direction hégémonique.

L'intérêt de cette partie de la recherche est de saisir le développement de la pratique conflictuelle des intellectuels du FRAP à travers l'apparition de groupes politiques de quartier et d'entreprise. Développement qui nous permettra de connaître, s'il y a lieu, le dénouement de la crise qui s'était cristallisée autour du pouvoir local.

I. DESCRIPTION DES COMITES D'ACTION POLITIQUE

les bases d'organisation

A partir de 1971, des militants, sur lesquels nous reviendrons ultérieurement, mettent progressivement sur pied des Comités d'action politique sur la base de quartier et d'entreprise. Comme nous le mentionnions précédemment, c'est d'abord dans les quartiers Centre-Sud et Hochelaga qu'ils apparurent.

En ce qui concerne le travail dans le quartier, les militants visent moins à mettre sur pied de nouveaux groupes populaires qu'à encadrer et orienter les actions des groupes populaires déjà constitués sur la base de quartier. En effet, il s'agit non pas de créer des nouveaux groupes mais de faire progresser à travers les luttes entreprises par les groupes populaires l'organisation des travailleurs : "... il ne faut pas oublier que les luttes sociales sont essentiellement de nature défensives, puisqu'elles cherchent surtout à améliorer les conditions de vie des travailleurs, sans nécessairement remettre en question le système capitaliste. C'est donc le rôle des militants politiques oeuvrant au niveau du quartier de transformer les luttes sociales en luttes politiques, c'est-à-dire les amener à dépasser le stade de lutte pour des réformes et les faire contribuer au développement de la conscience et à l'organisation des travailleurs" (3).

A cette fin, il s'agissait de mettre sur pied des "noyaux politiques" à l'intérieur des organisations agissant sur des "problèmes sociaux" en milieu urbain au niveau du quartier : "On opta pour l'implantation politique dans et à travers les organisations défensives du quartier : les associations populaires et groupes communautaires. Ceci nous apparaissait comme le moyen le plus efficace de développer un début de regroupement politique, de formation de noyaux, qui nous permettrait de développer des militants connaissant les conditions du quartier" (4).

En ce qui concerne le travail dans les entreprises il s'agissait de s'insérer dans différents milieux de travail pour former des militants politiques à l'intérieur de la classe ouvrière : "Le mot d'ordre d'implantation en usine et le lien à la base avec la classe ouvrière a conduit en octobre 1971 à la création d'un secteur travail au C.A.P. Maisonneuve, constitué au départ d'un seul noyau. La tâche principale définie était la formation de militants autonomes implantés dans des milieux de travail, surtout la production" (5).

Progressivement cette implantation s'est précisée et donne lieu à la formation dans les entreprises de "Comités de travailleurs" comme base essentielle pour constituer une organisation politique des travailleurs :

> "*Face à la situation d'ensemble à laquelle nous sommes confrontés, nous ne pouvons rester les bras croisés. Ce qui nous unit, c'est précisément de dépasser l'état actuel des choses, marqué principalement par l'absence d'autonomie politique et idéologique de la classe ouvrière et des diverses couches de travailleurs québécois. Ainsi, à partir de l'analyse de cette situation et de notre expérience militante, nous en arrivons aujourd'hui à privilégier les Comités de travailleurs dans les entreprises comme fondements d'une future organisation politique des travailleurs québécois.*

Au fur et à mesure de son développement, cette organisation devra nécessairement s'associer à d'autres formes d'intervention dans les écoles et les quartiers" (6

Ainsi, si nous assistons à la formation de Comités d'action politique (C.A.P.) au niveau du quartier et de l'entreprise, la tâche prioritaire est d'abord accordée aux Comités de travailleurs comme base essentielle à l'organisation politique des travailleurs.

Voyons maintenant les différents problèmes abordés pendant la constitution de ces organisations au niveau du quartier et de l'entreprise.

les problèmes abordés par les Comités d'action politique.

Nous observons deux ordres de problèmes dans la construction de "noyaux politique" au niveau du quartier et des milieux de travail, soit la formation et l'implantation.

Au niveau des quartiers, dans le cas présent ceux couverts par les Comités d'action politique de Saint-Jacques et de Maisonneuve, la première tâche des militants consista surtout à faire un travail de formation idéologique pour agir sur les tendances dites réformistes présentes dans les groupes populaires :

"Les partis politiques de la bourgeoisie, l'Eglise, les services sociaux gouvernementaux ont tous des structures régionales qui sont des centres de diffusion de l'idéologie capitaliste et freinent ainsi le développement de la conscience de classe des travailleurs. Les média tels que la télévision, radio, etc. concentrent aussi leur action vers les foyers des travailleurs et contribuent à perpétuer des conceptions et des idées fausses chez les ouvriers. Ainsi, dans le travail politique dans les quartiers populaires, nous devons accorder une importance particulière à la lutte idéologique, à la propagande et l'agitation politique pour combattre ces effets néfastes. Autrement nous courons le risque de voir les luttes sociales, les organisations populaires et communautaires, continuellement récupérées par la bourgeoisie" (7).

Face à ce problème il s'agissait de constituer un leadership différent à l'intérieur des organisations populaires : "Forme du travail dans les associations populaires : la formation de moyaux de militants à l'intérieur de l'association populaire dont le but est de mener la lutte idéologique et développer le leadership politique prolétarien" (8).

Au niveau du milieu de travail, le principal problème abordé consistait à s'implanter dans les entreprises pour créer les noyaux politiques. Au départ, on voulait résoudre le problème de l'implantation au niveau du milieu de travail en utilisant les organisations de quartier comme tremplin :

"Comme la composition sociale du C.A.P. à cette époque (1970 début 1971) était majoritairement non ouvrière, il était clair qu'il fallait passer par une certaine forme de transition avant de pouvoir assumer la tâche prioritaire de travail en milieu de production. Ainsi, le porte-à-porte fut poursuivi dans les zones où le vote avait été le plus fort pour le FRAP. L'objectif de ce porte-à-porte était la mise sur pied de Comités de travailleurs de quartier (C.T.Q.) qui serviraient graduellement de passage à un travail d'organisation en milieu de production. Le travail au niveau résidentiel était vu (et défini) comme un tremplin vers les milieux de travail" (9).

Cependant, force fut de constater que cette "forme de transition" vers le milieu de travail était inadéquate :

"La composition du quartier Saint-Jacques étant faiblement ouvrière, nous n'avons

136

pu former des C.T.Q. ayant une composition majoritairement ouvrière. Les membres des C.T.Q. étaient en grande partie des étudiants et des chômeurs. Les travailleurs qui en étaient membres venaient rarement de la production mais plutôt des services, du commerce et des bureaux. Ainsi, notre objectif de passer graduellement à un travail politique en milieu de production était peu réalisable, les C.T.Q. s'avérant de bien mauvais "tremplins" (10).

Dans le quartier Hochelaga, des ouvriers d'une petite entreprise "Rémi Carrier" font la grève pour faire reconnaître un syndicat. Ce fut l'occasion pour le C.A.P. Maisonneuve de lutter à côté de ces grévistes. Les objectifs étant : "... former des "militants autonomes", c'est-à-dire capables d'analyser ce qui se passe dans son milieu d'implantation, de former d'autres militants... de lancer des mots d'ordre justes ; d'encadrer des luttes (direction, propagande, agitation), etc." (11).

Cet accent mis sur le travail d'encadrement d'un certain nombre de travailleurs ne permit pas de réaliser l'objectif consistant à former des militants autonomes dans le milieu de travail :

"La formation se fait à travers l'étude de textes, qui en fin de compte sont détachés des pratiques à la base. On tombe dans la théorie, malgré la tentative de relier ces textes... aux expériences militantes et aux milieux d'intervention... De la sorte, le niveau des débats était trop général et ne permettait pas de soutenir le travail concret d'implantation... Un des travailleurs... a quitté le noyau... Un deuxième... s'est inscrit à un cours de recyclage du soir... Un autre... est parti..." (12).

Face à ces différents écueils rencontrés, on est amené progressivement à concevoir un modèle d'implantation qui tienne compte des problèmes soulevés, soit : les "Comités de travailleurs" dont nous avons parlé précédemment : "Dépassant le vague mot d'ordre à l'implantation dans la classe ouvrière... les Comités de travailleurs tentent de répondre concrètement à la question : que faire dans les entreprises ?" (13).

Les Comités de travailleurs voulaient ainsi constituer des bases d'organisation à l'intérieur même des milieux de travail pour arriver à dépasser les problèmes d'implantation et d'organisation politique des ouvriers :

"Nous cherchons ainsi à fonder notre intervention sur les fondements même du capital et du travail, les entreprises de fabrication et de services. A partir des conditions concrètes de travail et d'existence de nos camarades de travail, de leurs luttes et enfin, à partir d'une connaissance sans cesse plus approfondie de la réalité, nous entendons bien améliorer notre sort et développer notre autonomie organisationnelle et idéologique... pénétrer réellement la classe ouvrière et les autres couches des travailleurs, en partant prioritairement des fondements tant du capital que du travail : les entreprises de la fabrication et des services... Faire de la lutte économique et des organisations issues de cette lutte (les syndicats essentiellement) des leviers aux mains des travailleurs... Partir des luttes concrètes et des conditions de travail et d'existence de nos camarades de travail... Briser la contradiction entre la volonté de changement. et l'absence au niveau de l'entreprise, d'une force organisée... Surmonter les difficultés... à s'enraciner" (14).

C'est donc des problèmes liés à l'implantation et à la formation qui ont retenu l'attention des Comités d'action politique. L'ensemble des Comités d'action politique, mis sur pied selon cette optique, recontrèrent les mémes problèmes. Si nous retenons les Comités d'action politique de Saint-Jacques et de Maisonneuve, c'est que ces derniers ont servi de modèle pour un bon nombre de Comités d'action politique de quartier et d'entreprise : "En gros, le C.A.P. (Saint-Michel dans le cas présent) n'a pas cherché à s'insérer dans les débats qui ont secoué les C.A.P. et le FRAP. Malgré tout, le C.A.P. a subi l'influence marquante des C.A.P. Maisonneuve et Saint-Jacques" (15).

Tous les C.A.P. tentaient de rejoindre prioritairement une population "de travailleurs" (16) sur la base du quartier ou de l'entreprise.

les populations touchées

Le C.A.P. Maisonneuve couvrait le quartier d'Hochelaga que nous avons déjà décrit dans un des chapitre précédents. A ce moment-là nous avons pu constater que ce quartier était composé d'une population de salariés qui, comparativement à Centre-Sud, avait des logements moins détériorés et une plus faible proportion d'assistés sociaux.

Le C.A.P. de Saint-Jacques couvrait en partie le quartier Centre-Sud, composé d'une population à bas revenu, vivant dans des logis détériorés et composé d'une forte proportion d'assistés sociaux, comme nous l'avons aussi constaté dans un chapitre précédent.

Ainsi ces C.A.P., qui privilégiaient la population ouvrière par rapport à la population d'assistés sociaux, rencontrèrent des problèmes différents. En effet, dans Hochelaga la lutte chez "Rémi Carrier" fut le prétexte à la première jonction du C.A.P. avec les ouvriers de l'entreprise. Dans Saint-Jacques, la jonction avec le milieux ouvrier fut plus lente à cause de la situation du quartier qui regroupait un bon nombre d'assistés sociaux. De là, entre autres, les différents problèmes d'implantation dans le milieu de travail rencontrés par le C.A.P. Saint-Jacques.

A travers l'implantation au niveau du quartier, c'est bien cependant les travailleurs qui étaient visés : "Le travail de quartier a une autre importance, celle de nous permettre de toucher les travailleurs et des couches laborieuses qui sont, pour une raison ou pour une autre, difficilement mobilisables à travers leur milieu de travail. Ceci peut être le cas :

1. d'ouvriers qui ressentent le besoin de militer mais qui sont isolés dans leur milieu de travail par manque de syndicat, ou syndicat peu combatif ;
2. d'ouvriers de petites usines et usines non syndiquées où la forte répression (exemple : textiles) rend l'amorce d'un travail d'organisation difficile ;
3. de travailleurs de commerce et de bureaux où les conditions objectives (isolement, petit nombre de travailleurs), et subjectives (idéologie petite-bourgeoise des cols blanc) rend souvent un travail d'organisation difficile" (17).

D'ailleurs, si au départ le C.A.P. Saint-Jacques tenta de travailler avec l'ensemble des groupes populaires du quartier, il s'arrêta progressivement sur deux ou trois groupes qui rejoignaient une population surtout de travailleurs :

"Ce secteur (Associations populaires) entreprit une enquête systématique sur les associations populaires du quartier essayant de déterminer leur niveau d'organisation et d'implantation dans le quartier, leur composition sociale (i.e. ouvriers, chômeurs, assistés sociaux, jeunes marginaux, la position de classe et l'attitude des leaders des associations, etc.). Cette enquête avait comme but de déceler les associations populaires qui pouvaient être propices à un travail d'organisation politique. Le secteur débuta par faire enquête et prendre contact avec un grand nombre d'associations populaires mais graduellement, à mesure que l'enquête donnait des ré-

sultats, les énergies furent concentrées sur un nombre beaucoup plus limité (deux ou trois), celles qui s'avéraient les plus intéressantes et où les contacts avaient pu être développés" (18).

Au niveau du noyau constitué dans les milieux de travail, on rejoignait au départ des ouvriers non spécialisés travaillant dans de petites entreprises mais progressivement on constata que les actions dans la petite entreprise étaient fort limitées : "D'abord, ce qui saute aux yeux, c'est la situation particulière de la petite entreprise... c'est que le contexte économique (une petite shop peu mécanisée) est très limitatif du point de vue de la lutte des travailleurs. Cette situation est tellement importante que finalement les travailleurs gagnent leur lutte, mais doivent rentrer dans une entreprise réduite à moitié..." (19).

On préféra progressivement s'orienter vers des entreprises plus grandes et spécialisées, où les travailleurs déjà syndiqués pourraient former des "Comités de travailleurs" : "En mars 1973, quelle était la situation des interventions, des pratiques, du noyau des petites entreprises ? Le champ des petites entreprises s'était modifié. L'acceptation d'un nouveau lieu d'intervention accéléra la modification des tâches d'origine du noyau "petite entreprise". Il s'agissait d'une usine syndiquée de plus de 600 travailleurs où les possibilités de développer une implantation étaient imcomparablement meilleures que dans les petites entreprises touchées au noyau" (20).

La population qu'on voulait privilégier autant au niveau du quartier que de l'entreprise est donc une population de salariés correspondant approximativement aux salariés exécutant du secteur productif, indirectement productif ou improductif. Cependant, on tentait progressivement de rejoindre des ouvriers spécialisés de la grande entreprise, et donc les travailleurs directement productifs.

2. ANALYSES ET STRATEGIES DES INITIATEURS DE CES ORGANISATIONS

Comme pour l'apparition du R.A.P. et du FRAP, la constitution de ces Comités d'action politique de quartier et d'entreprise visant à mettre en place des organisations politiques de travailleurs n'est pas le fruit du hasard. Ces organisations, contrairement à celles décrites dans les chapitres précédents, ont été initiées, du moins au départ, par des intellectuels travaillant à l'intérieur du FRAP. Ces derniers se définissaient en opposition avec la tendance sociale-démocrate associée aux initiateurs du C.D.S. Nous ferons l'analyse, au point trois de notre exposé, de cette lutte au niveau de la direction. A ce stade de notre exposé, nous nous arrêterons à l'analyse, aux objectifs, aux stratégies et aux moyens utilisés par ces derniers afin de caractériser la pratique de ces organisations.

A cette fin nous utiliserons différents dossiers de la revue *Mobilisation* (21) qui servait de plate-forme d'échange et de discussion, entre autres, au travail des C.A.P. de quartier et d'entreprise.

l'analyse

L'analyse sous-jacente à la mise sur pied des Comités d'action politique de quartier et d'entreprise est en rupture avec celles qui présidèrent à la mise sur pied des groupes populaires, du R.A.P. et du FRAP entre 1963 et 1970.

En effet, il ne s'agit plus d'une analyse considérant les groupes populaires comme étant l'expression d'un mouvement plus ou moins informel à actualiser. Les groupes populaires seraient d'abord l'expression de luttes défensives des travailleurs contre l'exploitation capitaliste :

> *"Cette exploitation est en fait la base du système de production capitaliste qui oblige Jean-Paul à vendre sa force de travail contre un salaire (84 dollars) qui ne correspond pas à la valeur produite par sa force de travail de telle sorte que le capitaliste peut appeler profit le capital qu'il accumule : ce profit n'est pas autre chose que du travail non-payé à Jean-Paul et à ses camarades de l'usine" (22).*

C'est l'exploitation des travailleurs producteurs des valeurs nouvelles qui est à la base du système capitaliste : "L'exploitation du travail productif est le mécanisme central du système capitaliste, celui qui détermine la richesse des classes dominantes d'une part. et l'oppression de la classe ouvrière et des classes laborieuses en général, de l'autre" (23).

De là découlait la nécessité de mettre sur pied prioritairement dans les entreprises des organisations politiques de travailleurs pour lutter contre l'exploitation capitaliste. D'autant plus qu'il s'agirait du lieu catalytique pour faire avancer la lutte pour le socialisme :

> *"La force essentielle de tout mouvement politique de la classe ouvrière est donc dans le degré d'organisation des ouvriers des lieux de production (particulièrement les ouvriers des grandes usines) car leurs luttes portent en elles la plus grande menace potentielle à la puissance des classes dominantes. Ainsi, c'est la combativité de cette partie de la classe ouvrière qui a historiquement fait le plus avancer le mouvement révolutionnaire de la classe ouvrière et la lutte pour le socialisme" (24).*

Cependant, il était essentiel de mettre sur pied des C.A.P. de quartier car c'est là le lieu de la reproduction de la force de travail :

> *"Le système capitaliste impose aux travaileurs des conditions de vie pénibles : mauvais logements, services médicaux inadéquats, mauvaise alimentation, endettement, etc... les salaires qui leur sont payés ne couvrent que les besoins strictement nécessaires à la survie, à la reproduction de leur force de travail : i.e. ils leur permettent de se payer le strict nécessaire en marchandises et en services... pour pouvoir continuer à travailler jour après jour, mois après mois". (25)*

Mais les Comités d'action politique de quartier visent avant tout à lier les groupes populaires de quartier à des C.A.P. au niveau des entreprises, considérés pour assurer le développement de l'organisation politique des travailleurs : "Par notre action touchant les diverses couches des masses laborieuses dans le quartier, nous devons nous efforcer de développer la solidarité ouvrière et préparer l'unification autour du prolétariat industriel et du projet socialiste" (26). C'est ce qui explique l'importance prioritaire accordée par le C.A.P. à l'implantation au niveau du milieu de travail.

Pour résumer, nous assistons donc à une analyse différente de celles qui présidèrent à la mise sur pied des groupes populaires entre 1963 et 1970. Cette analyse tente d'expliquer l'inégale répartition du pouvoir par l'exploitation capitaliste. Cette exploitation trouve son fondement au niveau du travail productif. Face à cette exploitation, il s'agit **non** pas de mettre sur pied une organisation politique au niveau municipal, mais de mettre sur pied des organisations politiques de travailleurs en milieu de travail productif qui assurent progressivement la direction des luttes dans les autres secteurs dont celui des luttes menées par les groupes populaires sur la base des quartiers.

Cette approche s'inspire de travaux de Karl MARX et de LENINE pour expliquer et agir sur la condition des travailleurs salariés :

> "*Apprendre à se servir de la théorie et de la méthode marxiste-léninistes, apprendre à reconnaître les rapports de force réels dans une société, apprendre à les transformer au profit des travailleurs, cela n'est pas très courant au Québec, et pour cause : le marxisme-léninisme est une des disciplines scientifiques qu'on a toujours évité de propager dans les sociétés capitalistes car il constitue une véritable menace pour le système économique et politique actuel*" (27).

Bref, c'est en mettant sur pied progressivement une organisation politique des travailleurs à partir d'un direction élaborée par des travailleurs du secteur productif de notre système économique qu'on transformera fondamentalement la situation des travailleurs.

les objectifs

Il s'agit donc, dans le cadre de l'analyse élaborée, d'oeuvrer à la mise sur pied d'un parti de travailleurs au Québec. L'objectif prioritaire consiste à mettre sur pied des comités de travailleurs au niveau de l'entreprise pour assurer la direction hégémonique du prolétariat dans la construction de son parti politique :

> "*Face à la situation d'ensemble, à laquelle nous sommes confrontés, nous ne pouvons rester les bras croisés. Ce qui nous unit c'est précisément de dépasser l'état actuel des choses, marqué principalement par l'absence d'autonomie politique et idéologique de la classe ouvrière et des diverses couches de travailleurs québécois. Ainsi, à partir de l'analyse de cette situation et de notre expérience militante, nous en arrivons aujourd'hui à privilégier les Comités de travailleurs dans les entreprises comme fondements d'une future organisation politique des travailleurs québécois. Au fur et à mesure de son développement, cette organisation devra nécessairement s'associer à d'autres formes d'intervention dans les écoles et les quartiers*" (28).

Par ailleurs, comme nous l'avons déjà vu, il serait important de faire un travail idéologique auprès des groupes populaires pour modifier la direction hégémonique considérée comme étant petite-bourgeoise.

Mais l'actualisation de ces objectifs procédait d'une stratégie qui voulait rendre compte de cette volonté de mettre en place des Comités de travailleurs et de faire une lutte pour la direction au niveau des quartiers.

la stratégie

La stratégie qui prévalait à la mise sur pied de ces organisations politiques consistait d'une part au niveau de l'entreprise à légitimer auprès des travailleurs l'existence de Comités de travailleurs et, d'autre part, au niveau du quartier à former des noyaux politiques pour neutraliser les effets de la pratique de direction liée au bloc dominant.

les Comités de travailleurs

L'implantation des "Comités de travailleurs", tout en voulant développer l'autonomie politique et idéologique des travailleurs, partirait des situation concrètes des travailleurs car ils ne seraient pas préparés à s'associer dès maintenant "aux principes historiques du socialisme" :

> "Il est hors de question pour nous, dans l'état actuel des choses, de promouvoir des organisations au sein des entreprises fondées sur l'adhésion aux principes historiques du socialisme. Ce serait purement une vision de l'esprit qui ne correspond aucunement, ni aux expériences actuelles de plusieurs Comités de travailleurs, ni de façon plus générale au niveau de conscience et d'organisation dans les entreprises... Ce n'est pas du jour au lendemain, ni fondamentalement par la formation idéologique que les membres d'un Comité de travailleurs vont promouvoir les intérêts de leurs camarades de travail dans une perspective politique de classe. La plupart du temps, des Comités naissent d'un projet précis, bien circonscrit... comme un journal d'usine, une lutte contre une direction syndicale inerte, etc." (29).

Il s'agit donc de mettre en place des organisations larges pour s'implanter en usine : "Etre un moyen d'organisation large ("de masse") des travailleurs les plus conscients et les plus combatifs d'une entreprise, regroupés autour d'objectifs communs et misant sur une grande unité d'action ; ils interviennent dans leur milieu dans une perspective de classe adaptée aux conditions et aux luttes concrètes dans ce milieu" (30).

Ces organisations devant devenir progressivement un pôle de référence pour les travailleurs, c'est-à-dire "Etre un centre de référence pour l'ensemble des travailleurs de l'entreprise dans la défense de leurs intérêts de classe" (31). Ce pôle de référence en s'associant aux luttes de différentes catégories de travailleurs pourra mettre en place un programme politique qui soit lié aux intérêts réels des travailleurs : "Etre des bases pour connaître la réalité des différentes couches de travailleurs afin de pouvoir formuler un programme d'une organisation politique de l'ensemble des travailleurs québécois" (32).

Ainsi, on pourra arriver progressivement à constituer un parti politique des travailleurs en constituant "autant de piliers d'une future organisation politique des travailleurs québécois" (33). C'est donc par ce processus d'intégration dans différents milieux de travail qu'on veut légitimer stratégiquement les "Comités de travailleurs" comme base essentielle d'une organisation politique de travailleurs.

Par ailleurs, la constitution d'un parti politique des travailleurs supposait qu'on neutralise les effets de la pratique de direction liée au bloc dominant dans les quartiers considérés comme lieu de reproduction de la force de travail.

les noyaux politiques de quartier.

A cette fin, il s'agissait de former des noyaux politiques à l'intérieur des groupes populaires pour favoriser un regroupement des forces dites progressistes en faisant un travail d'agitation et de propagande. Ainsi, on pourrait neutraliser la direction bourgeoise et travailler à la construction de la solidarité ouvrière :

> "La première tâche de tout travail d'intervention politique est de procéder à la formation de noyaux et ainsi de former la base matérielle et humaine à partir de laquelle le travail politique peut être entrepris... La deuxième tâche est de développer un travail de propagande et d'agitation dans le quartier nous permettant d'étendre notre influence plus profondément parmi les travailleurs du quartier, et centrer les effets démobilisateurs de l'idéologie dominante. Par notre action tou-

chant les diverses couches des masses laborieuses dans le quartier, nous devons nous efforcer de développer la solidarité ouvrière et préparer l'unification du prolétariat industriel et du projet socialiste". (34)

C'est donc en créant des bases d'action et de formation au niveau de l'entreprise et en s'associant les groupes populaires que stratégiquement on construira des conditions à la mise sur pied d'un parti de travailleurs au Québec. Voyons maintenant sur quels moyens reposait ce projet politique au niveau de l'entreprise et au niveau du quartier.

les moyens

La mise sur pied de Comités de travailleurs et de noyaux politiques de quartier exigeait des moyens diversifiés. Ainsi, au niveau de l'entreprise pour assurer la crédibilité des Comités de travailleurs, comme organisation de masse et pôle de référence, les moyens étaient, parmi d'autres, les suivants :

"Eliminer la concurrence parmi nous... En combattant les systèmes de classification, de salaires au rendement, d'augmentation hiérarchisée de salaires, de travail à temps partiel... de longues périodes de probation, etc... Il est important de comprendre et de démasquer ces stratagèmes et d'y apporter des solutions concrètes et profitables pour la masse des travailleurs de l'entreprise ; en plus d'accentuer la division parmi nous, ces méthodes visent aussi à comprimer notre salaire, à le rendre dépendant de facteurs complètement extérieurs à nos besoins sociaux... Réduire la journée de travail... Préserver et augmenter notre salaire... Nous devons remettre en cause les profits par des revendications salariales qui attaquent le taux de profit des compagnies et les politiques budgétaires gouvernementales... Inclure des clauses visant à prévenir une dévaluation de notre pouvoir d'achat par une augmentation ultérieure des prix à la consommation... Revendiquer de meilleures conditions de travail... etc.". (35)

Au niveau des quartiers pour réaliser les tâches stratégiques de regroupement, de propagande, d'agitation et de solidarité prolétarienne, on utilisait, entre autres, les moyens suivants : "Implantation dans les associations populaires du quartier... Les phases de ce processus sont les suivantes :

a) Enquête et implantation dans l'association populaire en question.
b) Lutte contre le réformisme et la notion du service individuel. Pousser à dépasser le service collectif. Faire le lien entre les différentes luttes et les ramener à leur cause fondamentale : l'exploitation du prolétariat par la bourgeoisie.
c) Lutter contre le leadership des professionnels petits-bourgeois ou les administrateurs réformistes, développer l'embryon d'un leadership prolétarien. Ceci ne veut pas dire que les professionnels doivent être exclus de l'association polulaire, leurs connaissances peuvent être fort utiles au groupe, mais plutôt que leur rôle technique ne doit pas être confondu avec le leadership politique de l'association, leadership qui revient aux éléments prolétariens les plus conscients dans le groupe.
d) Réorienter l'action de l'association populaire vers les problèmes de la classe ouvrière, et suivant les intérêts de cette dernière... développer un travail de propagande et d'agitation. Les formes principales de ce travail sont : la participation aux luttes et combats des travailleurs ; l'action dans les organisations et mouvements défensifs du quartier ; l'action par la voie de journal ou autres formes de littérature, etc." (36).

C'est, entre autres, avec ces différents moyens qu'on tentait de créer progressivement des conditions pour construire les bases d'un parti de travailleurs au Québec (37).

Conclusion

En résumé, l'analyse, que soutiennent les initiateurs, situe les causes des conditions de vie et de travail des salariés dans la nature du système économique : les travailleurs productifs, indirectement productifs et improductifs, sont exploités au profit d'une classe dominante qui récupère pour les fins propres de son développement les résultats de leur travail. Ainsi serait posée la nécessité de construire un parti des travailleurs qui viserait à transformer le système économique et l'Etat, à savoir ses appareils de domination et de direction.

Pour réaliser cette tâche, il s'agirait de s'appuyer sur la classe des travailleurs organisée principalement au niveau de l'entreprise et soutenue, par ailleurs, par les organisations de quartier. A cette fin, différents moyens ont été mis en place pour rendre compte de ce projet au niveau de l'entreprise et du quartier.

Nous assistons donc au développement d'un nouveau mode d'analyse en rupture théorique avec celui utilisé par les initiateurs du C.D.S. dans la mise sur pied de groupes entre 1960 et 1970.

Nous allons maintenant nous demander en quoi cette nouvelle analyse a servi de guide à leur pratique, c'est-à-dire en quoi leur pratique est différente de celle des initiateurs de la période précédente.

3. EVALUATION CRITIQUE DE L'APPROCHE DES INITIATEURS

La période de tâtonnement qui accompagna la mise en place de comités d'action politique d'entreprise, à savoir le passage d'une action en petite entreprise vers la grande entreprise, est analogue par bien des aspects au processus que, sur un autre plan, les initiateurs qualifiés de "sociaux-démocrates" avaient élaborés entre 1963 et 1969.

En effet, les premières interventions en milieu de travail ont été effectuées dans une petite entreprise. Nous pouvons parler ici aussi d'une nouvelle direction qui cherche une base sociale pour se légitimer. Ces petites entreprises dans le contexte de la réorganisation de l'espace sont vouées soit à se reloger, à disparaître, ou à devenir des sous-traitants. Dans ce contexte, ces petites entreprises offrent de très mauvaises conditions de travail. C'est pourquoi elles deviennent ainsi des lieux objectifs de conflits susceptibles d'engendrer des mobilisations. La "zone populaire", dont nous avons déjà parlé, a été aussi le lieu qui permit aux initiateurs des années 60 de légitimer leur propre pratique. Suite à l'impossibilité d'enraciner leur projet dans ces catégories sociales, de part et d'autres ils s'orientèrent vers de nouvelles catégories sociales : les initiateurs des années 60 passèrent de la "zone populaire" à la "zone ouvrière" : ceux des années 70, des travailleurs de la petite entreprise aux travailleurs de la grande entreprise.

De plus, ces derniers définissent sur la base des quartiers une fonction prioritaire de propagande et d'agitation, comme si à la ville ne pouvaient s'élaborer de nouvelles pratiques de direction. Les développements antérieurs nous montrent bien que tel n'est pas le cas. Il serait donc plus juste de dire que leur discours n'arrive pas à s'articuler aux luttes urbaines. Plus encore, leur discours n'arrive pas à ouvrir la voie à une contre-stratégie hégémonique qui fasse poids devant les nouvelles formes de "traitement" de l'Etat. Ces initiateurs ont en commun avec ceux décrits dans les chapitres précédents la difficulté à faire pénétrer leur discours dans les différentes catégories de la population.

Manuel CASTELLS, à partir de la problématique néo-marxiste de la fin des années 60, avait développé un ensemble de concepts touchant les mouvements de lutte en milieu urbain, saisis comme un processus en rupture :

> *"Quel est donc le secret d'un tel processus ? Il semble bien que, à un premier niveau, il y ait coïncidence de trois éléments fondamentaux :*
>
> 1. *Un enjeu social sans ambiguïté, où les intérêts en présence s'affrontent directement... donc pas de négociation possible.*
> 2. *Une base sociale homogène... qui a appris à ne compter que sur elle.*
> 3. *Une organisation politique, dont les militants habitent le quartier et qui prennent en charge la coordination et la popularisation des luttes, tout en se liant étroitement à la base sociale... pour constituer avec eux une force sociale". (38)*

Il tend à remettre en question dans ses derniers travaux (39) cette problématique qui souffrait d'une saisie insuffisante de l'Etat. La rupture escomptée, comme la révolution en Angleterre au XIXe siècle, sous la "direction prolétarienne" ne tend pas à se réaliser mais, au contraire, à se résorber. Ce qui tend à confirmer notre hypothèse de travail sur la pratique de l'Etat :

> *"... à vrai dire, nous faisons l'hypothèse que l'engouement récent pour la question urbaine est essentiellement lié à cette initiative politique des classes dominantes visant des enjeux nouveaux... Nous tenons pour l'instant à souligner que le rôle de premier plan accordé à la problématique urbaine au niveau politique et idéologique a pour origine l'initiative des classes dominantes plutôt que les nouvelles luttes des classes dominées... Or, la première remarque qui s'impose après plusieurs années d'observations de luttes urbaines dans différents pays est qu'il n'y a pas d'expérience historique de luttes urbaines de masse organisée et constituée en mouvement social comme ce fut (et c'est encore...!) le cas pour le mouvement ouvrier ou le mouvement paysan, suivant les pays..." (40)*

De cette constatation nous pourrions naïvement avancer que le milieu urbain est un lieu secondaire de lutte et qu'il faut chercher dans un prolétariat organisé dans l'entreprise sur la base de contradictions fondamentales le moteur de la révolution. Moteur qui servirait de guide pour les luttes urbaines. Ce serait une vision qui ignore tout le développement complexe de l'Etat dans nos société avancées dont nous avons déjà parlé. C'est d'ailleurs un constat que CASTELLS, dans un de ses derniers articles (41), évite. Il tend maintenant à voir dans les luttes urbaines une base nouvelle d'alliance entre différentes classes :

> *"Or, notre hypothèse est que, du point de vue de sa situation objective, la nouvelle petite bourgeoisie est la classe qui peut le plus facilement rejoindre la classe ouvrière dans cette offensive contre le capitalisme monopoliste. Mais sa transformation idéologique dépend de sa capacité de mobilisation et de lutte... Dans la sphère de la consommation socialisée, on assiste à une homogénéité croissante d'intérêts pour l'ensemble des classes populaires, objectivement opposées à la logique capitaliste de production et de gestion des équipements à la base de l'organisation de la vie quotidienne. Par ce biais, la nouvelle petite bourgeoisie se mobilise de plus en plus, lutte contre l'Etat-aménageur de l'urbain et, dans cette lutte, elle prend conscience. En combinant luttes sociales et gestion démocratique exemplaire des*

municipalités, hégémonie au niveau des masses et pénétration-transformation de l'appareil d'Etat, la gauche commence à gagner la bataille de masses pour le socialisme au-delà des bastions de la classe ouvrière". (42)

Nous reviendrons sur cette question dans le prochain chapitre, qui traitera des intellectuels. Pour le moment, nous allons chercher le "secret de ce nouveau processus", à savoir le développement de C.A.P. de quartier et d'entreprise, dans leur rapport au pouvoir local et à l'appareil dont ils font partie, soit le FRAP.

3.1. Attitude du pouvoir local : quand rien ne va plus...

On se rappellera que la constitution du front municipal, durant la période de regroupement des associations populaires devait s'amorcer avec l'invitation à différentes assemblées publiques de conseillers municipaux. On devait profiter de ces assemblées pour consolider le projet du FRAP, de ces C.A.P. de quartier, faire une campagne électorale sur la base de chaque district électoral soutenu par le central (le secrétariat permanent).

La première réaction du pouvoir municipal a été défensive. En effet, tous les conseillers municipaux se désistèrent face à l'invitation des différents groupes organisateurs : "Trois conseillers municipaux du Parti civique du maire DRAPEAU viennent de donner la réplique au regroupement des associations populaires du Bas de la ville et de l'Est de Montréal... Les conseillers avaient été invités à répondre à trois questions lors d'une assemblée publique. Ils avaient accepté, mais apprenant la "déclaration de guerre" du Regroupement, ils ont préféré hier donner leur réponse sous forme de déclaration transmise aux organisations paroissiales et à la presse..." (43).

Ce furent les seuls à répondre, les autres se désistèrent. Ils tentèrent de "sauver la face" en s'expliquant à certaines organisations paroissiales par l'intermédiaire des journaux locaux. Mais ce fut un premier combat à l'avantage du FRAP, les journaux faisant grandement mention du désistement des conseillers municipaux (44). De plus le FRAP réussit à faire valoir au gouvernement provincial la nécessité de modifier le bill 5, ce qui accorda le suffrage universel aux personnes de 18 ans et plus de la ville de Montréal. Au niveau des districts électoraux les différents types de rencontres avec les citoyens portèrent leurs fruits. A la fin de septembre, "par suite de l'action combinée du central (campagne de presse, journaux...) et des C.A.P. (assemblées de district, réunions de cuisine, porte-à-porte...), un sondage réalisé par *The Montreal Star* donne une idée du chemin parcouru par le FRAP et aussi du chemin qui reste à faire..." (45).

Le sondage du *Montreal Star* indique que "67o/o des Canadiens-anglais (C.A.) et 57o/o des Canadiens-français (C.F.) connaissent le FRAP".(46). S'il reste beaucoup de chemin à parcourir pour le FRAP, il s'est quand même fait connaître très rapidement, ce qui était l'un de ses objectifs.

Mais au début d'octobre, c'est l'entrée en scène du Front de libération du Québec (F.L.Q.) avec l'enlèvement du diplomate James R. CROSS, ensuite l'enlèvement du député Pierre LAPORTE et enfin sa mort... Cet ensemble d'événements vint modifier la conjoncture politique. On demandait au FRAP de se situer face au F.L.Q., c'est-à-dire dans l'esprit de beaucoup de gens face à la violence. Le FRAP à cause de ses divisions internes ne présenta pas une position claire. Il se prononça pour les objectifs ultimes visés par le F.L.Q., c'est-à-dire la prise du pouvoir pour les travailleurs, mais précisant qu'il avait choisi, pour sa part, des moyens non violents soit les trois fronts de lutte. Cette position ambiguë fut rapidement reprise par le maire DRAPEAU qui passa à l'offensive. D'abord il demanda au gouvernement fédéral, appuyé dans cette démarche par le gouvernement provincial, l'application de la Loi des mesures de guerre qui revient à suspendre les garanties constitutionnelles. Deux candidats ainsi que quelques militants du FRAP furent arrêtés. Quelques jours seulement avant la fin de la campagne électorale, on libéra ces deux candidats. C'en était ainsi fait de la campagne électorale, les dés étaient pipés...

DRAPEAU utilisa tous les média disponibles, principalement la radio, pour associer le plus possible le FRAP au F.L.Q. Ainsi, beaucoup de citoyens militants du FRAP devinrent des "terroristes", des "criminels du F.L.Q." : "Prenant la parole, hier après-midi, à l'émission Le Point du Jour à CKAC, le maire de Montréal, M. Jean DRAPEAU, a déclaré que le Front d'action politique des salariés de Montréal (FRAP) est un mouvement para-municipal et paraélectoral qui réunit tout ce qu'il y a de terroristes et de révolutionnaires à Montréal" (47).

Ces déclarations de M. DRAPEAU eurent d'autant plus de poids que le ministre fédéral Jean MARCHAND venait de présenter le FRAP comme une "couverture" du F.L.Q., même s'il se reprit le lendemain pour préciser sa pensée et dire qu'il voulait parler de "la caution morale" que le FRAP accordait au F.L.Q. :

> *"Les Communes ont oublié, jeudi, le sort toujours inconnu réservé au diplomate britannique James CROSS pour se pencher sur les déclarations effectuées la veille par M. Jean MARCHAND. Ce dernier, d'ailleurs, a été amené à s'expliquer pour préciser que le FRAP n'a pas servi de "couverture" ("front") du F.L.Q., mais plutôt de "caution morale". M. MARCHAND a expliqué dans le contexte actuel, l'expression "caution morale". Ce sont les déclarations du FRAP et du Conseil central (C.S.N.) de Montréal qui sont venues donner "une espèce de caractère de respectabilité à une action qui n'était pas respectable en soi, c'est-à-dire l'action du F.L.Q. qui enlève un ministre, qui ensuite l'égorge et qui enlève aussi un consul". (48)*

Le jour du vote, les résultats sont les suivants : "Dimanche, 25 octobre : un pourcentage record de Montréalais se rend aux urnes, DRAPEAU est élu à 92 o/o des suffrages, 52 conseillers sur 52 au Parti civique. DRAPEAU jubile durant plus d'une heure..." (49).

Ainsi donc le pouvoir municipal a réussi à saper le FRAP en l'associant au F.L.Q. Cependant, il dut s'associer, la conjoncture aidant, les autres niveaux de pouvoir. Par ailleurs, le Parti civique brisa son image de neutralité. Ceci nous permet de saisir le contexte entourant le retour à des actions sur la base de quartier.

Mais plus encore le Parti civique réussit à désolidariser les membres de l'opposition. En effet comment expliquer la position ambiguë du FRAP face aux événements liés au F.L.Q.? Comment expliquer, aussi, la modification de l'analyse par les initiateurs?

3.2. Pratique de direction : le partage du gâteau

Losque nous avons traité de la période du regroupement des associations populaires, nous avons pu constater que les animateurs du Conseil de développement social du Montréal métropolitain (C.D.S.) furent les instigateurs du regroupement de militants de différents milieux dont le milieu syndical et étudiant. Ce sont eux, les initiateurs du C.D.S., qui mirent en place les C.A.P. dans Saint-Edouard et Rosemont comme extension dans les "zones ouvrières" du travail amorcé dans le quartier Hochelaga et comme modèle stratégique d'implantation pour les autres C.A.P. à mettre en place dans les autres quartiers ouvriers. Par ailleurs, pour réaliser cette tâche, comme nous l'avons vu précédemment, ils durent s'associer des militants syndicaux et étudiants qui ne partageaient pas nécessairement la même analyse que les intellectuels du C.D.S. Ainsi, plus ces nouveaux initiateurs s'implantèrent dans différents C.A.P., plus la conjoncture politique se modifia, plus les divergences apparurent jusqu'à l'éclatement et enfin la disparition du FRAP en 1973.

Ainsi, la direction du type de celle instaurée par les intellectuels du C.D.S. fut progressivement sapée à sa base, c'est-à-dire au niveau de son analyse et de sa force d'organisation.

A cet égard, les militants regroupés par les initiateurs du C.D.S. (environ cinquante) mirent en place les assemblées publiques qui réunirent environ mille travailleurs, en mars 1970, dans huit districts électoraux. Si ce résultat était important, en fonction du nombre de militants, il était quand même difficile dans une aussi courte période d'enraciner le projet du FRAP et de ne pas être secoué par la crise du F.L.Q. qui se présenta en octobre 1970 : "La tenue de huit assemblées du R.A.P. en autant de districts aura permis, avec moins de 50 militants, de réunir pas moins de 1 000 travailleurs et donc ainsi de réaliser un premier contact de part et d'autre. Bien que cela déjà soit appréciable, les assemblées n'auront pas réussi à mettre sur pied une "grosse machine", encore moins une implantation dans les quartiers" (50).

Cette faiblesse organisationnelle de départ s'accompagna de plus d'une faiblesse de l'implantation des initiateurs, y compris ceux du C.D.S. En effet, si ces derniers avaient fortement imprégné de leur direction les groupes populaires, ils ne les avaient pas ou peu préparés à assumer eux-mêmes leur organisation et leurs actions :

> "Le FRAP était à ses origines plutôt l'expression de personnes qui remettaient en question la légitimité du régime... qui a produit la "Révolution tranquille". Le FRAP prenait donc racine parmi ces personnes et plus particulièrement parmi les intellectuels "progressistes" qui militaient au sein des comités de citoyens (en tant qu'animateurs sociaux) et au sein de certains appareils syndicaux (en tant que permanents)... Ces éléments combinés s'appuyaient sur des bases populaires fragiles et qui étaient dans un certain essor : les comités de citoyens. Ceux-ci étaient apparus depuis 1965 à Montréal surtout... Ils se constituaient au départ de citoyens plutôt défavorisés qui se regroupaient pour obtenir certaines revendications... Au début, les petites élites locales... en assuraient le leadership. Peu à peu, ce furent les intellectuels progressistes qui en prirent la direction... Face à des constats de nombreux échecs sur les revendications partielles, on en vint à l'idée de passer à l'action politique. La situation commandait d'ailleurs objectivement de passer à l'action politique puisque toutes les revendications étaient rabrouées inévitablement à tel ou tel palier du pouvoir politique. En ce sens, le FRAP est l'aboutissement des comités de citoyens. Par ailleurs, la prédominance très nette des intellectuels, des étudiants et des syndicalistes étouffa la participation populaire présente dans les comités de citoyens. Cette participation populaire n'était toutefois dans les faits qu'un simulacre d'une véritable participation car les décisions et orientations se prenaient surtout entre animateurs sociaux qui, dans les faits, manipulaient les militants des comités de citoyens". (51)

Ainsi donc malgré la longue expérience des initiateurs du C.D.S. sur des "problèmes sociaux" en milieu urbain, leur direction était imprégnée des contradictions de leur pratique antérieure et donc, malgré leur importance dans le lancement du FRAP, ils étaient très vulnérables à la critique. Très rapidement d'ailleurs, un certain nombre de critiques surgirent. En effet, l'idée de passer du R.A.P. au FRAP, c'est-à-dire embarquer dans la campagne électorale municipale, présenter des candidats, bref jouer la "carte électoraliste" ne se fit pas sans un certain nombre de débats : "9 mars 1970 – Après un laborieux débat, le Conseil permanent adopte la motion suivante : Il est proposé que le R.A.P. devenu FRAP entreprenne une vaste campagne de politisation, soit par la présentation de candidats dans les districts où les conditions minimum et les plus favorables existent" (52).

De plus lors du congrès préparant le programme du FRAP, les divergences s'affichèrent mais le groupe électoraliste l'emporta :

> *"Le FRAP (Front d'action politique) se prépare aux élections. Le congrès, qui se déroule à Montréal... est nettement électoral. Cette tendance est la tendance forte, au FRAP, et les militants qui ne sont pas en accord avec cette perspective de combat dans l'immédiat ont été, poliment mais résolument, poussés au bulldozer... Un militant a quitté... en disant "je déchire ma carte de membre... on perd de plus en plus nos éléments radicalisants et on glisse vers la droite. Si on n'a pas d'idéologie, autant rester dans le P.Q.!"... Un affrontement entre deux tendances... il ressort que la tendance forte n'a pas l'intention de perdre la bagarre. Elle est résolue au nom du "réalisme politique", à ne pas se laisser contrer dans sa démarche par "l'idéalisme rêveur" et "impuissant" de certains militants, à qui on reproche, dans les conversations d'être des étudiants sans "racines populaires". (53)*

S'il est vrai que la tendance non électoraliste est plus faible, elle n'en est pas moins présente. On retrouve dans cette tendance effectivement un bon nombre d'étudiants, ayant vécu la crise des C.E.G.E.P. et des universités et qui sont déterminés à s'associer aux luttes populaires. Ces derniers furent particulièrement marqués par des luttes qualifiées de "gauchistes", en parlant du milieu étudiant on dit : "... le populisme et le spontanéisme : quoique de nature différente, ces deux conceptions de rôle des militants révolutionnaires dans leurs rapports aux masses relèvent d'un même conception du monde petit-bourgeois..." (54).

Mais à côté de cette tendance nous retrouvions les animateurs et les permanents syndicaux plus portés vers des actions encadrées et centralisées qu'on qualifiera progressivement de "sociaux-démocrates".

Si malgré toutes les tensions internes la tendance dite électoraliste l'emporta, les événements du F.L.Q. par ailleurs précipitèrent le débat. Débat qui rejoignait avant tout les permanents du FRAP et les quelques militants les plus engagés, des animateurs, des étudiants et des syndicalistes principalement. La fragilité du leadership des animateurs du C.D.S. ne put résister, le conflit éclata ouvertement au FRAP. C'est ainsi qu'on peut s'expliquer la position ambiguë du FRAP lors des événements du F.L.Q. : on pouvait arriver à définir une position commune qui rallie les différentes tendances. Cet état de fait donna lieu d'ailleurs à la démission du président, Paul CLICHE, qui, associé à la tendance sociale-démocrate, était tenant d'une position qui distinguerait clairement, dans l'opinion publique, le FRAP du F.L.Q.

On organisa un congrès qui se tint en mars 1971. Ce congrès ne put que matérialiser ce conflit de tendances au FRAP. Ce qui faisait dire à un journaliste : "Ce conflit qui avait éclaté en octobre dernier à la direction du FRAP ne s'est pas résorbé avec le congrès d'orientation qui réunissait en fin de semaine quelques 200 membres du mouvement. Bien au contraire, du sommet cette crise a maintenant gagné la base et sourdement divisé les esprits" (55).

Entre octobre 1970, la fin de la campagne électorale, et mars 1971, il ne fut pas seulement question de l'organisation du congrès ; les différentes tendances s'organisèrent et s'enracinèrent, si on peut parler ainsi, dans les différents C.A.P. et les "sociaux-démocrates", comme les appelaient les autres perdirent la bataille. Le congrès porta sur : "... les objectifs du FRAP au niveau municipal (le cadre géographique et politique) ; la base populaire du FRAP ; les moyens à utiliser (la stratégie) ; les alliés dans la lutte ; les offensives d'hiver (les tâches prioritaires)" (56).

Au niveau du cadre politique, on privilégiera des actions qui visent le champ provincial sur la base géographique de Montréal :

> *"En situant de son côté la lutte dans le cadre d'une dénonciation des "contradic-*

tions capitalistes", Saint-Jacques privilégie le niveau provincial et vise l'unification des objectifs socialistes et de la question mationale. C'est cette dernière proposition qui sera adoptée en réunion plénière et on l'accompagna d'une position de principe disant que toute dénonciation politique doit s'en prendre aux "causes véritables" des manifestations d'un ensemble qui est le capitalisme". (57)

La base populaire fut ainsi définie : "Le vote en plénière a défini la base populaire du FRAP comme l'ensemble des hommes et des femmes qui vendent leur force de travail au profit des capitalistes qui contrôlent les moyens de production ou plus généralement de l'ensemble des citoyens exclus des décisions politiques et économiques" (58).
La stratégie générale adoptée fut celle proposée par le C.A.P. Saint-Jacques encore une fois :

*"Une fois de plus, la proposition du C.A.P. Saint-Jacques fut retenue en plénière... Nous considérons pour le moment toute offensive généralisée d'envergure au niveau du FRAP... inopportune. Nous privilégions des offensives locales diversifiées afin de faire connaître les C.A.P., de permettre un premier enracinement organisé et d'éviter de restructurer le C.A.P. dans le vide... En ce sens nous proposons que le FRAP donne priorité aux tâches relatives à l'organisation, à l'enracinement et à la formation de la base humaine des C.A.P.... La permanence du mouvement... devra assurer sa présence sur la scène politique en harcelant les pouvoirs en place : c'est-à-dire en dénonçant les gouvernements et les contradictions du système...".
c'est-à-dire en dénonçant les gouvernements et les contradictions du système...".
(59)*

De plus, on diminua les pouvoirs du Conseil permanent au profit des C.A.P. On en fit un centre d'information et de coordination... Tout au long de ce congrès, on assista à un débat entre ceux qui proposaient des luttes au niveau de Montréal, avec un encadrement par le secrétariat permanent, et ceux qui privilégiaient une action locale : "Le débat... a donc donné lieu aux mêmes oppositions quant aux offensives généralisées versus un enracinement local" (60).
Et comme nous avons pu le constater, ce furent ces derniers qui gagnèrent la partie. Nous assistions par la même occasion à la matérialisation de la chute de l'hégémonie telle que présentée par les animateurs du C.D.S. et le départ de C.A.P. où ces derniers étaient implantés. Et c'est ainsi qu'on peut s'expliquer la rupture de l'analyse et de la pratique politique, à savoir une analyse marxiste et une implantation au niveau de l'entreprise et du quartier :

*"a) A long terme, en ce qui concerne l'enracinement notre force réside dans notre capacité à contrôler, contre le capitalisme, les grands moyens de production.
b) Notre travail doit viser à nous donner des bases d'organisation (cellules d'entreprises et de quartier) assumant une mobilisation et un enracinement (encadrement) permanents des travailleurs.
c) La coordination est assurée par une réunion des responsables à l'organisation de chaque C.A.P.". (61)*

Mais la chute de l'hégémonie des intellectuels du C.D.S. ne se fit pas qu'au FRAP. Le Conseil d'administration du C.D.S. secoué par le F.L.Q., les réactions du pouvoir municipal et provincial face à un engagement "partisan" de ses animateurs, fit le grand nettoyage. On fit une "enquête maison" : le Rapport Carlos (62). Dans ce rapport, qui avait le soutien des initiateurs concernés, on proposait de "sortir" le service d'animation du C.D.S., de financer pour une période de deux ans un organisme faisant ce travail d'animation, qui arrive progressivement à s'autofinancer ou à trouver d'autres sources de financement. Mais le Conseil d'aministration refusa en partie les résultats de "l'enquête maison", car il refusa de financer un organisme extérieur. Il fit progressivement disparaître le service d'animation. On réorganisa les services, et le service d'animation fut remplacé par un service d'appui technique. Progressivement les initiateurs quittèrent cet organisme et c'en était fait de l'animation sociale... Mais le directeur général fut amené à donner sa démission, on prit plus d'un an à lui trouver un remplaçant...

De plus, la Fédération des oeuvres, devenu plus tard la Campagne des fédérations du Grand-Montréal, comme principal bailleur de fonds resserra son contrôle sur les activités du C.D.S. qu'elle finance. C'est ainsi, qu'entre autres : "Il est entendu que conformément à la politique de la Campagne des fédérations du Grand-Montréal (C.F.G.M.) et du C.D.S., l'organisme, comme tous les organismes subventionnés par la C.F.G.M. se tient à l'écart de toute action politique partisane. C'est d'ailleurs en énonçant explicitement le principe d'apolitisme que la C.F.G.M. sollicite des fonds auprès de la population" (63).

La crise qui se vivait au C.D.S. reflète une crise plus profonde au niveau du bloc dominant. En effet, à partir des trois étapes distinguées dans l'histoire du mouvement ouvrier, nous avons qualifié la période allant de 1970 à 1974 de l'étape du socialisme :

> "*En 1970, la dépression économique est dans sa phase cruciale : le taux de chômage est de 9o/o et plusieurs fermetures et mise-à-pied ont lieu dans les usines et les manufactures. Les syndicats et les comités de citoyens constatent que même s'ils crient très fort les pouvoirs politiques ont peu tenu compte de leurs revendications. Avec les "événements d'octobre 1970", ils s'aperçoivent que l'Etat fédéral, avec la collaboration étroite de l'Etat québécois et des pouvoirs municipaux à Montréal et dans plusieurs petites villes du Québec, a habilement utilisé le prétexte des enlèvements... C'est dans ce contexte qu'apparaît l'étape du socialisme. Il ne s'agit pas d'un saut qualitatif accompli d'un coup par la totalité des effectifs et des organisations du mouvement ouvrier. Il s'agit plutôt d'une nouvelle tendance, minoritaire mais mobilisatrice... Il s'agit d'un nouveau type de questionnement et de conscience qui entraîne la disparition de certaines organisations (comités de citoyens). l'apparition des nouvelles organisations (comités de travailleurs, A.P.L.Q., Mobilisation, C.F.P., C.C.R.P.S., C.R.I.Q., En Lutte, C.A.P., etc.). Cette nouvelle étape... se manifeste... par un nouveau type d'analyse en termes de classes sociales marqué par l'influence du marxisme..." (64).*

C'est dans ce contexte qu'il faut situer le "saut analytique" qui survint à l'intérieur du FRAP et la remise en question du projet politique social-démocrate des animateurs et d'un certain nombre de syndicalistes. Débat qui, progressivement, donna naissance aux Comités d'action politique sur la base de quartier et d'entreprise. Par ailleurs, ce débat pour la période qui nous intéresse, soit de 1970 à 1973, est principalement l'apanage d'intellectuels qui sont peu enracinés dans les différentes organisations du milieu ouvrier. Cette tendance a été principalement soutenue à l'intérieur du FRAP par des agents venant du milieu syndical et étudiant auquel s'associèrent des militants de groupes populaires qui remettaient en question le leadership des animateurs.

La crise hégémonique du bloc au pouvoir, cristallisée autour de l'élection municipale, donna donc lieu à une radicalisation du discours des intellectuels.

Cette radicalisation s'accompagna d'un double processus : mise en place de nouveaux types d'appareils correspondant à la radicalisation du discours des intellectuels et renforcement du contrôle étatique sur des appareils de la société civile.

3.2.1 Nouvelles pratiques de direction

A partir de 1970, dans le cadre de la réforme des affaires sociales dont nous avons parlé dans le chapitre précédent, le gouvernement québécois sous l'égide de la loi 65 restructura l'ensemble du réseau des affaires sociales.

C'est ainsi que "la porte d'entrée" aux services de santé et de services sociaux devint les Centres locaux de services communautaires (C.L.S.C.) qui prodiguent les premiers soins de santé et de services sociaux. C'est surtout dans ce type de structure qu'au niveau du service social on met à l'essai des nouvelles méthodes d'animation qui avaient été le propre des animateurs du C.D.S. pendant les années 60 (65). Ce fut aussi l'occasion pour l'Etat d'assurer, à travers les conseils d'administration de ces organismes, un nouveau mode d'encadrement à partir de l'élite locale (66). Les gens qui exigent des soins spécialisés sont orientés soit vers les Centres de services sociaux, soit vers les Centres hospitaliers ou autres, ce qu'ils appellent des soins de "deuxième ligne". L'ensemble de ces services sont regroupés sur une base régionale, dans le cadre d'un Centre régional de santé et de services sociaux (C.R.S.S.S.). Force est de constater que la loi 65 met en place un type de direction hégémonique qui, sur la base des conditions de vie, tente de cerner les individus, groupes ou classes sociales de "tout bord et tout côté".

Les C.R.S.S.S., sous le contrôle de ministère des Affaires sociales, deviennent les structures que le gouvernement provincial privilégie par rapport aux conseils de développement social, du type de celui du C.D.S., qui s'étaient développés dans différentes régions du Québec. A cet effet, le gouvernement québécois informa le C.D.S. qu'il lui donnait la possibilité de s'intégrer au C.R.S.S.S. de la région de Montréal. Par ailleurs, par la même occasion, le gouvernement l'informait qu'il ne subventionnerait que les C.R.S.S.S. Le gouvernement provincial ne subventionnerait plus les structures qui pouvaient initier des pratiques qui se retourneraient contre lui. Le C.D.S. refusa de s'intégrer au C.R.S.S.S. (67) sous la pression de ses employés. Mais il restait avec un seul bailleur de fonds, la Fédération des oeuvres qui se montrait, nous l'avons vu, de plus en plus restrictive, ce qui limita encore plus, par la suite, sa capacité hégémonique à la ville (68).

De plus, quoique cette réforme soit de juridiction provinciale, le gouvernement fédéral réussira progressivement à l'intégrer dans un projet national de sécurité du revenu (69). C'est ainsi qu'à travers la nouvelle direction hégémonique du gouvernement provincial, le gouvernement fédéral y assied, par la même occasion, sa direction hégémonique si fortement questionnée sous l'égide de la Compagnie des jeunes Canadiens (C.J.C.).

Cette pratique de direction de pouvoir fédéral fut complétée par une série de projets subventionnés par son secrétariat d'Etat. Ces projets s'adressaient plus spécifiquement soit aux jeunes étudiants, ce qu'on appelait des projets Perspectives-jeunesse (P.J.), soit aux jeunes chômeurs, ce qu'on appelait des Projets d'initiatives locales (P.I.L.), le premier constitué pour la période d'été, et le second pouvant s'échelonner sur une année. Il s'agissait bien entendu, outre de réagir au chômage qui touchait ces catégories de population dans une conjoncture économique défavorable, d'encadrer et de diriger les luttes qui pourraient émerger :

> "... la propagande gouvernementale sur ces programmes était erronée... Perspective-jeunesse et Initiatives locales sont des programmes précurseurs de politiques futures des gouvernements, pressés de faire face aux conséquences du chômage amené par les changements technologiques et la crise économique actuelle. Ce sont aussi des programmes qui tendent à prévenir les tensions sociales et les crises politiques suite au mois d'octobre des dernières années. Avec ses millions l'Etat décide lui-même du type de contestation dont il est prêt à subir les conséquences (mineures) pour éviter que ne se radicalisent les groupes populaires, souvent même, ces contestations sont dans la ligne de pensée des libéraux fédéraux qui ne demandent pas

152

mieux que de botter le derrière aux établissements locaux trop traditionnels".
(70).

Donc autant au niveau du financement que des structures mises en place, le bloc dominant s'assure d'un contrôle de plus en plus serré de sa pratique de direction. C'est ainsi qu'à travers le développement et la radicalisation des mouvements de lutte en milieu urbain se serait dessinée cette nouvelle forme de direction hégémonique, liée au bloc dominant. Nouveau mode de contrôle étatique qui permettrait à l'Etat de créer et d'intégrer de nouvelles formes de direction.

Par ailleurs, nous avons vu que cette radicalisation des mouvements de lutte en milieu urbain s'est accompagnée de la mise sur pied de nouveaux appareils : un parti politique municipal, le FRAP et la mise sur pied de groupes politiques au niveau du quartier et de l'entreprise. Ce processus s'accentua à partir de 1970. Nous voyons se constituer bon nombre d'appareils tentant de se soustraire au renforcement du contrôle étatique au niveau du financement et des structures mises en place. A titre d'exemple parmi ces organisations, nous retrouvons le Centre de formation populaire (C.F.P.) et le Centre coopératif de recherche en politique sociale (C.C.R.P.S.).

Le Centre de formation populaire (C.F.P.) est un organisme sans but lucratif formé en corporation en 1972, qui vise à répondre aux besoins de formation des groupes populaires, des coopératives et des syndicats : "Le Centre de formation populaire est un organisme dont les fins sont la promotion des intérêts des travailleurs en matière de formation" (71).

A cet égard, c'est une organisation qui se veut contrôlée par les travailleurs : "Le C.F.P. s'appuie directement sur ces organisations de travailleurs... sur les militants et leurs sympathisants. Il est dirigé et contrôlé par ses membres quant à son orientation générale et son administration" (72).

C'est ainsi qu'à la différence des organisations tel que le C.D.S. et les C.R.S.S.S., il est contrôlé totalement par des militants oeuvrant dans différentes organisations au niveau du milieu de travail et de vie.

Si au niveau de sa direction, il est contrôlé par des militants qui se disent favorables à la classe des travailleurs, il est par ailleurs vulnérable sur le plan de son financement. En effet, les cotisations des groupes membres ne représentent qu'une faible part de son financement. C'est pourquoi il doit trouver des fonds auprès de différents organismes publics. D'ailleurs le C.F.P., comme beaucoup d'autres organisations du même genre, tente de mettre à profit les ressources militantes au niveau de la formation pour réduire de plus en plus ses besoins financiers.

Le Centre coopératif de recherche en politique sociale (C.C.R.P.S.) est un organisme du même genre, avec les mêmes types de contraintes financières. Quoique sa structure soit un peu différente de celle du C.F.P., le C.C.R.P.S. est, lui aussi, contrôlé par des organisations du milieu ouvrier et vise surtout à répondre aux besoins de recherche des différentes organisations membres (73).

Mais que dire du processus à l'origine de ces nouvelles pratiques ? Que dire des intellectuels qui organisent ce processus ? C'est à ces derniers qui nous allons plus particulièrement nous arrêter dans le prochain chapitre.

(1) L'action du Comité d'action politique de Saint-Jacques s'étendait au Nord de la rue Sherbrooke.

(2) La nouvelle tendance qui se développe au FRAP, à partir de 1973, est l'expression du nouveau type de débat qui s'amorce progressivement. Pour la période qui nous intéresse, soit jusqu'en 1973, le débat sur les différentes conceptions de "l'avant-garde" du prolétariat n'a pas encore les effets catalyseurs que l'on retrouve dans la période suivante. C'est après la présente période que le débat est largement développé.

(3) EN COLLABORATION, "Problèmes et perspectives du travail de quartier à Saint-Jacques", *Mobilisation*, Vol. 2, no. 2, A.P.L.Q., p. 27.

(4) Idem, p. 30.

(5) EN COLLABORATION, "Deux ans de travail d'un noyau de militants ouvriers et socialistes", *Mobilisation*, Vol. 3, no. 2, A.P.L.Q., p. 15.

(6) EN COLLABORATION, "Les comités de travailleurs : dépasser l'état actuel des choses", *Dossier Mobilisation*, no. 3, A.P.L.Q., p. 9.

(7) "Problèmes et perspectives du travail de quartier à Saint-Jacques", op. cit., p. 28.

(8) Idem, p. 30.

(9) "Problèmes et perspectives du travail de quartier à Saint-Jacques", op. cit., p. 23.

(10) "Problèmes et perspectives du travail de quartier à Saint-Jacques", op. cit., p. 24.

(11) "Deux ans de travail d'un noyau de militants ouvriers et socialistes", op. cit., p. 15.

(12) "Deux ans de travail d'un noyau de militants ouvriers et socialistes", op. cit., p. 16.

(13) "Les comités de travailleurs...", op. cit., p. 5.

(14) "Les comités de travailleurs. Dépasser l'état actuel des choses", op. cit., pp. 8-11.

(15) EN COLLABORATION, "Bilan du C.A.P. Saint-Michel", *Mobilisation*, Vol. 3, no. 9, juillet 1974, p. 30.

(16) Le terme travailleur réfère à une catégorisation assez large qui correspond approximativement à des travailleurs exécutants des secteurs directement et indirectement, productifs et non-productifs. Par ailleurs, à certains moments, ils font ainsi référence à la classe des travailleurs directement productifs.

(17) "Problèmes et perspectives du travail de quartier à Saint-Jacques", op. cit., p. 28.

(18) "Problèmes et perspectives du travail de quartier à Saint-Jacques", op. cit., p. 25.

(19) EN COLLABORATION, "La lutte des travailleurs chez Rémi Carrier", *Mobilisation*, Vol. 3, no. 8, juin 1974, p. 16.

(20) "Deux ans de travail d'un noyau de militants ouvriers et socialistes", op. cit., p. 21.

(21) Nous utilisons les dossiers suivants :
"La formation : une nécessité du travail militant", *Mobilisation*, Vol. 2, no. 1, janvier 1973.
"Les comités de travailleurs : dépasser l'état actuel des choses", *Dossiers Mobilisation*, no. 3.
"Problèmes et perspectives du travail de quartier à Saint-Jacques", *Mobilisation*, Vol. 2, no. 2.
Nous complétons ces dossiers avec deux textes des C.A.P. Saint-Jacques et Maisonneuve, largement diffusés d'ailleurs par la revue *Mobilisation* :
La nécessité d'une organisation politique des travailleurs, Le Comité d'action politique de Maisonneuve, février 1972.
Pour l'organisation politique des travailleurs québécois, Comité d'action politique de Saint-Jacques, 1971.

(22) *La nécessité d'une organisation politique des travailleurs*, Le Comité d'action politique de Maisonneuve, février 1972, p. 14.

(23) EN COLLABORATION, "La formation : une nécessité du travail militant", *Mobilisation*, Vol. 2, no. 1, janvier 1973, p. 9.

(24) Idem.

(25) "Problèmes et perspectives du travail de quartier à Saint-Jacques", op. cit., p. 27.

(26) "Problèmes et perspectives du travail de quartier à Saint-Jacques", op. cit., p. 31.

(27) EN COLLABORATION, *Pour l'organisation politique des travailleurs québécois*, C.A.P. de Saint-Jacques, p. 61.

(28) "Les comités de travailleurs. Dépasser l'état actuel des choses", op. cit., p. 9.

(29) "Les comités de travailleurs. Dépasser l'état actuel des choses", op. cit., p. 12.
(30) Idem.
(31) Idem, p. 13.
(32) "Les comités de travailleurs...", op. cit., p. 12.
(33) Idem, p. 14.
(34) "Problèmes et perspectives du travail de quartier à Saint-Jacques", op. cit., pp. 29-32.
(35) "Les comités de travailleurs...", op. cit., pp. 19-20.
(36) EN COLLABORATION, "Problèmes et perspectives du travail de quartier à Saint-Jacques", *Mobilisation*, Vol. 2, no. 2, A.P.L.Q., pp. 29-31.
(37) Sont employés indifféremment dans les textes les termes de "parti de travailleurs", de "projet socialiste", etc. Pour la période qui nous intéresse, soit jusqu'en 1973, le débat sur les différentes conceptions de "l'avant-garde" du prolétariat n'est pas encore ouvertement au centre des discussions. C'est pourquoi, pour les fins de notre exposé, nous employerons surtout le terme générique de Parti de travailleurs.
(38) CASTELLS, Manuel, *Luttes urbaines*, F. Maspéro, Cahiers Libres, 1973, p. 45.
(39) CASTELLS, Manuel et autres, *La sociologie des mouvements sociaux urbains*, Volumes 1 et 2, École des hautes études en sciences sociales, Paris, 1974.
(40) CASTELLS, Manuel, *Sociologie des mouvements sociaux*, op. cit., p. 5.
(41) CASTELLS, Manuel, "Crise de l'Etat, consommation collective et contradictions urbaines", in Nicos POULANTZAS, *La crise de l'Etat*, P.U.F., 1976, pp. 179-209.
(42) CASTELLS, Manuel, "Crise de l'Etat, consommation collective...", op. cit., p. 207.
(43) LECLERC, Jean-Claude, "Trois conseillers municipaux ont répondu par écrit au FRAP", *Le Devoir*, 1970.
(44) *Le Devoir* fut particulièrement actif dans la diffusion d'informations concernant le FRAP.
(45) LIZEE, Michel, "Le FRAP", avril 1972, in *Animations sociales au Québec*, Montréal, Université de Montréal, octobre 1972, p. 370.
(46) Idem.
(47) RICHARD, Pierre, "Le FRAP n'est qu'un ramassis de terroristes et de révolutionnaires", vendredi 23 octobre 1970. Tiré des dossiers de presse du C.D.S. qui ne fournissait pas le nom du journal.
(48) DESJARDINS, Marcel, "FRAP : MARCHAND voulait dire caution et non couverture. TRUDEAU désavoue ses propos", *La Presse*, vendredi le 23 octobre 1970.
(49) LIZEE, Michel, op. cit., p. 376.
(50) "Le FRAP", op. cit., p. 355.
(51) EN COLLABORATION, "Reflet de la Sociale-démocratie à Montréal", *Mobilisation*, Vol. 4. no. 1, p. 18.
(52) LIZEE, Michel, op. cit. p. 359.
(53) KEABLE, Jacques, "Le FRAP en congrès. Après plusieurs affrontements la tendance électorale gagne", *Québec-Presse*, septembre 1970.
(54) EN COLLABORATION, "Histoire du mouvement étudiant (1964-1972)", *Mobilisation*, Vol. 4, no. 2, p. 19.
(55) LECLERC, Jean-Claude, "L'inévitable scission du FRAP", *Le Devoir*, mars 1971.
(56) VALOIS, Jocelyne, "Histoire du FRAP. "Deuxième manière", octobre 1970 à mars 1972", *Animations sociales au Québec*, Montréal, Université de Montréal, octobre 1972, p. 398.
(57) VALOIS, Jocelyne, op. cit., p. 399.
(58) Idem, p. 401.
(59) Idem, p. 405.
(60) Idem, p. 410.
(61) VALOIS, Jocelyne, op. cit., p. 405.
(62) Ce document est disponible au Centre de documentation du C.D.S.
(63) "Notes relatives aux échanges de points de vues entre la Campagne des fédérations du Grand-Montréal et le Conseil de développement social du Montréal métropolitain", Centre de documentation du C.D.S., 1972, p. 2.

(64) "Les chrétiens dans le mouvement ouvrier au Québec", *Relations*, numéro spécial, 1974, p. 294.

(65) Pour avoir une idée de la pratique des C.L.S.C. lire : GODBOUT, Jacques et Nicole V. MARTIN, *Participation et innovation*, I.N.R.S., Université du Québec, 338 p.

(66) Lire à cet effet : GODBOUT, Jacques et Nicole MARTIN, *Participation et innovation*, op. cit., Mais en particulier les travaux suivants : VALOIS, Jocelyne et Pierre PAQUET : *Les groupes populaires dans la structure du pouvoir*, I.C.E.A., août 1974, 219 p. ; WELCH, David "Trois expériences de mobilisation dans un quartier populaire", *Mobilisation*, printemps 1976.

(67) Le C.D.S.M.M., *Le Conseil de développement social, sa raison d'être et ses fonctions*, Montréal, Centre de documentation du C.D.S., mars 1972, 21 p.

(68) Le C.D.S. ferma ses portes en 1976.

(69) Voir à cet effet : VAILLANCOURT Yves et Michel PELLETIER, op. cit. Le Chapitre III et en particulier : "La consolidation de l'emprise fédérale", pp. 282-299.

(70) SANFACON, Jean-Robert et Louise VANDELAC, *Perspectives-jeunesse*, A.P.L.Q., Dossier, 1973, p. 5.

(71) C.F.P., *Constitution, statuts et règlements*, février 1974, p. 1.

(72) Idem, p. 2.

(73) C.C.R.P.S., *Règlement de régie interne du Centre coopératif de recherche en politique sociale*, Règlement de régie interne adopté par l'Assemblée générale d'organisation du C.C.R.P.S., le jeudi 14 juin 1973.

CHAPITRE V

LES INTELLECTUELS DANS L'ETAT

I- LE CONTEXTE

Le processus à l'origine de ces mouvements de lutte en milieu urbain, dans le cas présent, est d'abord une initiative de l'Etat.

Ces initiatives s'insèrent dans une vaste réforme de l'Etat : la "révolution tranquille" qui s'installa après la mort de Maurice DUPLESSIS. On réforma l'éducation, l'administration publique, les affaires sociales, on nationalisa l'électricité, on mit en place une Caisse de dépôt et de placement et une Société générale de financement (S.G.F.)... Bref, on modernisait : "Le Québec à l'heure du XXème siècle", disait-on. Par l'importance de l'intervention, c'est l'ensemble des francophones du Québec qu'on acculturait (1), "Ces ruraux du XXème siècle", comme disaient certains...

Cette initiative, nous l'avons vu, suscita dans le bloc dominant des crises et des réalignements d'alliance : la crise entre la bourgeoisie canadienne et la nouvelle petite bourgeoisie moderne et nationaliste, chacun tentant de s'appuyer sur un niveau de pouvoir différent, l'une le fédéral et l'autre (la nouvelle petite bourgeoisie), qui cherche à faire alliance avec la bourgeoisie de la petite et moyenne entreprise, sur le gouvernement québécois. Ce bloc a été affecté par les initiatives de la nouvelle petite bourgeoisie nationaliste qui, progressivement, organisa sa main-mise sur un bon nombre d'appareils hégémoniques de la société civile. Une lutte de direction s'amorça qui donna lieu à l'organisation de deux tendances : une pro-fédéraliste surtout représentée par le Parti Libéral du Québec (P.L.Q.), une autre nationaliste surtout organisée par le Parti Québécois (P.Q.).

Nous savons que dans les sociétés avancées, une classe ne peut durablement maintenir son pouvoir sans un contrôle de la société civile. L'histoire montrera que telle fut la grande faiblesse du gouvernement fédéral : le courant nationaliste, représenté politiquement par le Parti Québécois, largement infiltré dans la société civile, prend le pouvoir en 1976. Les bastions de la société civile sont d'autant plus importants à pénétrer qu'ils sont un lieu de savoir dont aucun pouvoir ne peut durablement se passer.

D'ailleurs, tout le conflit qui surgit progressivement entre le pouvoir municipal et les groupes populaires sera aussi, nous croyons, d'un enseignement politique important pour le bloc dominant. L'administration municipale de Montréal, contrôlée par le Parti Civique de Messieurs Jean DRAPEAU et Lucien SAULNIER pour la période qui nous intéresse, ayant peu d'assises dans la société civile, devrait lui aussi subir des mutations. D'ailleurs, le Regroupement des Citoyens de Montréal (R.C.M), parti plus lié aux groupes populaires, a maintenant des représentants à l'Hôtel de Ville de Montréal : face à une administration municipale qui réagit de façon anachronique par son fonctionnement plus coercitif qu'hégémonique, la "modernité" fait progressivement son chemin.

C'est dans cette lutte que s'est développée la "modernité", c'est dans cette lutte que s'est donc constitué un savoir utile qui a donné lieu au raffinement du rapport de l'Etat, à travers la société civile, à différents groupes sociaux.

Ce savoir, dans la société civile, s'est développé à travers le rôle charnière d'intellectuels organiques. C'est aussi à travers ce rôle de charnière que ces derniers, les intellectuels, tendirent à introduire la "modernité" dans la population.

Nous allons nous arrêter à ceux (les intellectuels) qui ont fait l'objet des chapitres précédents et qui ont été surtout impliqués dans les questions sociales. Tous ont été marqués par différents courants de pensée : la pensée religieuse, la pensée américaine de l'organisation communautaire, et enfin plus tardivement, par des courants de pensée européens.

2. LES DIFFERENTS COURANTS DE PENSEE

2.1. la pensée religieuse

La pensée religieuse de ces initiateurs a été une source d'inspiration et a rempli une fonction motrice dans le développement de leur pratique.

A l'origine, c'est au nom d'un certain humanisme "chrétien" qu'est amorcée leur pratique : vivre près des gens, partager leur misère, apprendre des gens les plus simples, travailler avec eux contre cette misère qui les encercle. De nobles sentiments qui habitaient des gens ayant pour la plupart reçu une formation classique sous le contrôle d'un clergé catholique monolithique. Ils font partie de ces premiers "révoltés", de ceux qui ont refusé la voie royale de la "prêtrise" pour choisir ses sentiers moins institutionnels, plus fragiles, dans une permanente instabilité et insécurité pour alimenter leur recherche philosophique au contact des plus démunis. Leur place est importante au Québec et leur histoire reste à faire (2).

Par ailleurs, relativement aux étapes de la "révolution tranquille", un certain nombre de constats ont été effectués. En parlant de l'Eglise-institution, on dit de la période 1960-1965 :

> "L'Eglise-institution a subi la "révolution tranquille" plus qu'elle ne l'a appuyée, même si cette dernière est loin d'avoir été faite par et pour les travailleurs. Mais, dans la mesure où la "révolution tranquille" amenait le remplacement du leadership de la petite bourgeoisie traditionnelle par celui de la petite bourgeoisie moderne dans des secteurs clés comme les écoles, les hôpitaux et les services sociaux, ces changements étaient suffisants pour signifier, pour l'Eglise-institution, une baisse de son contrôle sur la société québécoise. Pour comprendre cela, il suffit de rappeler que la direction de l'institution ecclésiale était largement entre les mains de la petite bourgeoisie traditionnelle. D'autre part, comme le mouvement ouvrier, dont la direction était largement entre les mains de la petite bourgeoisie moderne, appuyait la "révolution tranquille", les rapports entre l'organisation ecclésiale et les organisations du mouvement ouvrier ne pouvaient pas être très harmonieux à l'époque". (3)

Face à cette "Eglise-institution", ces "révoltés" eurent une place importante. Il faut savoir qu'un réseau dense avait été mis en place par lequel beaucoup de membres de notre élite politique sont passés. Il existait au Québec la "Jeunesse rurale catholique" (J.R.C.), la "Jeunesse ouvrière catholique" (J.O.C.), la "Jeunesse étudiante catholique" (J.E.C.). Cela signifie concrètement qu'à l'école, au niveau primaire, secondaire et même collégial, existaient des cellules de ces organisations ; que la campagne et certaines villes étaient parsemées de ces cellules qui faisaient un travail d'éducation. Il est fréquent de rencontrer des militants qui, dans une période pas si lointaine, vous parlent, avec malheureusement une certaine gêne, de leur "histoire religieuse" :

> "... Même si l'Eglise en tant qu'institution a été opposée à la "révolution tranquille", ceci n'a pas empêché de nombreux chrétiens, à l'intérieur comme à l'extérieur du mouvement ouvrier, de jouer un rôle moteur dans ce processus de changement. D'ailleurs dès les années 50, des chrétiens comme le Père Georges-Henri LEVESQUE, O.P. et les Abbés O'NEIL et DION avaient pris parti pour la petite bourgeoisie moderne... La revue **Maintenant** et les mouvements d'action catholique (J.E.C., J.O.C., M.T.C.) apparaissent alors comme des pôles de rassemblement de ce type de chrétiens progressistes... Quoique décontenancés et nostalgiques... les évêques... ne tardèrent pas à s'ajuster à l'inéluctable virage historique et, du coup, à ouvrir la possibilité... de suivre la voie anticipée par l'avant-garde minoritaire...". (4)

Ce "virage historique" marqua bon nombre de chrétiens. De la période que nous avons appelé "l'étape de la sociale-démocratie" (1966-1969), on dit que l'attitude distante de l'Eglise-institution "n'empêche pas des chrétiens, sur une base individuelle et parfois des groupes de chrétiens, de s'impliquer activement dans l'étape sociale-démocrate. Dans les comités de citoyens, la présence des chrétiens comme alliés a un caractère davantage public et marquant... Somme toute... un nombre significatif de chrétiens emboîtent le pas et trouvent le moyen de se ressourcer, même si l'identification à l'Eglise entraîne souvent l'incompréhension sinon l'hostilité d'autres militants qui ont dû s'éloigner de l'Eglise et souvent, en même temps, de la foi chrétienne pour s'identifier aux luttes menées par les travailleurs et par les milieux populaires..." (5).

Enfin, de la période que nous avons appelée "l'étape du socialisme" (1970-1974), on dit qu'elle a pris au dépourvu un nombre important de militants chrétiens :

> "Encore plus que ceux de 1960 et de 1966, le virage de 1970 a pris au dépourvu non seulement l'Eglise-institution, mais également un grand nombre de chrétiens qui militent en milieu ouvrier ainsi que leurs organisations de ressourcement chrétien. Dans la mesure où il signifie, dans plusieurs organisations du mouvement ouvrier, un débat sur la question du capitalisme et du socialisme, une analyse en termes de classes sociales, une acceptation plus lucide de la lutte des classes, une mise en question de la propriété privée des moyens de production... ce virage représente un défi nouveau et plus exigeant que les deux précédents pour l'institution ecclésiale et même pour la foi des chrétiens insérés dans les luttes des travailleurs". (6)

Nous avons dit que l'histoire de ces "révoltés" reste à faire et ce n'est pas par hasard : un malaise important encerclait les initiateurs dans leur pratique.

Guidés par le désir de travailler avec les plus démunis, ils rencontrèrent des impasses. Nous avons vu comment ils se représentèrent les quasi-échecs dans leur travail avec les assistés sociaux et les analyses "sophistiquées" qu'ils développèrent. On entendait souvent dire qu'à travailler avec les plus démunis, on finissait par adopter leur mode de pensée et partager leur impuissance. Ce qui avait été le moteur de leur action était progressivement identifié comme un carcan. Ce malaise se transforma en rupture et même parfois en des brisures personnelles...

C'est sur ce fondement que se construisait progressivement d'une part un nouveau carcan rationaliste à travers la pensée américaine de l'organisation communautaire et d'autre part, l'influence de certains courants de pensée européens.

2.2. les courants américains et européens

Le développement de l'organisation communautaire aux Etats-Unis a beaucoup d'analogie avec le développement des luttes urbaines à Montréal.

En effet, l'importante migration des Noirs aux Etats-Unis vers les grandes villes, à partir des années 50, en rapport entre autres avec la modernisation des fermes, augmenta considérablement le coût du bien-être social tout en étant une source potentielle de troubles sociaux :

> "Entre 1950 et 1969 aux Etats-Unis, un million de fermes disparurent. La conséquence la plus directe de ces changements fut une demande moins grande de travailleurs agricoles. Entre 1950 et 1965, seulement les nouvelles machines et les nouvelles méthodes accrurent la productivité agricole de 45 o/o et réduisirent l'emploi sur les fermes de 45 o/o aussi. En 1967, le taux de chômage national était de 4 o/o et le taux du chômage dans les milieux ruraux atteignait 18 o/o. Parmi les travailleurs agricoles, ce taux était de 37 o/o. La meilleure mesure des migrations qui eurent lieu peut se calculer ainsi : plus de 20 millions de personnes (plus de 4 millions de Noirs) abandonnèrent la terre après 1940". (7)

Cette situation amena le gouvernement fédéral américain à organiser au début de 1960 ce qu'il appela "la guerre contre la pauvreté", dont nous avons eu l'occasion de parler dans l'introduction de cette thèse. Ce fut l'occasion de mettre sur pied un important programme d'organisation communautaire qui connut différentes étapes dans son développement.

Au départ, cette expérience était largement centrée sur les gens aux prises avec des problèmes de chômage et de bien-être. C'est dans ce sillage que se développa une littérature qui cherchait les causes de la pauvreté chez les gens aux prises avec ces problèmes (8). Progressivement, force fut de constater que les élus locaux, en particulier, étaient peu ouverts aux demandes des groupes constitués dans le cadre de ces programmes. C'est ainsi qu'on parla progressivement de l'absence de pouvoir comme source des inégalités sociales (9). Enfin, des révoltes importantes se développèrent dans les grandes villes américaines, dont Chicago est un exemple parmi d'autres. De ces révoltes, il reste aujourd'hui un nouvel "establishment noir" (10) au niveau local, en particulier, et des groupes radicaux largement marginalisés (11).

Cette expérience américaine a été un ferment de pratiques et de productions théoriques qui permit aux initiateurs de mettre de l'ordre dans un malaise par la même occasion réprimé ou refoulé.

A cet effet, on se rappellera l'influence sur l'Abbé RIENDEAU du C.O.M. devenu C.D.S.M.M., des expériences d'organisation communautaire à Chicago au début des années 60.

Les techniques et les méthodes de Murray ROSS (12) influencèrent d'une façon prépondérante les animateurs. Ces méthodes visaient à faciliter la rationalité dans l'action collective.

"Les postulats (13) de base de ce type d'animation sont les suivants : tout homme agit, donc tout homme peut penser son agir. Tout homme a la capacité de percevoir son agir". Ainsi, l'animateur ne fait que favoriser la structuration du groupe. "La priorité est la logique d'action (identification des problèmes-solution-action-contrôle). L'animateur est un instrument "neutre" au service du groupe". "La rationalité y devient valeur "privilégiée". L'animation est conçue comme façon nouvelle d'introduire dans la population la "modernité". L'animation est ici un processus d'intégration : amener les gens à se définir, à mieux fonctionner au sein des structures sociales de leur milieu. Elle implique une participation conçue en termes d'intégration, d'adaptation à un environnement.

A la suite des déboires et de l'hostilité de plus en plus apparente du pouvoir local, ils développèrent de nouvelles orientations ou débouchés d'action à partir de 1966 : action parallèle et de protestation.

Ce mode d'action était inspiré des écrits de Carl ROGERS (14) qui eut une très grande influence sur les animateurs pendant la période allant de 1966 à 1968 en particulier. Ce courant de pensée se définit par la non-directivité et une croyance fondamentale dans les capacités d'un individu ou d'un groupe, à trouver à partir de leurs propres ressources des solutions aux problèmes qu'ils abordent.

On se souviendra que ce mode de pensée donna dans l'action des résultats inégaux dans Centre-Sud et Hochelaga. De plus, les initiateurs avaient entrepris une recherche, sous la direction de Louise CHABOT (15), pour évaluer plus précisément les résultats de leur travail avec les groupes populaires. De cette recherche, un constat majeur ressortit : à caractéristiques socio-économiques équivalentes, les gens avec qui les initiateurs n'avaient pas travaillé étaient plus politisés que ceux avec qui ils travaillaient depuis quelques années.

C'est sur ces fondements qu'ils entreprirent une vaste remise en question qui les orienta vers l'action politique. C'est à travers cette remise en question que s'articula l'influence de certains courants de pensée européens, et d'abord, l'influence de la pensée "tourainienne", en particulier toute la recherche sur les mouvements sociaux qui permit aux initiateurs de "sophistiquer" leur démarche et de "rationaliser" leurs nouvelles alliances dans la mise sur pied du F.R.A.P.

Ces "mouvements sociaux", on se souviendra, étaient précurseurs des valeurs d'un nouveau type de société. Toute résistance aux nouvelles valeurs était interprétée comme une inaptitude au changement (16), comme un refus de la "modernité" qu'il s'agissait "d'éduquer"...

L'utopie de la société participante ne résista pas à la répression inhabituelle de l'Etat : la présence de l'armée au Québec, en 1970, ne laissait plus beaucoup de place à un discours sur la "résistance" ou "l'ouverture" des gens à de nouvelles valeurs. Il fallait chercher ailleurs un discours qui, dans son projet de société, tienne compte de cette nouvelle société.

C'est ainsi que l'expérience politique du F.R.A.P. et sa critique consolida la position des tenants du marxisme comme pensée philosophique et politique.

Cette analyse avait l'avantage de se présenter comme une alternative globale au courant social-démocrate qui s'était dégagé progressivement dans le sillage d'un certain humanisme chrétien. De plus cette approche proposait un dépassement "scientifique" du rationalisme américain, trop marqué par l'empirisme et rattaché à l'éthique protestante. Ethique qui valorise la capacité des individus ou des groupes à construire leur environnement, et dont les valeurs se retrouvent sous forme de postulat dans les théories de l'organisation communautaire américaine que nous avons abordées précédemment.

Il n'est donc pas surprenant qu'au Québec, au début des années 70, le courant marxiste eut une si grande emprise et se diffusa rapidement à l'intérieur de la couche des intellectuels : il se présentait conjoncturellement comme une alternative globale et scientifique.

Ces différents courants de pensée, qui marquèrent ces intellectuels, se sont incarnés dans un itinéraire précis : la radicalisation des mouvements de lutte en milieu urbain montréalais.

Cette radicalisation renforça le poids de la nouvelle petite bourgeoisie dans la société civile.

3. LES INTELLECTUELS ET LA NOUVELLE PETITE BOURGEOISIE DANS LA SOCIETE CIVILE

Trop souvent, en mécanisant son rapport à la structure, on prend pour acquis la constitution de la nouvelle petite bourgeoisie (N.P.B.) sans s'interroger sur la dynamique qui prévaut à son développement, ou disons à sa maturation.

La pratique des intellectuels que nous avons abordée dans les chapitres précédents nous fournit un bon exemple du développement des assises de la N.P.B. dans un secteur de la société civile, celui des affaires sociales.

Des initiateurs des groupes populaires du début de 1963-1964, rappelons qu'ils étaient des gens ayant une formation universitaire, ou en cours de formation universitaire, dans le domaine des sciences sociales, plus spécifiquement pour certains dans le domaine du service social. Ils étaient pour la plupart des militants chrétiens impliqués dans les quartiers populaires (on les appelait souvent les militants des "chantiers"). Avec l'intention du Conseil des oeuvres (C.O.M.) de construire des pratiques plus adaptées face aux problèmes sociaux, ils avaient là une base matérielle pour explorer de nouvelles modalités d'intervention. Ce furent d'ailleurs les premières expériences significatives du département de Service social de l'Université de Montréal dans le domaine de l'organisation communautaire : le Sud-Ouest de Montréal devint le laboratoire privilégié de ces "apprentis-sorciers". On institutionnalisait une pratique en voie de se définir mais qui ne trouvait pas jusqu'à ce moment de milieu propice pour se faire valoir. Il n'est donc pas surprenant d'entendre ces initiateurs parler de la bureaucratisation des structures inadaptées pour répondre aux "besoins" des gens...

Nous pourrions retraduire ces "besoins" comme étant les revendications et les moyens que se donne ce groupe social pour s'assurer de meilleures assises qui se construisent progressivement dans la sphère de la société civile. Par ailleurs, le pouvoir local semble peu réceptif face à la demande qui lui est formulée, c'est-à-dire celle de les reconnaître comme courroie facilitant "l'instauration plus rapide de mécanismes de consultation".

Dans un premier temps, les initiateurs sont amenés à consolider leur position dans l'appareil dont ils font partie. Ils réussiront à faire passer leurs interventions du stade de "projet pilote" à celui d'une "stratégie de lutte contre les inégalités sociales". Par la même occasion, étaient mis en place les conditions pour former une équipe qui devint le Service d'animation sociale du C.O.M., devenu plus tard le C.D.S.

Le développement de cette stratégie dans Hochelaga et Centre-Sud donna des résultats qui les amena à dépasser le "rationalisme" de l'organisation communautaire pour puiser dans les courants de pensée européens de nouvelles alternatives : se limiter à des actions de quartier sans envergure ou forcer le développement d'alternatives politiques qui, par le fait même, favoriseraient le développement de leur fonction d'encadrement.

La conjoncture politique aidant, ces initiateurs agirent comme moteur, dans l'élargissement à des groupes sociaux du même type d'un processus de rupture avec le pouvoir local, en s'alliant pour cela de nouvelles couches de la population, c'est-à-dire la "zone ouvrière". En ce sens, la lutte des initiateurs crée un processus qui tend à renforcer le poids politique de la N.P.B. dans l'organisation sociale.

C'est d'ailleurs à travers ce processus que fut cristallisée la crise à l'intérieur du bloc dominant : la lutte hégémonique entre la tendance pro-fédéraliste et nationaliste. Crise hégémonique qui donna lieu à la mise en branle de l'appareil répressif de l'Etat.

De cette crise naquit un double mouvement ; d'une part l'Etat conforta les positions de la N.P.B. dans la société civile à travers la réforme des affaires sociales en prenant en compte sa dynamique interne ; d'autre part, une apparente rupture s'installa chez les intellectuels.

L'Etat prit en ligne de compte la dynamique interne de la N.P.B. dans la mesure où il conforta l'insécurité d'éléments de la petite bourgeoisie "rénovée" en lui fournissant de nouvelles assises politiques à travers, entre autres, les conseils d'administration des Centres locaux de services communautaires (C.L.S.C) (17). En effet, certains membres de l'élite locale adoptèrent la "rationalité" de la N.P.B., mais n'avaient plus la base politique que leur offraient les anciennes formes de contrôle social : entre autres, différentes associations de "bénévolat" au niveau des quartiers. L'Etat renforça, d'autre part, la position de la N.P.B. en officialisant son nouveau mode de "traitement" des "problèmes sociaux" (18).

Chez les intellectuels qui se définissent en rupture avec le bloc dominant, il y eut peu de prise réelle sur la conjoncture politique. Nous avons vu que leur pratique a beaucoup d'analogie avec celle des initiateurs des années 60 : ils tendent à reproduire les mêmes erreurs que ces derniers dans leur recherche d'alliances. Dans les faits, il s'agit de débats fastidieux qui divisent des intellectuels, qui auraient avantage peut-être à mieux apprécier l'évolution de leur identité culturelle... Si tel est le cas, nous ne voyons pas comment (tant et aussi longtemps que cette question ne sera pas menée à terme) leur saut qualitatif est un saut en avant.

A partir de nos observations empiriques, pour nous, deux questions complémentaires résurgissent : la fonction organique des intellectuels et l'analyse de l'Etat dans la problématique marxiste.

4. A PROPOS DES INTELLECTUELS ET DE L'ETAT

Les intellectuels, dont nous avons parlé, ont bien rempli une fonction organisatrice de la nouvelle petite bourgeoisie dans un secteur précis de la société civile. Ils ont donc, dans leur rapport à cette classe, une certaine "organicité" à la fois par le savoir et la pratique qu'ils constituèrent.

Nous n'avons pas retrouvé ce rapport ou cette liaison chez les analystes de GRAMSCI : certes nous avons trouvé cette idée de hiérarchie qualitative des intellectuels (19), de relative autonomie des intellectuels (20), qui leur permet de mieux "homogénéiser la classe qu'ils représentent" (21), entendu comme étant la classe fondamentale dont ils sont le groupe auxiliaire, mais pas de mention directe à cette question de l'organicité des intellectuels par rapport à leur propre classe d'appartenance, c'est-à-dire la N.P.B.

Cette question est importante car est ainsi reposé tout le problème du statut de la nouvelle petite bourgeoisie. A cet égard, nous étions passé rapidement, dans l'introduction de cette thèse, d'une saisie en termes d'intellectuels liés au bloc dominant, à une autre en termes d'agents de la nouvelle petite bourgeoisie dans la mesure où nous établissions un rapport entre ces derniers et le développement de nos sociétés avancées.

Chose certaine, il devient de plus en plus inapproprié de qualifier les agents de cette classe de "couches intermédiaires" (22). Dans le domaine des appareils hégémoniques, il n'est pas possible de mettre dans un même ensemble, comme le fait J. DION "les travailleurs technico-scientifiques n'assurant pas prioritairement une fonction hiérarchique, (et) les professionnels de l'idéologie, c'est-à-dire les travailleurs dont le rôle implicite est de concourir à la reproduction du système ou d'en réduire les principales contradictions" (23). Cette approche tend ainsi à être une représentation formelle qui n'est pas plus significative, par bien des aspects, que la notion de stratification sociale. Il devient aussi aléatoire d'envisager l'analyse de cette classe principalement sous la forme de fractions plus ou moins favorables à la classe ouvrière (24).

Peut-on dire que cette classe tendrait à se distinguer par sa fonction d'encadrement (25), à la fois dans l'Etat et dans le secteur économique (26) ? Peut-on dire que la fraction oeuvrant dans le domaine de l'Etat tend à assurer la cohésion interne de cette classe (27)? Plus largement. cette N.P.B. porte-t-elle une dynamique qui nous permettrait de soutenir qu'une classe n'est révolutionnaire que par accident (28)?

Voilà les questions que nous pose la fonction organique des intellectuels à leur propre classe. Si notre champ d'observation, de par ses limites, ne nous permet pas de développer des amorces de réponses à ces questions, il nous permet par ailleurs d'éviter de prendre des positions hâtives sur le statut de cette nouvelle petite bourgeoisie.

Enfin, à travers la pratique des intellectuels organiques se dessine un renforcement de la domination de l'Etat.

En effet, la pratique que nous avons analysée à travers la notion de bloc historique, avec tout son système d'alliances dont nous venons de souligner l'ambiguïté, laisse échapper des processus importants : nous avons vu comment la radicalisation des mouvements de lutte urbaine a renforcé le contrôle de l'Etat et développé un savoir qui permet à celui-ci de raffiner son rapport aux différentes catégories de la population.

La notion de bloc historique est donc à son tour ambigue dans la mesure où elle évacue dans la superstructure l'analyse de cette domination.

Une théorie de l'Etat devient de plus en plus impérative (29) car se joue en son sein des processus mal circonscrits : plus s'aiguisent les conflits sociaux, plus se raffine la domination de l'Etat.

L'édifice gramscien vacille sur son propre terrain...

(1) On se souviendra de l'importance des interventions dans la société civile au Québec pendant cette période, comme nous avons pu le voir dans le tableau synthèse dans l'introduction de cette thèse.

(2) Nous voulons mentionner ici que Yves VAILLANCOURT, un chercheur québécois, travaille activement à cette question.

(3) RESEAU DES POLITISES CHRETIENS, *C'est quoi le réseau des politisés chrétiens?*, septembre 1974, p. 9, texte ronéotypé.

(4) RESEAU DES POLITISES CHRETIENS, op. cit., p. 9-10.

(5) Idem, p. 12.

(6) RESEAU DES POLITISES CHRETIENS, op. cit., p. 12.

(7) Tiré d'une traduction française d'un chapitre de PIVEN et CLOWARD, op. cit. par Pierre PAQUET, octobre 1971, p. 29., texte ronéotypé.

(8) Voir à cet effet dans l'introduction de cette thèse les références aux écrits de MARTIN, CLOWARD, OHLIN, et CLARK en particulier.

(9) Voir en particulier, à cette effet : MARTIN, P. et M. REIN, *Dilemnas of Social Reform*, New-York, Atherton Press, 1967.

(10) PIVEN, CLOWARD, op. cit.

(11) UNGER, Irwin, op. cit.

(12) MURRAY ROSS, op. cit.

(13) Le texte entre guillemets dans le présent paragraphe est de Louis FAVREAU, "En marge du débat sur l'animation sociale : réponse d'un apprenti sorcier", *Socialisme québécois*, no. 18, 1969, p. 87.

(14) ROGERS, Carl, *Psychotherapy and personality change*, Chicago, University of Chicago Press, 1954.

(15) CHABOT, Louise, *"De l'eau chaude, de l'espace et un peu plus de justice"*, Montréal, C.D.S.M.M., mai 1970.

(16) Voir à cet égard : CHABOT, Louise, FORTIN, Gérard, *Perspectives théoriques et étude de quatre C.E.R.* Québec, Bureau d'étude et aménagement régional, 1968. Ce dernier qualifie les "résistants" de "personnalité fermée" par rapport à ceux qui sont ouverts au changement ("personnalité ouverte").

(17) Voir à cet effet VALOIS, Jocelyne et Pierre PAQUET, *Les groupes populaires dans la structure du pouvoir*, I.C.E.A., août 1974, 217 p.

(18) Voir à cet effet GODBOUT, Jacques, *Participation et innovation : l'implantation des Centres locaux de services communautaires et les organismes communautaires autonomes*, op. cit.

(19) PORTELLI, H., op. cit., p. 116 ; PIOTTE, J.-M., op. cit., p. 20.

(20) PORTELLI, H., op. cit., p. 103 ; PIOTTE, J.-M., op. cit., p. 31.

(21) PORTELLI, H., op. cit., p. 103.

(22) Voir : *Traité marxiste d'économie politique, le capitalisme monopoliste d'Etat*, Paris, Editions Sociales, 1971, Tomes 1 et 2.

(23) ION, Jacques, et autres, *L'appareil d'action culturelle*, Editions Universitaires, 1974, p. 151.

(24) POULANTZAS, Nicos, *Les classes sociales dans le capitalisme d'aujourd'hui*, Paris, Editions du Seuil, 1974.

(25) Voir BEAUDELOT, Christian, ESTABLET, Roger et Jacques MALEMORT, *La petite bourgeoisie en France*, Maspéro, (Cahiers Libres), 1974.

(26) Les auteurs de *la Petite bourgeoisie en France* distinguent deux fractions nouvelles petites bourgeoises : 1/ "petite bourgeoisie des compromis d'Etat comprenant des cadres supérieurs et moyens de la fonction publique, amputée de la suite de la bourgeoisie" ; 2/ "petite bourgeoisie d'encadrement du secteur économique capitaliste (production, distribution, échange), cadres moyens et supérieurs du secteur privé". Tiré de GILBERT, Claude, *Vitry-sur-Seine, municipalité communiste*, Université des sciences sociales de Grenoble, thèse de doctorat de science politique, septembre 1975, p. 20. A ces deux fractions il faut ajouter la fraction petite bourgeoise commerçante dont le nombre tend à baisser ou du moins à se stabiliser.

(27) GILBERT, Claude, op. cit.

(28) Voir BON, Frédéric et M.A. BURNIER, *Classe ouvrière et révolution*, Paris, Editions du Seuil, 1971, p. 105.

(29) Voir à ce sujet : LEFEBVRE, Henri, *De l'Etat : l'Etat dans le monde moderne*, Tome I et II, coll. 10/18, 1976. A ce stade-ci de sa réflexion, il tente de circonscrire le "problème" de l'Etat.

NOUVELLES ORIENTATIONS DE RECHERCHE

I- ENTREE EN MATIERE

A peine avons-nous mené à terme un itinéraire de recherche qu'un autre se dégage progressivement.

De formation chrétienne et marqués par un courant humaniste, nous avons participé aux luttes urbaines à Montréal. Nous avons participé aux différentes étapes de cette "révolution tranquille".

Du malaise religieux et des impasses des théories d'organisation communautaire américaine, jaillit au début de 1970, comme une réponse consolante, la problématique marxiste.

C'est sur ce fondement que nous avons entrepris un premier retour critique sur notre pratique (1). Ce fut une production de recherche somme toute fort mécaniste : nous établissions un rapport de causalité entre organisation de l'espace et mouvements de lutte urbaine, le pouvoir local se présentait comme le représentant impératif du capital, les initiateurs comme les agents supports d'appareils idéologiques d'Etat, etc.

Pourtant, nous étions insatisfaits. Nous savions que les initiateurs des mouvements de lutte en milieu urbain n'étaient pas si impérativement au service de la classe dominante : notre schéma structuro-marxiste du début des années 70 nous enfermait. Trop de questions restaient en suspens.

C'est à travers, entre autres, des séminaires sur GRAMSCI (2) et une lecture plus approfondie de certains analystes (3) de GRAMSCI que s'ouvrait un champ nouveau d'investigation, c'est-à-dire tout le domaine de la société civile dans l'Etat (4).

De cette incursion chez GRAMSCI nous retenions qu'il fallait élargir la réflexion : étendre la période d'analyse, insérer l'analyse des mouvements de lutte à l'intérieur du cadre de la société civile, saisir cette société civile dans la conjoncture politique québécoise des années 60, mieux cerner la fonction des initiateurs à travers la notion d'intellectuel organique, mieux délimiter le rapport entre les mouvements de lutte en milieu urbain et la réorganisation de l'espace, bref, "démécaniser". C'est cet ensemble d'intentions résumé ici succinctement que nous avons traduit dans la présente recherche.

Loin de régler notre insatisfaction, cette incursion nous a amené sur des sentiers nouveaux : tout le domaine de la domination. GRAMSCI a présenté le marxisme comme étant historiquement une grande réforme intellectuelle et morale :

> *"La philosophie de la praxis présuppose tout ce passé culturel, la Renaissance et la Réforme, la philosophie allemande et la Révolution française, le calvinisme et l'économie classique anglaise, le libéralisme laïc et l'historicisme qui est à la base de toute la conception moderne de la vie. La philosophie de la praxis est le couronnement de tout ce mouvement de réforme intellectuelle et morale, dialectisé dans le contraste entre culture populaire et haute culture...". (5)*

Les sentiers nouveaux de recherche qui se développent indiquent que nous sommes loin d'un aboutissement inaltérable et définitif de cette réforme intellectuelle et morale.

Nous voulons dans les pages qui suivent approfondir les questions qui se sont développées en marge de notre réflexion sur GRAMSCI relativement à la pratique de domination de l'Etat. De cette réflexion nous espérons construire de nouveaux objets concrets de recherche.

À travers notre analyse de GRAMSCI, l'idée nous était venue que dans la société civile, tout un domaine de l'implicite, du non rationalisé pouvait remplir des fonctions et produire des effets qui étaient mal circonscrits. Nous retrouvions, en germe, dans la place accordée par GRAMSCI à la question religieuse des indications à ce sujet qui renforçaient l'intuition, le doute que nous avions connus à la lecture de WEBER (6). Ce domaine nous le qualifierons de celui de la domination.

Pour avancer dans notre réflexion, la lecture de Michel FOUCAULT (7) nous a servi de navigateur. Certains nous diront qu'il est un navigateur du XIXème siècle, à ceux-là nous disons qu'il navigue d'abord dans une civilisation dont nous faisons toujours partie, en prenant appui dans sa recherche sur la société du XIXème siècle. Certes, il ne parle pas de demain, mais voilà un problème qui nous concerne tous !

Quoi qu'il en soit, nous navigerons avec FOUCAULT dans les dérives de Gilles DELEUZE, Félix GUATTARI (8), Jean-François LYOTARD (9) et Jean BAUDRILLARD (10). Dans ces dérives, nous avons rencontré des continents que nous abordons sans prétention en tentant d'abord de nous y retrouver.

2. EXPLORATION DANS LA SOCIETE CIVILE

GRAMSCI nous introduit à cette société civile, à sa fonction hégémonique, FOUCAULT nous introduit à la genèse de la fonction hégémonique à travers le développement et le fonctionnement de mécanismes disciplinaires comme une des modalités (11) à travers lesquelles le corps est progressivement pris à partie dans les rouages de l'Etat :

> *"C'est-à-dire qu'il peut y avoir un "savoir" du corps qui n'est pas exactement la science de son fonctionnement, et une maîtrise de ses forces qui est plus que la capacité de les vaincre : le savoir et cette maîtrise constituent ce qu'on pourrait appeler la technologie politique du corps... Il s'agit en quelque sorte d'une micro-physique du pouvoir que les appareils et les institutions mettent en jeu, mais dont le champ de validité se place en quelque sorte entre ces grands fonctionnements et les corps eux-mêmes avec leur matérialité et leurs forces". (12)*

Ces mécanismes disciplinaires se sont accentués avec le développement de nos sociétés où l'homme devenu marchandise libre doit être dressé pour s'inscrire fonctionnellement :

> *"Mais le corps est aussi directement plongé dans un champ politique : les rapports de pouvoir opèrent sur lui une prise immédiate ; ils l'investissent, le marquent, le dressent, le supplicient, l'astreignent à des travaux, l'obligent à des cérémonies, exigent de lui des signes. Cet investissement politique du corps est lié, selon des relations complexes et réciproques, à son utilisation économique...". (13)*

Cet ensemble de processus disciplinaires nous permet de mieux saisir l'importance qualitative et quantitative dans nos sociétés avancées de la société civile dans la mesure où d'une part "la discipline est le procédé technique unitaire par lequel la force du corps est aux moindres frais réduite comme force "politique", et maximalisée comme force utile" (14). Mais ce qui est surtout important, c'est la force stratégique insidieuse à l'oeuvre pour composer avec la marchandise libre à discipliner car "le pouvoir qui s'y exerce n'est pas conçu comme une propriété, mais comme une stratégie... ses effets de domination ne (sont) pas attribués à une "appropriation", mais à des dispositions, à des manoeuvres, à des tactiques, à des techniques, à des fonctionnements, qu'on défriche en lui un réseau de relations tendues, toujours en activité plutôt qu'un privilège qu'on pourrait détenir ; ... il faut, en somme, admettre que ce pouvoir s'exerce plus qu'il ne se possède, qu'il n'est pas le "privilège" acquis ou conservé de la classe dominante, mais l'effet d'ensemble de ses positions stratégiques, effets que manifeste et parfois reconduit la position de ceux qui sont dominés" (15). C'est pourquoi nous trouvons toujours valable la notion de "discipline" quoique FOUCAULT l'ait utilisée surtout en relation avec les institutions du siècle dernier. Car le terme "discipline" peut être associé à différentes formes de contrôle qui dépassent la représentation "négative" qu'on en fait habituellement. A travers les "échanges symboliques" ou leur absence, comme nous le verrons ultérieurement, se dessinent "positivement" des territorialités nécessaires et des territorialités qui sont dépassées pour mieux contrôler...

En ce sens, la discipline n'est jamais acquise, elle est (tragiquement) un lieu permanent de négociation. C'est un marchandage qui va en profondeur dans le corps ; "le pouvoir ne s'applique pas purement et simplement comme une obligation ou une interdiction, à ceux qui "ne l'ont pas", il les investit, passe par eux et à travers eux ; il prend appui sur eux, tout comme eux-mêmes dans leur lutte contre lui, prennent appui à leur tour sur les prises qu'il exerce sur eux. Ce qui veut dire que ces relations descendent loin dans l'épaisseur de la société, qu'elles ne se contentent pas de reproduire au niveau des individus, des corps, des gestes et des comportements, la forme générale de la loi ou du gouvernement ; ... elles définissent des points innombrables d'affrontement, des foyers d'instabilité... Il (le pouvoir) n'est pas acquis une fois pour toutes... ; en revanche, aucun de ses épisodes localisés ne peut s'inscrire dans l'histoire sinon par les effets qu'il induit sur tout un réseau où il est pris" (16).

On négocie son corps contre de prétendus besoins, on négocie son abrutissement. Le négoce n'est pas le fruit d'une génération spontanée ; il est un fruit plus ou moins acide qui résulte de la pratique de différents groupes sociaux en de multiples points critiques de la société. Nous avons vu comment dans la société civile, la fonction critique et innovatrice d'un groupe social donné raffinait un appareil de domination. Le pouvoir et le savoir se marient bien. "Peut-être faut-il aussi renoncer à toute une tradition qui laisse imaginer qu'il ne peut y avoir de savoir que là où sont suspendues les relations de pouvoir et que le savoir ne peut se développer que hors de ses injonctions, de ses exigences et de ses intérêts. Peut-être faut-il renoncer à croire que le pouvoir rend fou... il faut plutôt admettre que le pouvoir produit du savoir... que pouvoir et savoir s'impliquent directement l'un l'autre ; qu'il n'y a pas de relation de pouvoir sans constitution corrélative d'un champ de savoir, ni de savoir qui ne suppose et ne constitue en même temps des relations de pouvoir"... (17).

Ce mariage est omniprésent. Il n'est plus seulement du domaine de la superstructure. Plus la saisie de ces phénomènes de domination se précisera, plus la notion de société civile deviendrait inopérante, plus l'Etat sera à ressaisir...

De cette courte "excursion" à ce stade de notre réflexion, deux domaines de recherche nous sont apparus importants : d'une part, celui des "micro-pouvoirs" où "l'homme dont on nous parle et qu'on incite à libérer est déjà en lui-même l'effet d'un assujettissement bien plus profond que lui. Une "âme" l'habite et le porte à l'existence qui est elle-même une pièce dans la maîtrise que le pouvoir exerce sur le corps. L'âme, effet et instrument d'une anatomie politique, l'âme prison du corps" (18). D'autre part, les institutions qui créent la discipline et construisent les micro-pouvoirs. "La surveillance hiérarchisée, continue et fonctionnelle n'est pas, sans doute, une des grandes "inventions" techniques du XVIIIe siècle, mais son insidieuse extension doit son importance aux nouvelles mécaniques de pouvoir qu'elle porte... Le pouvoir disciplinaire, grâce à elle, devient un système "intégré" lié de l'intérieur à l'économie et aux fins du dispositif où il s'exerce. Il s'organise aussi comme pouvoir multiple, automatique et anonyme..." (19). Ce mode de saisie de la domination ne peut donc être refermé sur les sociétés capitalistes. Il les dépasse largement.

Nous allons maintenant avancer dans les domaines de recherche identifiés en dérivant.

3. LE DOMAINE DES MICRO-POUVOIRS

Avec le développement, le raffinement des appareils de domination, c'est le geste du corps qui devient l'échelle de contrôle : "... il ne s'agit pas de traiter le corps en masse, en gros, comme s'il était une unité indissociable, mais de travailler dans les détails, d'exercer sur lui une coercition ténue, d'assurer des prises au niveau même de la mécanique — mouvements, gestes, attitudes, rapidité : pouvoir infinitésimal sur le corps actif" (20). Pour exercer le contrôle sur le geste du corps, la logique interne du geste devient l'objet de contrôle : "... non pas ou non plus les éléments signifiants de la conduite ou le langage du corps, mais l'économie, l'efficacité des mouvements, leur organisation interne ; la contrainte porte sur les forces plutôt que sur les signes ; la seule cérémonie qui importe vraiment, c'est celle de l'exercice" (2).

La discipline, le marquage quotidien du corps en est une modalité :

> "... elle implique une coercition ininterrompue, constante, qui veille sur les processus de l'activité plutôt que sur son résultat et elle s'exerce selon une codification qui quadrille de plus près le temps, l'espace, les mouvements. Ces méthodes qui permettent le contrôle minutieux des opérations du corps, qui assurent l'assujettissement constant, c'est cela qu'on peut appeler les "disciplines". (22)

La discipline pénètre au coeur même de l'apparente intimité de l'individu, elle déshabille sous le contrôle d'une race de voyeurs, plutôt de voyants, qui savent construire la norme dans ce trou complexe : la psychanalyse. Car la discipline cherche à mouler, à articuler les corps et les objets à travers lesquels le pouvoir"... constitue un complexe corps-âme, corps-instrument, corps-machine... Il a moins une fonction de prélèvement que de synthèse, moins d'extorsion du produit que de lien coercitif avec l'appareil de production" (23).

C'est ainsi que le pouvoir pénètre progressivement partout (24) et ouvre des labyrinthes nouveaux. Il ne nous restait qu'à y pénétrer, ce que nous avons fait à partir de LACAN, ou plutôt d'auteurs qui ont tenté une synthèse de LACAN (25). Mais c'est à travers la lecture de Jacques DREYFUS (26) que nous avons saisi la portée possible de ses écrits et une explication ou un effort explicitant les processus qui nous font intérioriser la discipline. C'est dans le rapport entre signifiant et signifié que se trouvait le noeud central : "... rapport entre signifiant et signifié, entre la partie visible matérielle du signe et la partie absente, désignée "allusive" (27). Entre les deux, une coupure insurmontable, une coupure irréductible où "l'inconscient est structuré comme un langage, l'inconscient du sujet est le discours de "l'autre" (28).

C'est en partie dans la pensée de FREUD, mais aussi de SAUSSURE que LACAN trouve cette forme de langage et tente d'y insuffler une vision nouvelle. Ainsi on peut faire une analogie entre le moi de FREUD et l'imaginaire de LACAN, en ce sens que dans l'imaginaire, c'est la signification immédiate, la partie visible des signes qui prédomine le domaine où le moi se prend pour sujet, se définit dans l'imaginaire une identité. Le surmoi peut être associé au symbolique, c'est-à-dire à cet autre, à ce domaine de l'allusif : "... le symbolique correspond à la fonction culturelle et idéologique contenu dans le surmoi" (29). Le ça, a cette pulsion du désir qui est l'énergie, le moteur de la pratique humaine"... la pratique humaine est pour l'homme le moyen de se créer, de "se réaliser" (30). Entre l'imaginaire et le symbolique, il y a une béance irréductible qui implique pour l'homme l'impossibilité d'assouvir son désir, mais il le recherche continuellement à travers la demande. Ces objets de demandes, ses besoins (31) peuvent ainsi se multiplier à l'infini sans jamais arriver à leur terme à cause de la coupure irréductible.

On peut ainsi discipliner l'homme, dans la mesure où on crée des besoins, où on joue sur sa demande qui est avant tout "demande d'amour, demande de présence" (32). Produire, toujours produire, sans saisir le processus inéluctable. Car dans la pensée de LACAN, cette structure entre signifiant et signifié est inchangeable, on ne peut que la saisir, vivre en gardant le désir du réel.

L'explication lacanienne saisie à travers les auteurs mentionnés, satisfait par ses intentions, par le projet qu'elle porte, mais nous laisse insatisfait dans la mesure où elle n'impliquerait pas une critique radicale de l'ordre disciplinaire : au fond, il s'agit de choisir la discipline qu'on est prêt à se donner pour vivre l'immuable, notre fatalité c'est l'inconscient, c'est le discours de l'autre. On reste avec un vague sentiment d'une reproduction dans le corps d'une civilisation théiste : la voie, la vérité, la vie est ailleurs, cherchons ses messages, devenons ses apôtres... devenons ses disciplinés...

C'est avec cette insatisfaction que nous avons abordé DELEUZE et GUATTARI (33). Ils ont fait fonctionner notre machine qu'ils qualifient de "désirante". Ils veulent fonder une approche matérialiste, saisir un processus dont nous sommes des éléments parmi d'autres dans les rapports disjonctifs, à l'intérieur d'un mouvement d'ensemble à la fois molaire (macro-pouvoir) et moléculaire (micro-pouvoir) (34).

Pour ces derniers, la psychanalyse a été une grande découverte qui trop rapidement s'est enfermée dans les territoires compatibles avec nos systèmes de production sociale. OEDIPE est au coeur de cette territorialisation : "La grande découverte de la psychanalyse fut celle de la production désirante, des productions de l'inconscient ; mais avec OEDIPE, cette découverte fut vite occultée par un nouvel idéalisme : à l'inconscient comme usine, on a substitué un théâtre antique ; aux unités de production de l'inconscient, on a substitué la représentation ; à l'inconscient productif, on a substitué un inconscient qui ne pouvait pas que s'exprimer (le mythe, la tragédie, le rêve...). Nous savons bien d'où vient le manque, et son corrélat subjectif, le fantasme. Le manque est aménagé, organisé dans la production sociale... En vérité, la production sociale est uniquement la production désirante, elle-même dans des conditions déterminées" (35).

En effet, pour ces auteurs, nous sommes des machines désirantes qui par le processus de territorialisation sont enfermées dans des fantasmes, des mythes, des représentations qu'on qualifie d'imaginaire, en rupture, en béance. "La vraie différence de nature n'est pas entre le symbolique et l'imaginaire, mais entre l'élément réel du machinique qui constitue la production désirante, et l'ensemble structurel de l'imaginaire et du symbolique, qui forme seulement un mythe et ses variantes : la différence n'est pas entre deux usages d'OEDIPE, mais l'usage anoedipien des disjonctions inclusives, illimitatives, et l'usage oedipien des disjonctions exclusives, que ce dernier usage emprunte les voies de l'imaginaire ou les valeurs du symbolique" (36).

La réalité, c'est que nous sommes des machines désirantes qu'il s'agit de faire fonctionner. La révolution ne viendra que de ce processus consistant à faire fonctionner la machine désirante au-delà de toute territoralité. C'est dans l'histoire, par des territorialisations successives, qu'on a détraqué nos machines, que nous sommes aux prises avec nos névroses oedipiennes, nos psychoses paranoïaques et nos perversions (37).

C'est ainsi que le développement du marquage de plus en plus accentué du corps par les micro-pouvoirs est à saisir à travers les déterritorialisation/reterritorialisation successives ; processus accompagnant le développement du capital qui tenterait de résorber les contradictions de plus en plus aiguës de son développement interne : "Plus la machine capitaliste déterritorialise, décodant et axiomatisant les flux (baisse tendancielle du taux de profit pour en extraire la plus-value), plus ses appareils..., bureaucratiques et policiers, reterritorialisent à tour de bras en absorbant une partie croissante de plus-values (accroissance absolue de la plus-value)" (38).

Sans avoir la prétention de saisir toute la richesse de la pensée de ces auteurs, il nous apparaît que tout le système d'explication tient et exerce sur nous un attrait énorme, dans la mesure où on accepte le postulat non démontré mais mis en action : nous sommes des machines désirantes.

C'est d'ailleurs en partie sur ce point que BAUDRILLARD (39) adresse des critiques à DELEUZE et GUATTARI. Critiques qui s'adressent aussi bien à LYOTARD (40) qui, dans une saisie plus réduite de la machine désirante (41), recherche ou tente de déplier le libidinal, le passionnel qu'il y a dans l'économique et le politique et recherche le politique/économique dans le passionnel. "Le capital est un système énergétique et intense. D'où l'impossibilité de distinguer (LYOTARD) l'économie libidinale et l'économie même du système (celle de la valeur), l'impossibilité de distinguer (DELEUZE) la schize capitaliste de la schize révolutionnaire. Car le système est le maître : il peut comme Dieu lier et délier les énergies, ce qu'il ne peut pas faire... c'est être réversible. Le processus de la valeur est irréversible. C'est donc la réversibilité seule et non la déliaison, ni la dérive, qui est mortelle pour lui" (42).

Si DELEUZE introduit la critique de LACAN dans son approche du rapport inaltérable du signifiant et du signifié en proposant l'idée de machine désirante, BAUDRILLARD introduit l'idée que la machine désirante s'insère dans cette logique du système qui se reproduit à travers la loi structurelle de la valeur. Pour lui, l'homme est devenu force productive libre et par le fait même marchandise échangeable à partir de sa valeur d'usage. Mais progressivement, les valeurs d'usage et d'échange menèrent des existences de plus en plus autonomes, à cause de leur liberté de mouvement qui mit fin à leur rapport dialectique. "Leur dialectique s'est écartée et le réel est mort sous le coup de cette autonomisation fantastique de la valeur. La détermination est morte, l'interdétermination est reine. Il y a extermination (au sens littéral du terme) des réels de production, du réel de signification" (43).

Il va au-delà de son exposé dans "l'économie politique du signe" (44) qui pour lui n'était qu'une étape dans la saisie d'un processus plus fondamental : "Dire que la sphère de la production matérielle et celle des signes échangent leur contenu respectif est encore loin du compte : elles disparaissent littéralement en tant que telles et perdent leur respectabilité en même temps que leur détermination, au profit d'une forme de la valeur, d'un agencement bien plus général, où la désignation et le production s'anéantissent" (45).

C'est ainsi que toute vraie révolution passerait par la réintroduction du symbolique comme force organisatrice qui soit apte à briser le mur entre vivant et mort, qui soit la critique radicale du machinisme de la loi structurelle de la valeur qui a pris la place de l'économie politique : "Il n'y a plus d'échange symbolique au niveau des formations sociales modernes plus comme forme organisatrice. Bien sûr, le symbolique les hante comme leur propre mort"... (46).

La pensée de BAURDILLARD est diffuse et allusive ; c'est pourquoi nous l'abordons et la traitons avec ce statut. Face à la discipline acquise, marquée sur le corps sous prétexte de lutter contre la mort, pour la vie, d'avoir fait de ces deux termes des antagonistes, on a renforcé la discipline comme processus nécessaire, comme processus de survie, comme recherche de la vie éternelle, comme légitimation du productivisme de nos sociétés avancées (47). A travers notre dérive sur ces continents, nous retrouvons des identités à redécouvrir, des corps à guérir, à penser etc... Nous sommes si loin et si près en même temps de notre point de départ si molaire et si moléculaire en même temps. De cette réflexion, une constante, le processus disciplinaire est à l'oeuvre jusque dans nos entrailles.

FOUCAULT disait à juste titre que la discipline avait des effets cellulaires, organiques, génétiques et combinatoires : "En résumé, on peut dire que la discipline fabrique à partir des corps qu'elle contrôle quatre types d'individualité, ou plutôt une individualité qui est dotée de quatre caractères : elle est cellulaire (par le jeu de la répartition spatiale), elle est organique (par le codage des activités), elle est génétique (par le cumul du temps), elle est combinatoire (par la composition des forces)..." (48).

Et si de cette lecture on tentait à travers les mouvements de lutte urbaine à Montréal, entre 1960 et 1973, de saisir ses effets sur les gens constituant ces mouvements, si on tentait de voir à l'oeuvre une tactique, "art de construire avec les corps localisés, les activités codées et les aptitudes formées, des appareils où le produit des forces diverses se trouve majoré par leur combinaison calculée..." (49). Notre démarche nous aurait amené à construire de nouveaux objets de recherche.

Si on se resitue dans le contexte des luttes urbaines à Montréal pendant cette période, il y aurait possibilité de transformer cette interrogation en hypothèse. Tout l'arsenal américain d'instruments psycho-sociaux mis à l'oeuvre est phénoménal. La démarche de recherche consisterait à lire la pratique des gens en tentant, entre autres, d'y retrouver les effets de discipline que FOUCAULT énumère.

Conséquemment à cette démarche, toute une méthodologie serait à construire (50). Il ne s'agirait pas "bêtement" de tomber dans l'empirisme, mais d'investir, de suivre ce qui a été réprimé : le poétique, le symbolique, le territorialisé ; questionner, annoncer des explications ou des hypothèses explicatives, les faire fonctionner jusqu'à leur extermination et lentement faire surgir le résidu vital qui ne se volatise pas, ou autrement saisir ce qu'il y a de commun dans la volatisation ; ne pas s'enfermer, mais savoir chercher sans prétentions en clarifiant. Démarche difficile, démarche désirante, refus de la vie totalisée, ouverture sur la vie/mort ou l'échange du symbolique, réunir rêve et praxis...

Nous avons dit à propos de la discipline qu'elle avait des effets combinatoires et en ce sens serait objet de tactique, donc de tacticiens. Abordons ces machines à micro-pouvoir : les appareils de domination.

4. LES APPAREILS DES MICRO-POUVOIRS

De quelle tactique s'agit-il ? Nous dirons qu'il s'agit d'une surveillance hiérarchique fonctionnant à l'aide du système sanction normalisatrice/gratification normalisatrice.

Cette surveillance hiérarchique s'est développée lentement au cours de l'âge classique pour devenir de plus en plus sophistiquée au fur et à mesure du développement de nos sociétés : "L'exercice de la discipline suppose un dispositif qui contraigne... un appareil où les techniques qui permettent de voir induisent des effets de pouvoir, et ou, en retour des moyens de coercition, rendent clairement visibles ceux sur qui ils s'appliquent. Lentement, au cours de l'âge classique, on voit se construire ces "observatoires" de la multiplicité humaine pour lesquels l'histoire des sciences a gardé si peu de louanges. A côté de la grande technologie des lunettes, des lentilles, des faisceaux lumineux qui a fait corps avec la fondation de la physique et de la cosmologie nouvelle, il y a eu les petites techniques, des surveillances multiples et entrecroisées, des regards qui doivent voir sans être vus ; un art obscur de la lumière et du visible a préparé en sourdine un savoir nouveau sur l'homme, à travers des techniques pour l'assujettir, des procédés pour l'utiliser" (51).

Le mode d'acquisition de connaissance sur l'homme nous fait mieux saisir le rapport inhérent entre savoir et pouvoir qui implique de toute nécessité le rapport inhérent entre savoir et pouvoir qui implique de toute nécessité des groupes sociaux qui organisent cette connaissance, non pas sagement, non pas en robot, mais par une approche critique de ce qui est, de ce qu'ils entrevoient de possible. "Surveiller devient... une fonction définie, mais doit faire partie intégrante du processus de productivité... Un personnel spécialisé devient indispensable, constamment présent et distinct des ouvriers... La surveillance devient un opérateur économique décisif... même mouvement dans la réorganisation de l'enseignement..." (52). C'est ainsi qu'au-delà des intellectuels liés au prolétariat et les intellectuels liés à la classe dominante, comme nous l'avons déjà abordé, il y a cette fonction de savoir qui constitue un moyen de domination. "En bref, ce n'est pas l'activité du sujet de connaissance qui produirait un savoir utile ou rétif au pouvoir, mais le pouvoir-savoir, les processus et les luttes qui le traversent et dont il est constitué, qui déterminent les formes et les domaines possibles de la connaissance" (53).

C'est dans ce mouvement qu'il faut saisir le processus de sanction normalisatrice/gratification normalisatrice, en relation avec des identités définies. On apprend la norme plus encore on en crée. De par la critique on crée un savoir, de par le pouvoir on peut mieux synthétiser, fonctionnaliser cette critique, rénover ou innover dans les normes qui se fondent sur les identités nouvelles expérimentées en différents lieux. C'est à travers ce type de processus que nos sociétés avancées trouvent, entre autres, certaines inspirations pour leur développement et leur stabilité (54).

Ensemble de processus qui au niveau de la collectivité génère une insertion fonctionnelle de la discipline (55), c'est-à-dire rend positif, acceptable, la discipline comme instrument de production, de transmission de connaissance, de diffusion d'aptitudes et de savoir-faire, génère aussi un essaimage de mécanismes disciplinaires (56) sous prétexte d'aider les gens à s'organiser, à mieux affronter différents problèmes (comme par exemple l'organisation de certains équipements de santé) ; génère enfin l'étatisation des mécanismes de discipline (57), c'est-à-dire laisse pénétrer l'Etat dans différents domaines de la vie des individus en naturalisant des instruments de contrôle (exemple : la psychiatrie communautaire). Bref, ensemble de processus ayant pour effet de réduire la force politique et d'augmenter le contrôle social, voilà ce qui nous semble caractériser, pour le moment, les appareils de domination.

A Montréal, entre 1960 et 1974, nous avons observé l'apport de l'Etat sous l'impulsion d'une droite libérale dans la question urbaine. Nous avons observé des appareils de la société civile qui genèrent des mouvements de lutte en milieu urbain, qui initient une critique reprise ensuite par l'Etat à travers des innovations entre autres dans la santé et les services sociaux. Dans notre incursion des recherches, dans des domaines similaires, en France (58), nous sommes surpris par les effets similaires observés, mais cette fois-ci sous l'impulsion de partis de gauche. Nous pourrions donc voir à l'oeuvre un mouvement d'ensemble qui, dans des conjonctures politiques différentes, rendrait compte d'une fonction de domination qui, sous des modalités différentes, produirait les mêmes effets de contrôle social. Nous pourrions en faire une hypothèse à partir de laquelle il serait possible de construire de nouveaux objets de recherche à travers des études comparatives, des effets produits par les mouvements de lutte en milieu urbain, dans des formations sociales différentes.

Voilà les perspectives nouvelles de recherche qui s'offrent à nous à travers notre incursion dans le domaine des "micro" et "macro" pouvoirs : mieux cerner des phénomènes de domination qui échappent largement à la théorie gramscienne de l'Etat...

(1) Donald McGRAW, *La modification de la pratique politique et idéologique des groupes populaires entre 1963 et 1969*, Thèse de maîtrise, Université du Québec à Montréal, avril, 1974, 140 pages.

(2) Il s'agit des séminaires que nous avions suivis avec Jean-Marc PIOTTE auteur d'un livre sur GRAMSCI (op. cit.).

(3) Il s'agit en particulier de Jean-Marc PIOTTE, op. cit. ; de Maria-Antonietta MACCHIOCHI, op. cit. ; et H. PORTELLI, op. cit.

(4) Notre réflexion sur cette question donna lieu à une note de recherche. Donald McGRAW, *Note pour un projet de recherche : notion d'Etat et de société civile chez GRAMSCI*, Texte ronéotypé. juin 1973, 31 pages.

(5) Citation de GRAMSCI, in Hugues PORTELLI, *Gramsci et la question religieuse*, Editions Anthropos, 1974, page 259.

(6) WEBER, Max, *L'éthique protestante et l'esprit du capitalisme*, Paris, Plon, 1965.

(7) Nous référons en particulier à Michel FOUCAULT, *Surveiller et punir*, Editions Gallimard, 1975, qui nous servira de guide dans notre réflexion.

(8) En particulier Gilles DELEUZE et Félix GUATTARI, *Capitalisme et schizophrénie*, Editions de Minuit, 1972.

(9) En particulier Jean-François LYOTARD, *Economie libidinale*, Editions de Minuit, 1974.

(10) En particulier Jean BAUDRILLARD, *L'échange symbolique et la mort*, Editions Gallimard, 1971.

(11) Nous disons "une des modalités" dans la mesure où Michel FOUCAULT à travers l'histoire de la sexualité, qu'il est à réaliser, élargit ce champ des modalités. Voir à cet effet : Michel FOUCAULT, *Histoire de la sexualité : la volonté de savoir*, Editions Gallimard, Tome I, 1976, 211 pages.

(12) Michel FOUCAULT, op. cit., p. 31.

(13) Michel FOUCAULT, op. cit., p. 30.

(14) Idem, p. 223.

(15) FOUCAULT, Michel, op. cit., p. 31.

(16) Idem, p. 31 et 32.

(17) FOUCAULT, Michel, op. cit., p. 34.

(18) Idem.

(19) Idem, p. 179.

(20) FOUCAULT, Michel, op. cit., p. 139.

(21) Ibid.

(22) Ibid.

(23) Ibid, p. 155.

(24) Nous sommes d'accord avec le professeur Jean LECA quand il dit : "... nous nous refusons... à accrocher automatiquement et exclusivement l'adjectif politique à toute lutte ayant comme objectif que le "pouvoir institutionnel" de l'Etat in *Introduction à la science politique*, Cours de l'Institut d'études politiques de Grenoble, 1974-1975.

(25) Il s'agit dans le cas présent de CLEMENT, B., et autres, *Pour une critique marxiste de la psychanalyse*, Editions Sociales. En particulier les pages 117 à 137.

(26) DREYFUS, Jacques, *L'urbanisme comme idéologie de la rationalité*, op. cit.

(27) CLEMENT et autres, *op. cit.*, p. 120.

(28) Idem.

(29) Idem, p. 131.

(30) DREYFUS, Jacques, *op. cit.*, p. 59.

(31) A cet effet, DREYFUS fournit un aperçu critique éloquant de cette "question".

(32) DREYFUS, op. cit., p. 58.

(33) DELEUZE, Gilles et F. GUATTARI, op. cit.

(34) A cet effet voir DELEUZE, GUATTARI, op. cit. Ils fournissent en pages 334 et 335 un schéma d'ensemble de leur mode d'explication et d'approche du phénomène en question.

(35) DELEUZE, GUATTARI, op. cit., p. 35.

(36) Idem, p. 99.
(37) Idem. Voir le schéma p. 336.
(38) DELEUZE, GUATTARI, op. cit., p. 42.
(39) BAUDRILLARD, op. cit.
(40) LYOTARD, op. cit.
(41) Tel que nous est apparu le point de vue de LYOTARD qui produit l'idée d'une surface libidinale sans envers qui est inscrite, enfermée, au lieu d'être à l'état libre, sans replis. Voir à cet effet LYOTARD, op. cit., p. 84.
(42) BAUDRILLARD, op. cit., p. 12. Sa critique sur l'anti-Oedipe est plus développée en p. 213 et suivantes.
(43) BAUDRILLARD, op. cit., p. 19.
(44) BAUDRILLARD, Jean, *Pour une critique de l'économie politique du signe*, Paris, Editions Gallimard, 1972.
(45) BAUDRILLARD, op. cit., p. 19.
(46) Idem, p. 7.
(47) En ce sens, la lecture d'ILLICH à propos de la santé comme domaine de "traitement" prend tout un sens nouveau.
(48) FOUCAULT, Michel, op. cit., p. 169.
(49) Idem, p. 169.
(50) Nous trouvons intéressantes les voies ouvertes en ce sens par BRUSTON et MAFFESOLI, *Pratiques sociales et représentation*, Grenoble, U.E.R. Urbanisation et aménagement, 1973 et 1974, 2 tomes.
(51) FOUCAULT, op. cit., p. 173.
(52) FOUCAULT, op. cit., p. 196.
(53) Idem, p. 32.
(54) Voir à cet effet : D'ARCY, François, *L'utilisation de la norme dans la domination.* Grenoble, C.E.R.A.T., 1976, texte ronéotypé ; UNGER, Irwin, *The Movement : a History of the American New Left*, 1959-1972, op. cit.
(55) Voir pour plus d'explication FOUCAULT, op. cit., p. 211.
(56) Idem, p. 213.
(57) Idem, p. 214.
(58) Nous pensons en particulier ici aux études de GILBERT, Claude, *Vitry-sur-Seine, municipalité communiste*, Grenoble, thèse de doctorat de science politique, septembre 1975 et de SAEZ, Guy, et autres, *Innovation difficile, domination aléatoire. Les équipements intégrés*, Grenoble, I.E.P.-E.U.R.D.A., décembre 1975.

BIBLIOGRAPHIE

I. OUVRAGES GENERAUX

ALTHUSSER, L. & E. BALIBAR, *Lire le Capital*, Paris, Maspéro, T. I et II, 1968.
ALTHUSSER, L., *Pour Marx*, Paris, Maspéro, 1969.
ALTHUSSER, L., *Eléments d'auto-critique*, Paris, Hachette, 1974.
ALTHUSSER, L., *Réponse à John Lewis*, Paris, Maspéro, 1973.
BAUDELOT, E., ESTABLET, R. & G. MALEMORT, *la Petite bourgeoisie en France*, Paris, Maspéro, 1974.
BAUDRILLARD, J., *Pour une critique de l'économie politique du signe*, Paris, Gallimard, 1972.
BAUDRILLARD, J., *l'Echange symbolique et la mort*, Paris, Gallimard, 1971.
BUCI-GLUCKSMANN, *Gramsci et l'Etat*, Paris, Fayard, 1975.
BON, F. & M.A. BURNIER, *Classe ouvrière et révolution*, Paris, Editions du Seuil, collection Politique, 1971.
CLEMENT, B., *Pour une critique marxiste de la psychanalyse*, Paris, Editions Sociales, 1973.
DELEUZE, G. et F. GUATTARI, *l'Anti-Oedipe*, Paris, Editions de Minuit, 1972.
FOUCAULT, M. *Histoire de la folie*, Paris, Union générale d'Edition, Collection 10/18, Edition abrégée, 1964.
FOUCAULT, M., *Surveiller et punir : naissance de la prison*, Paris, Gallimard, 1975.
LEFEVRE, H., *de l'Etat dans le monde moderne*, T. I et II, coll. 10/18, 1976.
LYOTARD, F., *Economie libidinale*, Paris, Editions de Minuit, 1974.
MACCHIOCHI, M.-A., *Pour Gramsci*, Paris, Editions du Seuil, 1974.
MALLET, S., *la Nouvelle classe ouvrière*, Paris, Editions du Seuil, collection Esprit, 1963.
MARX, K., *le Capital*, Paris, Editions Sociales.
PIOTTE, J.-M., *la Pensée politique de Gramsci*. Parti-Pris, 1970.
PORTELLI, H., *Gramsci et le bloc historique*, Paris, P.U.F., 1972.
PORTELLI, H., *Gramsci et la question religieuse*, Paris, Editions Anthropos, 1974.
POULANTZAS, N., *la Crise de l'Etat*, Paris, P.U.F., 1976.
POULANTZAS, N., *Pouvoir politique et classe sociale de l'Etat capitaliste*, Paris, Maspéro, 1970.
POULANTZAS, N., *Fascisme et dictature*, Paris, Maspéro, 1970.
EN COLLABORATION, *Traité marxiste d'économie politique : le capitalisme monopoliste d'Etat*, Paris, Editions Sociales, 1971, 2 tomes.
TOURAINE, A., *Sociologie de l'action*, Paris, Editions du Seuil, 1965.
TOURAINE, A., *la Société post-industrielle*, Paris, Editions Denoël, 1969.
TOURAINE, A., *le Mouvement de mai ou le communisme utopique*, Paris, Editions du Seuil, 1968.
TOURAINE, A., *la Conscience ouvrière*, Paris, Editions du Seuil, 1966.
WEBER, M., *l'Ethique protestante et l'esprit du capitalisme*, Paris, Plon, 1965.

II. OUVRAGES PARTICULIERS ET TRAVAUX DE RECHERCHE

ALINSKY, S.D., *Reveil for Radicals*, Chicago, University of Chicago Press, 1946.

178

BABOULENE, G. et autres, *Organisation des grands groupes industriels et choix de localisation*, B.E.R.U., 1975.

BALY, M., *Revolution Game*, Toronto, New-Press, 1970.

BASTIEN, P. et autres, *Où vont les investissements immobiliers à Montréal*, Cahier 1, C.D.S.M.M., mars 1975.

BOURNE, L.S., *Private Redevelopment of the Central City*, University of Chicago, Dept. of Geography, 1967.

BURGESS, E. et autres, *The City*, Chicago, University of Chicago Press, 1925.

BRUSTON, A. & M. MAFFESOTI, *Pratiques sociales et représentations*, Grenoble, U.E.R. Urbanisation-Aménagement, 2 tomes, 1973 et 1974.

CASTELLS, M. & F. GODARD, *Monopolville, l'entreprise, l'Etat, l'urbain*, Paris, La Haye, Editions Mouton, 1974.

CASTELLS, M., *la Question urbaine*, Paris, Maspéro, 1972.

CASTELLS, M., *Luttes urbaines*, Paris, Maspéro, Cahiers libres, 1973.

CASTELSS, M. et autres, *la Sociologie des mouvements sociaux urbains*, Paris, Ecole des Hautes Etudes en sciences sociales, vol. 1 et 2, 1974.

CHABOT-ROBITAILLE, L., *de l'Eau chaude, de l'espace et un peu de justice*, Conseil de développement social du Montréal métropolitain, mai 1970.

COLLIN, J. P. & G. GODBOUT, *les Organismes populaires en milieu urbain : contre-pouvoir ou nouvelle pratique professionnelle*, Université du Québec, I.N.R.S., 1975.

COMBES, D. & E. LAPATIE, *l'Intervention des groupes financiers français dans l'immobilier*, Paris, C.S.U., 1973.

COOP, T., *The Anatomy of Poverty (1897-1929)*, Mc Clelland and Stewart Ltd, 1974.

DIVAY, G. & G. GODBOUT, *une Politique de logement au Québec*, C.R.U.R., no5, 1971.

DREYFUS, J., *l'Urbanisme comme idéologie de la rationalité*, Paris, Copédith 1973, tomes 1 et 2.

EN COLLABORATION, *Opération : rénovation sociale*, Montréal, Conseil de développement social, 1966.

FRAP, *les Salariés au pouvoir*, Editions Les Presses Libres, 1970.

GILBERT, Claude, *Vitry-sur-Seine, municipalité communiste*, Grenoble, thèse de doctorat en science politique, septembre 1975.

GODBOUT, G. & J. P. COLLIN, *les Organismes populaires en milieu urbain*, Université du Québec, I.N.R.S., 1975.

GREMION, J.P., *le Pouvoir périphérique*, Paris, Editions du Seuil, 1976.

HAMILTON, I., *The Children Crusade*, Toronto, Peter Martin Associate, 1970.

HUET, A. et autres, *Rôle et portée économique, politique et idéologique de la participation et aménagement urbain*, Rapport de recherche, D.G.R.S.T., 1973.

HUNTER, F., *Community Power Structure*, Chapel Hill, University of North Carolina Press, 1963.

ION, J., *l'Appareil d'action culturelle*, Editions Universitaires, 1974.

LAMARCHE, F., *une Ville à vendre*, E.Z.O.P.-Québec, cahier 1, 1972.

LESEMAN, R. & M. THIENOT, *Animations sociales au Québec*, Université de Montréal, Ecole de Service Social, octobre 1972.

MENARD, J.F., *Communauté locale et organisation communautaire aux Etats-Unis*, Cahiers de la Fondation nationale des sciences politiques, Paris, A. Colin, 1969.

MEISTER, A., *Participation, animation et développement*, Paris, Editions Anthropos, 1969.

MERTON R.K. & R. NISBET, *Contempory Social Problems*, New-York, Hartcourt, Brace and World, 1961.

MILLS, C.W., *The Power Elite*, New-York, Oxford University Press, 1956.

ROSS, M.G., *Community Organisation : Theory and Principles*, New-York, Harper and Row, 1955.

PRETECEILLE, E., *la Production des grands ensembles*, Paris, Mouton, 1973.
SEWELL, J., *Ups Against City Hall*, Toronto, James Lewis and Samuel, 1972.
TOPALOV, C., *Capital et propriété foncière*, Paris, Centre de sociologie urbaine, 1973.
PIVEN, F. & R.A. CLOWARD, *Regulating the Poor. The Function ou Public Welfare*. New-York, Random House, 1971.
UNGER, Irwin, *The New Left*, New-York, Dood Mead & Cie, 1974.
VALOIS, J. & P. PAQUET, *les Groupes populaires dans la structure du pouvoir*. I.C.E.A.. 1974.
VAILLANCOURT, Y., *les Politiques sociales et les travailleurs*, Montréal, 1974.
WILLIAMS, O.P., *Metropolitain Political Analysis*, New-York, The Free Press, 1971.

III. ARTICLES

ALINSKY, S.D., Defining Community Organisation Practice, *National Association of Social Workers*, New-York, décembre 1972.
ALTHUSSER, L., "Idéologie et appareil idéologique d'Etat", *la Pensée*, no 15, juin 1970.
ALQUIER, F., "Contribution à l'étude de la rente foncière sur les terrains urbains". *Espace et société*, no 2, mars 1971.
BELIVEAU, M., "l'Animation sociale : un art, une stratégie, une tactique révolutionnaire", *Participation* 2, septembre 1968.
BLONDIN, M., "l'Animation sociale en milieu urbain : une solution", *Recherche sociographique*, no 3, vol VI, septembre-décembre 1965, P.U.L.
BOISVERT, A., "Contre l'animation sociale", *Participation* 3, déc. 1968.
CASTELLS, M., "la Crise urbaine aux Etats-Unis : vers la barbarie", *les Temps modernes*. no 335, février 1976.
CASTELLS, M., "Théorie et idéologie en sociologie urbaine", *Sociologie et société* no2. vol. 1, novembre 1964.
CORBEIL, M., "l'Expérience du Conseil des oeuvres de Montréal", *Relations*, mai. 1970.
DIDIER, R., "Où va l'animation sociale", *Relations*, mai 1970.
DREYFUS, J., "l'Essentiel et le résidu : le cas de la planification urbaine", *Consommation*, no 3, 1974.
EN COLLABORATION, "les Chrétiens dans le mouvement ouvrier au Québec". *Relations*, numéro spécial, Montréal, 1974.
EN COLLABORATION, "la Lutte des travailleurs de Remi Carrier", *Mobilisation*. no 8, vol. 3, juin 1974.
EN COLLABORATION, "la Formation : une nécessité du travail militant", *Mobilisation*. no 1, vol. 2, janvier 1973.
EN COLLABORATION, "Histoire du mouvement étudiant (1964-1972)", *Mobilisation*, no 2, vol. 4, octobre 1974.
EN COLLABORATION, "Quelques agents du début d'un mouvement socialiste à Montréal", *Mobilisation*, no 2, vol. 2 (A.P.L.Q.).
EN COLLABORATION, "Problèmes et perspectives du travail de quartier à St-Jacques". *Mobilisation*, no 3, A.P.L.Q.
EN COLLABORATION, "Bilan du C.A.P. Saint-Michel", *Mobilisation*, no 9, vol. 3, juillet 1974.
EN COLLABORATION, "Reflet de la sociale-démocratie à Montréal", *Mobilisation*, no 1, vol. 4.
FAVREAU, Louis, "en Marge du débat sur l'animation : réponse d'un nouveau sorcier", *Socialisme* 69, (18), 1960.
FREITAG, M., "de la Ville-société à la ville-milieu", *Sociologie et sociétés*, no 1, mai 1971.

LAMARCHE, F., "Les comités de citoyens ; un nouveau phénomène de contestation". *Participation*, numéro 3, décembre 1968.

LOJKINE, "Y-a-til une rente foncière urbaine", *Espace et société*, numéro 2, mars 1971.

PICKVANCE, C.G., "On the study of urban social movements", *The sociological review*, numéro 1, vol. 23, février 1975.

QUIRION, H., "Y-a-t-il un métier d'animateur social ?". *Relations*, mai 1970.

SHIPMAN, G.A., "Maximum feasible misunderstanding : review article", *Journal of human resources,* numéro 1, vol. II, 1970.

WELCH D., "Trois expériences de mobilisation dans un quartier populaire", *Mobilisation*, dossier printemps 1976.

IV- DOCUMENTS DIVERS

BELANGER, P., PAQUET, P. & VALOIS, J., *La formation professionnelle des adultes et la reproduction des contradictions sociales*, Institut canadien d'éducation des adultes, texte ronéo, 1974.

BLONDIN, M., *Conseil du quartier Saint-Henri*, Conseil des oeuvres de Montréal, décembre 1964.

BLONDIN, M., *La Petite Bourgogne*, Conseil des oeuvres de Montréal, octobre 1966.

BLONDIN, M., *L'animation sociale : sa nature et sa signification au Conseil des oeuvres de Montréal*, Conseil des oeuvres de Montréal, décembre 1967.

BLONDIN, M. & LAGRENADE, P., *Dégagement d'un projet collectif ou d'un idéal possible*, Conseil de développement social de Montréal métropolitain, janvier 1968.

BLONDIN, M., *Bâtir la terre des hommes oubliés*, Conseil de développement social du Montréal métropolitain, mai 1968.

BLONDIN, M. *Rapport des activités 1967-1968 et projet de programme 1968-1969*, Conseil de développement social du Montréal métropolitain, mai 1968.

BLONDIN, M., *Projet d'éducation et d'organisation populaire soumis aux Eglises de Montréal et au Ministère de la santé nationale*, C.D.S., septembre 1969.

BLONDIN, M., *Service d'animation sociale*, Conseil des oeuvres de Montréal, mai 1968.

BLONDIN, M., *L'animation sociale, telle qu'élaborée et mise en oeuvre au Conseil des oeuvres de Montréal*, Conseil des oeuvres de Montréal, octobre 1968.

CHAMBRE DES COMMUNES, *Procès-verbaux et témoignages concernant la Compagnie des jeunes Canadiens*, numéro 1, octobre 1969.

COTE, S., *Portrait robot des sous-zones du quartier Centre-Sud*, Conseil de développement social du Montréal métropolitain, janvier 1971.

DURAND, N., *Etude descriptive des caractéristiques du Mile-End*, Montréal, P.R.S.U., 1967.

FAVREAU, Louis, *A propos d'une intervention d'animation celle du Conseil des oeuvres*, Conseil de développement social du Montréal métropolitain, janvier 1969.

FAVREAU, L. *Bilan 68-69 : Hochelaga-Maisonneuve*, Conseil de développement social du Montréal métropolitain, avril 1969.

FORTIN, G., *Participation et société*, Université de Laval, département de sociologie, septembre 1968, texte ronéotypé.

GAREAU, J. *Bilan de 6 mois d'activités du comptoir alimentaire*, Conseil de développement social du Montréal métropolitain, avril 1970.

GAREAU, J., *Portrait du quartier Hochelaga*, Conseil de développement social du Montréal métropolitain, janvier 1971.

LAGRENADE, P., *D'aujourd'hui à demain*, Conseil de développement social du Montréal métropolitain, juin 1968.

LAGRENADE, P, *Rosemont c'est quoi*, Conseil de développement social du Montréal métropolitain, février 1970.

LAGRENADE, P. & LAPOINTE, R., *Bilan : animation sociale*, C.D.S., décembre 1972.

LAPLANTE, P., *Le Conseil des oeuvres*, C.D.S.M.M., octobre 1960.

L'EQUIPE D'ANIMATION, *Evolution du travail auprès d'un Comité de citoyens*, Conseil de développement social du Montréal métropolitain, mai 1966.

LEVEILLE, J., *Le système municipal québécois : un système en état de mutation*, Montréal, Université du Québec, 1974, texte ronéotypé.

MARCEAU, F., *Le Sud-Ouest c'est quoi ?*, Conseil de développement social du Montréal métropolitain, mai 1970.

MONGEAU, S., *L'animation en quartier défavorisé : l'expérience de Saint-Henri*, Conseil des oeuvres de Montréal, mars 1966.

MONGEAU, S. & SIMARD, P., *L'animation sociale à Saint-Henri*, Conseil des oeuvres de Montréal, août 1966.

OUELLET, H., *Opérationalisation des orientations de l'animation sociale du Conseil des oeuvres de Montréal*, Conseil de développement social du Montréal métropolitain, novembre 1967.

SERVICE D'ANIMATION SOCIALE, *Esquisse d'un projet pilote d'information politique dans le cadre d'un quartier ouvrier de Montréal*, Conseil de développement social du Montréal métropolitain, novembre 1968.

SERVICE DES PERMIS ET INSPECTIONS, *Rapport annuel 1969*, Ville de Montréal, 1969.

STATUTS REVISES DU CANADA, *Loi sur la Compagnie des jeunes Canadiens*, 1966-1967 (70), vol. 1, chap. C 26.

TABLE DES MATIERES